Milionerzy

STANISŁAWA
FLESZAROWA-MUSKAT

Milionerzy

EDIPRESSE
POLSKA

Copyright © by Fundacja im. Stanisławy Fleszarowej-Muskat

Wydawnictwo
EDIPRESSE POLSKA SA,
ul. WIEJSKA 19, 00-480 WARSZAWA

Dyrektor wydawniczy
MAŁGORZATA FRANKE

Brand manager
MONIKA BOGUSZ

Redaktor serii
ZBIGNIEW ŻBIKOWSKI

Projekt okładki
BEATA KULESZA-DAMAZIAK, Studio KARANDASZ

Łamanie
JOANNA KOZŁOWSKA

BIURO OBSŁUGI KLIENTA
czynne: pn.-pt. w godz. 8.00-17.30
e-mail: bok@edipresse.pl
tel.: (22) 584 22 22
faks: (22) 584 22 32

Druk
DRUKARNIA TINTA, DZIAŁDOWO

ISBN 978-83-7769-165-6 (kolekcja)
ISBN 978-83-7769-170-0 (tom 5)

PRZEDMOWA

Milionerzy są powieścią pisaną specjalnie dla radia z zachowaniem normalnej struktury powieściowej przy najbardziej dla radia odpowiedniej formie słuchowiska. Dwadzieścia cztery odcinki *Milionerów* były półgodzinnymi jednoaktówkami, utrzymując się w pełni w gatunku radiowego teatru.

Zrezygnowałam z wprowadzenia opisu – tekstu narracyjnego – stosowanego nieraz w powieści radiowej dla pogłębienia przeżyć psychicznych bohaterów (Kuncewiczowa, Boguszewska). Wszystko, co dzieje się w *Milionerach*, wyrażone jest dialogiem, wyłącznie dialog konstruuje portret psychiczny postaci, dialog zarysowuje konflikty. Wielkie zaufanie do wyobraźni słuchacza kazało mi wyzbyć się jakichkolwiek uzupełnień pomocniczych w dążeniu do rzeczy w radiu najcenniejszej: doraźności dziania się, urealnienia fikcji literackiej, włączenia słuchaczy w akcję przez uczuciowe uczestniczenie w niej.

W powieści radiowej, ukazującej się w formie książki, rygor tego gatunku staje się jeszcze surowszy. Słowo dialogu jest już tylko słowem drukowanym. Odpada dźwięk – ten niezastąpiony komentarz radiowy, akustyczna ilustracja tła, umiejscowienie akcji – wreszcie sam głos aktora, jego barwa i szczególne cechy, tak bardzo nieraz przywiązujące słuchaczy do postaci powieści. Aby więc nie zatracić jasności akcji i przejrzystości dialogu, musiałam w wydaniu książkowym *Milionerów* wprowadzić minimalny opis, zastępujący niejako uwagi autora pod adresem reżysera radiowego.

Słuchacze bardzo przywiązali się do *Milionerów*. Świadczą o tym listy, które nadeszły do Polskiego Radia w Gdańsku i które „zmusiły" rozgłośnię do kontynuacji losów bohaterów w następnej mojej powieści radiowej – *Kochankowie róży wiatrów*.

Ujawniła się przy tej okazji prawda stara i zawsze cenna, że ludzie lubią odnajdywać w konfliktach powieściowych własne losy, muszą czuć, że pisze się nie tylko dla nich, ale i o nich. Akcja *Milionerów*, osnuta wokół budowy pierwszego polskiego zbiornikowca na Stoczni Gdańskiej, nie tylko nie odstraszyła słuchaczy, lecz pozwoliła im wszystkie związane z tym wielkim wydarzeniem sprawy uznać za swoje, bliskie i ważne. Był to triumf nie tyle powieści, jej realizacji radiowej – pracy reżysera i aktorów – ile samych słuchaczy, którzy wykazali tak silne, tak serdeczne powiązanie ze swoim terenem i jego problemami.

Miło mi – nie po raz pierwszy – stwierdzić, że od pewnego momentu stali się oni niejako współtwórcami powieści, wspierając mnie w trakcie jej tworzenia swoją życzliwością, niekiedy radą, a przede wszystkim przywiązaniem do *Milionerów*.

Stanisława Fleszarowa-Muskat

I

Jeszcze nie wiem, kim oni są. Jeszcze ich szukam. Szukam i wypatruję wśród wielu ludzi, z którymi stykam się w ciągu dnia. Kiedy jadę kolejką i patrzę na twarz siedzącej przede mną młodej kobiety, myślę: może ona? Może to tamten człowiek w popielatej kurtce, który zapalił właśnie papierosa? Może to ten staruszek pod oknem, który czyta gazetę?... Wciąż jeszcze jest przede mną sprawa najtrudniejsza: muszę w y b r a ć czyjeś życie i otworzyć je przed tysiącami słuchaczy i czytelników, otworzyć je na oścież. Jest coś pasjonującego w podpatrywaniu cudzego życia. Ale jest i strach, strach bezsilnego świadka.

Bo może się zdarzyć, że tym ludziom zacznie dziać się krzywda, że – co gorsza – sami będą krzywdzić się nawzajem, że zagrozi im jakieś niebezpieczeństwo, a my nie będziemy mogli im pomóc, nie będziemy mogli ich ostrzec ani powstrzymać i stać nas będzie tylko na bezczynne przyglądanie się wszystkiemu, czym obdarzy ich los.

Ostrzegam was – to nie wy wtargniecie w życie tych ludzi, to oni wtargną w wasze.

Aby nie groziły nam jednak zbyt przykre niespodzianki, uczynię bohaterami mojej powieści ludzi szczęśliwych, prawdziwych życiowych milionerów. Obdarzę ich miłością najbliższych, otoczę szacunkiem, powodzeniem i sympatią. Mam nadzieję, że tego nie zmarnują.

Czego im jeszcze może brakować? Mieszkają w tak pięknym mieście! Kiedy rano wychodzą z domów, kłania im się wieża kościoła Marii Panny, płynąca zielonymi kanałami Radunia przyśpiewuje ich krokom, a wieczorem podlewają kwiaty na kolorowych balkonach pięknych nowych domów przy ulicy Chlebnickiej, Kramarskiej, Lawendowej i Rajskiej...

– Panie doktorze, pan, zdaje się, mieszka na Rajskiej?

– Tak, Rajska 2.

– Czy zgadza się pan zostać bohaterem mojej powieści radiowej?

– Ja? Co ciekawego widzi pani we mnie?

– Nic. Absolutnie nic.

– Cóż ze mnie za bohater powieści? Jestem lekarzem na stoczni. Moje zajęcie nie jest tak błyskotliwe, jak zawód słynnego chirurga czy kardiologa. Lekarz rejonowy na stoczni to chodząca proza.

– Ale lubi pan swoją pracę?

– To nie tak trzeba nazwać. Ja po prostu czuję się użyteczny. Udzielam ludziom pomocy wtedy, kiedy jej najbardziej potrzebują. To stwarza niewątpliwie uczucie życiowej satysfakcji.

– Co zechciałby pan jeszcze powiedzieć mi o sobie?

– Uprzedzałem panią z góry, że się pani mną rozczaruje. Naprawdę jestem chodzącą prozą: żonaty, zakochany we własnej żonie, ubóstwiający syna... O, Krzysztof jest wspaniały! Szkoda, że go pani nie może zobaczyć!

– Skąd pan wie, że go za chwilę nie zobaczę? Ile ma lat?

– Sześć. Niedługo skończy. Ale majster z niego taki, że dziesięcioletni chłopcy nie mogą się z nim równać. Ma kolosalne uzdolnienia techniczne. Czy pani uwierzy, że on zna nazwy wszystkich rakiet międzyplanetarnych? Muszę się dobrze pilnować, żeby się przed nim nie sypnąć.

– Ja, niestety, w tej dziedzinie nie mam żadnych szans.

– Niech się pani tylko przed nim z tym nie zdradza. Nigdy nie odzyskałaby pani autorytetu w jego oczach. Żona dokształca się po nocach, żeby móc odpowiadać na jego pytania.

– Mimo wszystko nie odstraszy mnie pan od pójścia na Rajską. Może Krzysztof ma aktualnie jakieś mniej groźne zainteresowania?

– Owszem. Łodzie podwodne, które puszcza mu w wannie nasz sublokator, również stoczniowiec, pan Wantuła. No i marzenie: kolejka elektryczna.

– Widzi pan, na temat kolejki mogę już coś z sensem powiedzieć.

– Jeździł ze mną kilka dni temu do Gdyni, a potem zobaczył taką kolejkę w sklepie komisowym i spokoju mi nie daje. Zdaje się, że trzeba będzie mu tę kolejkę kupić.

– Ma pan okazję na urodziny.

– Ale to piekielnie droga historia taka zabawka dla dzieci. A właśnie kupiliśmy lodówkę i chcemy wziąć na raty telewizor. Czasu na rozrywki jest niewiele, bo dodatkowo robię specjalizację w naszym szpitalu na stoczni, musimy więc teatr i kino zainstalować sobie w domu. Zaledwie raz na tydzień możemy z Biedronką gdzieś wyskoczyć.

– Z kim?

– Przepraszam, z Teresą, to moja żona. Widzi pani, ona ma kilka piegów na nosie. Kilka śmiesznych, rozczulających piegów. To mi się skojarzyło z Biedronką, nazwałem ją tak od razu pierwszego dnia, kiedyśmy się poznali. No i tak już jakoś zostało. Nawet Krzysztof, kiedy tylko zaczął mówić, nazywał mamę Biedronką.

Czy można się oprzeć chęci natychmiastowego obejrzenia piegów Biedronki? Ale na Rajskiej jest tylko Krzysztof i niania.

– Krzysztof, jedz! Dlaczego nie jesz?

– Gorące!

– Co ty opowiadasz? Nawet para nie leci.

– To niech niania sama spróbuje!

– Zupełnie zimne! Będę musiała ci podgrzać.

– Nie!

– Jak ci nie wstyd? Przed panią akurat się tak popisujesz. Pani będzie miała o tobie ładne wyobrażenie.

– Dlaczego on właściwie nie chce jeść?

– A bo ja wiem? Zawsze przy jedzeniu taki marudny. Jak pani doktorowa była mała, to wystarczyło jej powiedzieć: Tereska, talerz ma być wylizany do czysta! To było usłuchane dziecko. A te dzieci teraźniejsze to nie wiadomo, z której strony do nich podejść.

– Nie chcę płatków! Gorące!

– Podskakuj, podskakuj! Ja ci mówię, że ty nastąpisz Panu Bogu na odciski. Płatki za gorące! Słyszał to kto coś takiego?

– A co to było z tymi odciskami Pana Boga?

– A to, widzi pani, w naszych stronach tak mówią. Jak kto za bardzo w życiu podskakuje, a grymasi, a nosem wszystko roztrąca, to mu się mówi: Podskakuj, podskakuj, nastąpisz ty Panu Bogu na odciski! Pan doktór się gniewa, kiedy tak mówię do Krzysztofa, ale jak by tam myślał, na jedno wychodzi. Na mój babski rozum, to ani Pan Bóg, ani zwykły ludzki los takiego podskakiwania nie lubi.

– Za ile przyjdzie pan Antoni?

– O, Krzysztofowi to tylko to w głowie! Te okręty, co mu pan Antoni puszcza w wannie w łazience. Za trzy godziny! Za trzy godziny przyjdzie pan Antoni. To nasz sublokator, pan Wantuła, pracuje na stoczni. Ze starego mieszkania razem nas tu przenieśli na Rajską. Spokojny człowiek, stateczny, kłopotu z nim nie ma. Jeszcze jak co potrzeba w domu, to naprawi. Bo ręce złote! Drzwi się nie zamykają za sąsiadkami. A to, panie Antoni, a to tamto. Kran cieknie, zlew się zatkał albo gaz się ulatnia, pani wie, jak to w tych nowych domach. A on do tego jedyny. Tereska mówi, że sobie domu nie wyobraża bez pana Wantuły.

– Pani Danielewiczowa?

– A ja to tak mówię: Tereska, bo ja panią doktorową od maleńkości wychowałam. Tycia była, jak Krzysztof, kiedy tam nastałam. I do tej pory się trzymam, jak w rodzinie.

– Za ile teraz przyjdzie pan Antoni?

– Za trzy godziny bez pięciu minut.

– A ile to jest trzy godziny bez pięciu minut?

– Nie nudź, Krzysztof, widzisz, że z panią rozmawiam.

– Czy pani Danielewiczowa jest w domu?

– Ale, od rana w pracy.

– Gdzie pracuje?

– W Gdyni-Radiu. W tym radiu dla marynarzy.

– A jak pani ma na imię?

– Już mówiłam: Teresa. A pan to mówi na nią Biedronka, przez te piegi, co ma na nosie.

– Ale mnie chodzi nie o panią Danielewiczową, tylko o panią.

– O mnie? Jezus Maria, a po co pani moje imię? Wszyscy mówią na mnie „niania". Krzysztof, Tereska i pan doktór. Tylko pan Antoni to mówi do mnie „panno Paulino".

– Jednak ma pani dla kogoś imię. „Panno Paulino" – to bardzo ładnie brzmi.

– Ano, owszem.

– Pan Antoni teraz na stoczni?

– A gdzie by miał być? Jezu! Żeberka miałam mu przystawić!

11

– Za ile teraz przyjdzie pan Antoni?

– Za dwie godziny i trzy kwadranse.

– Kwadrans – to długo?

– Nie nudź, mówiłam ci! Płatki zupełnie wystygły, znowu trzeba będzie przygrzewać. Teresce mówiło się raz i było święte. Dziewczynki jednak zawsze grzeczniejsze. Pan doktór nawet chciał, żeby była dziewczynka.

– Wcale nieprawda! Tatuś chciał od razu mnie!

– Jedz płatki, dobrze? Jak nie zjesz, pan Antoni nie zrobi ci łódki.

Teraz już zupełnie nie wiem, gdzie powinnam być najpierw: w Gdyni-Radiu czy na stoczni? Mam ogromną ochotę poznać pana Antoniego, może go widzę oczyma panny Pauliny i dlatego tak mnie ciągnie na stocznię...

Ale tu hałas na tym zbiornikowcu! Pusty kadłub statku pomnaża echem każdy dźwięk. Trzeba krzyczeć, choć i to niewiele pomaga.

– Pan Wantuła? Pan Wantuła?

– Ha?

– Niech pan wyłączy palnik. Chcę rozmawiać z panem Wantułą. Człowiek sam siebie nie słyszy.

– Bo stocznia nie jest od gadania. A o czym chce pani ze mną rozmawiać, bo Wantuła to ja.

– Chcę się panu przede wszystkim przyjrzeć.

– A to się pani wybrała! W tym kombinezonie człowiek wygląda jak niedźwiedź. Żebym był wiedział, tobym się przynajmniej ogolił.

– Dla mnie nie musi się pan golić. Pan ma dla kogo to robić z większym pożytkiem...

– Pani... pani była na Rajskiej?

– Właśnie stamtąd wracam. Będę powieść o was pisać.

– O nas?

– Tak, o was z Rajskiej.

– Ale ja już niedługo tam pobędę.

– O, źle się panu chyba nie mieszka?

– Nie to. Mieszka się naprawdę jak w raju. Tylko, widzi pani, domek sobie w Oliwie pod lasem buduję.

– Pan samotny, po co panu domek?

– Pani to tak mówi, jak ci wszyscy urzędnicy, do których muszę co rusz kołatać. A jak człowiek samotny, to mu się od życia już nic nie należy? Inni mają rodziny, zawsze się ktoś koło nich kręci, a taki człowiek jak ja to przynajmniej drzewko chciałby sobie posadzić, żeby coś dla niego rosło. I psa chciałby mieć, żeby mu patrzał w oczy, i gołębie, żeby do niego gruchały. Może gdybym w wojnę nie potracił żony i dzieci, to bym tego wszystkiego nie potrzebował. A tak, widzi pani, pusto człowiekowi, a do obcych serce przywiązywać strach. Nie moi oni, może z czasem poskąpią tej odrobiny ciepła, po co mi jeszcze jeden żal, kiedym starego zapomniał?

– A kiedy pan ten domek skończy?

– Nie tak prędko. Plan mam dopiero w zatwierdzeniu. Dwa pokoje z kuchnią, a pisania, proszenia i chodzenia tyle, jakbym miał budować pałac kultury. Tylko mnie dziwi, w jaki to sposób nasi pradziadkowie kościół Marii Panny pobudowali – bez dokumentacji, a tyle wicków stoi.

– Mam nadzieję, że wszystko pan szybko pozałatwia i niedługo będziemy wiechę u pana oblewać. Zaprosi mnie pan chyba?

– Ano tak by wypadało po znajomości.

– Chciałam panu jeszcze powiedzieć, żeby się pan nie spóźnił na obiad, żeberka już się gotują. Do widzenia!

A teraz szybko do Gdyni-Radia, obejrzeć piegi Teresy--Biedronki. Jeśli w kobiecie kocha się najbardziej jej wady, muszą być naprawdę wiele warte.

Tak, to jest na pewno najsympatyczniejszy piegowaty nosek, jaki udało mi się spotkać.

– Tereso-Biedronko, czy pani jest posłuszną żoną?

– Nie wiem... Czasem tak, a czasem bardzo nie. Raz to byłam nawet zupełnie nieposłuszna.

– W jakiejś ważnej sprawie?

– Jeszcze jakiej! Adaś chciał córeczkę, a ja urodziłam chłopca.

– Szybko chyba doszło do zgody?

– O tak! Wystarczyło, żeby Adaś zobaczył Krzysztofa, a od razu powiedział, że prawdziwy mężczyzna może pragnąć tylko syna.

– Prawdziwi mężczyźni pragną przede wszystkim tego, żeby ten mały światek, który wokół siebie stworzyli, kręcił się według ich woli. Dlatego zapytałam, czy jest pani posłuszną żoną.

– Po co chce pani to wiedzieć?

– Małżonek pani zgodził się zostać bohaterem mojej powieści. Oczywiście z panią, Krzysztofem, panną Pauliną i panem Antonim. Nie chciałaby pani chyba, żeby występował w niej sam?

– Oczywiście, że nie. Z jakiej racji sam? Ale będzie pani miała z nami mnóstwo kłopotu.

– Przyzwyczaję się.

– Bo my nawet czasem się kłócimy.

– Świetnie! To niesłychanie urozmaica monotonię pożycia małżeńskiego.

– Ale my kłócimy się milcząc. A wtedy w radiu nic nie będzie słychać.

– To trochę gorzej. A nie możecie jednak robić tego głośno?

– Nie możemy, mamy wspólne mieszkanie. Co by pan Antoni sobie o nas pomyślał? Więc kłócimy się milcząc

14

i wtedy tylko Krzysztof jest pośrednikiem między nami. Ja mówię: Krzysztof, zapytaj ojca, gdzie położył dzisiejszą gazetę? A Adaś: Krzysztof, powiedz mamie, że mam bilety do kina.

– Krzysztofowi oczywiście bardzo się to podoba?

– Och, kiedy my się kłócimy, on szaleje ze szczęścia! Ale niepotrzebnie nas przed panią obgaduję. Bo my się w gruncie rzeczy bardzo kochamy. I bardzo nam ze sobą dobrze. Wszystkim. Przedtem, kiedy straciłam rodziców, miałam tylko Paulinę. A teraz jest Adaś i Krzysztof, i pan Antoni, i nawet ci ludzie, których nie znam, których nigdy nie widziałam, a którzy także są mi bliscy, gdy wołają do mnie z morza.

Ludzie, którzy wołają z morza...

Ktoś gwiżdże w kabinie. Melodia urywa się i znów zaczyna od tego samego miejsca.

– Przepraszam, chcę z panem porozmawiać. Czy mógłby pan na chwilę przestać gwizdać?

– Zawsze gwiżdżę, kiedy się golę. To nie moja wina, że właśnie teraz weszła pani do mojej kabiny.

– Skąd mogłam przypuszczać, że gdy za chwilę statek ma odpłynąć, pan akurat będzie się golił.

– Zawsze się golę, kiedy wychodzę w morze. Na wizytę także nie przychodzę nieogolony. Ani na randkę z dziewczyną. Szanuję morze i mam nadzieję, że ono odpłaca mi tym samym. Poza tym jeszcze nie odpływamy, nie było trzeciego gwizdka.

– Może mi się pan przynajmniej przedstawi. Muszę znać pana nazwisko, skoro ma pan być bohaterem mojej powieści.

– O, stanowczo to pani odradzam. Muszę z góry uprzedzić, że będę robił, co będę chciał. Do niczego mnie pani nie zmusi.

– Widzę, że to naprawdę nie będzie takie proste...
– A nie może pani ze mnie zrezygnować? Jeszcze ma pani czas.
– Ja bym uczyniła to natychmiast. Ale przecież to nie ja pana wybrałam.
– Nie pani? Kto wobec tego?
– A, wzięło pana! Może teraz przynajmniej zechce pan powiedzieć, jak się pan nazywa?
– Marcin Jas, do usług. Drugi oficer na m.s. „Elbląg".
– Rejsy długie? Bo ja będę pana potrzebowała na lądzie.
– Chodzimy do Antwerpii. Dogadza to pani?
– W porządku. No, dlaczego się pan dalej nie goli?
– Czekam, żeby powiedziała pani coś bliższego...
– Ach, jest pan jednak zaintrygowany. Widzi pan, jak mało wam potrzeba. Jedno słowo, czasem jedno spojrzenie... Nie, nie powiem panu nic więcej.

Czyżby naprawdę potrzeba im było tak mało? To niedorzeczne, autor nie powinien bać się o swoich bohaterów. Do licha, są dorośli, wiedzą, co robią.
A jednak muszę tam pójść – tego nie da się uniknąć...

– Tak wysoko pani mieszka, panno Ewo?
– Ale za to jaki widok mam z okna! Malarze jak jaskółki, zawsze mieszkają pod samym dachem. Zresztą moja pracownia ma nie tylko tę zaletę. Jestem tu sama, bez żadnych sąsiadów, nikt mi nie przeszkadza, cisza aż dzwoni w uszach. A ja nade wszystko cenię spokój.
– A nie sprzykrzy się pani czasem ta cisza i spokój?
– Dlaczego pani to powiedziała?
– Bo pani jest taka młoda! Młode dziewczęta często udają, że lubią samotność.

– Pani mnie posądza o pozę, a ja po prostu nie mam czasu. Robię tego roku dyplom na PWSSP – architektura wnętrz, a oprócz tego pracuję już w pracowni mego profesora.

– To brzmi bardzo poważnie. Co pani robi?

– Projektuję rozwiązanie wnętrz kabin pasażerskich na statkach budowanych na Stoczni Gdańskiej. Profesor przydzielił mnie teraz na „Siewierodwinsk".

– Jeśli studiuje pani architekturę wnętrz, to skąd tu te sztalugi i tyle obrazów na ścianach?

– Och, niech pani na to nie zwraca uwagi. Na razie nikomu się do tego nie przyznaję. Czasem ogarnia mnie strach, że prawdziwymi malarzami są tylko s ł a w n i malarze. Przed zdobyciem powodzenia człowiek jest niczym. Miesza swoje farby, nieraz zdaje mu się, że uwięził w nich kolor nieba, a wciąż trapi go myśl, że gdyby ktoś nazwał go geniuszem, mógłby wyjąć z kosza wyrzucone wczoraj płótno, a świat pochyliłby głowy przed arcydziełem. W sztuce wciąż się niczego nie wie na pewno...

– Ale być może właśnie dzięki temu wciąż się ona rozwija...

– Czy nie sądzi pani, że można do krwi poranić sobie stopy, jeśli się chce dotrzymać jej kroku?

– Cóż, cierpienie jest szczęściem twórców...

– Powiedziała to pani jakoś dziwnie bez sympatii do mnie. Pani mnie nie lubi, prawda?

– Skądże znowu? Po prostu weszła pani do powieści bez mojej woli, stąd pewne uczucie podejrzliwości, którego, przepraszam, zdaje się długo nie będę mogła opanować. Będę musiała stale mieć się przed panią na baczności, a taka sytuacja zawsze niepokoi pisarza.

– Zapewniam panią, że nie uczynię nic, co by...

– Pani przecież będzie także zupełnie bezsilna. Nie, nie, po co ja to pani mówię, przepraszam.

I oto mam ich, mam ich wszystkich i boję się, że niczego nie będą ukrywać przede mną.

Co się stanie z tymi ludźmi, których odszukałam wśród wielu innych, a którzy mogą mi być nieposłuszni? Mnie i swemu szczęśliwemu losowi? I wobec tego dlaczego tylko do małego Krzysztofa niania mówi: Podskakuj, podskakuj, nastąpisz ty Panu Bogu na odciski?!

II

Kiedy ma się sześć lat, wszystko, co się robi, jest najważniejsze i pochłania bez reszty. Jeśli jest to gra w piłkę na podwórzu, nie może dziać się nic innego, a kiedy przy tej okazji wybucha kłótnia, jest to najbardziej namiętna z kłótni świata.

– Bramka! Bramka!

– Wcale nie! Przeszła obok! Sam widziałem!

– Guzik widziałeś!

– Bramka!

– To ja się nie bawię!

– To się nie baw! Wielkie co! Wszyscy widzieli, że była bramka. Niech Krzysztof powie!

– Była bramka! – przyświadcza Krzysztof, przejęty, że nagle od niego jednego zależy potwierdzenie tak istotnego faktu.

Teraz chłopcy krzyczą jeden przez drugiego i gdy w oknie ukazuje się głowa Pauliny, jest to najmniej odpowiedni moment, aby Krzysztofa przywołać na obiad.

– Już idę! – odkrzykuje, ale od razu widać, że nie ma wcale zamiaru opuścić podwórza.

– Tylko zaraz! – dodaje niania groźnie.

– Zaraz – powtarza Krzysztof i nie rusza się z miejsca.

Bo oto przed dom zajeżdża taksówka, a to jest coś najbardziej ciekawego, co może się przydarzyć.

Chłopcy od razu zapominają o piłce i spornej bramce i już stoją wokół warszawy. Pytanie we wszystkich oczach:

– Po kogo?

– Pewnie po tatę Krzysztofa.

– Coś ty? Jego tata jeździ pogotowiem. Pogotowiem ze stoczni. No nie, Krzysztof?

– Pogotowiem – odpowiada Krzysztof z dumą.

– Widzisz? Mówiłem!

– To pewnie po tę panią z pierwszego piętra. Ona zawsze jeździ taksówką.

– A wcale nie, bo po Zośkę! Po Zośkę! Widzicie? I po tę panią z walizką! To pewnie jej babcia.

Chłopcy podbiegają do dziewczynki, która za starszą, obcą panią ukazuje się na progu.

– Dokąd jedziesz? Dokąd jedziesz? Zośka?

Starsza pani nie jest zadowolona z tego spotkania.

– Zosiu, nie odchodź, bo się spóźnimy.

Ale już nad podwórzem unosi się krzyk:

– Zośka jedzie taksówką!

– Dokąd jedziesz, Zośka?

– Do babci.

– Już na wakacje?

– Głupiś, jeszcze nie ma wakacji.

– Nie na wakacje. Na zawsze – mówi Zośka cicho.

– Jak to na zawsze? Dlaczego na zawsze?

– Bo oni się rozwodzą.

– Kto?

– Tata z mamą. A mnie zabiera babcia.

Starsza pani chwyta Zośkę za rękę.

– Chodźże wreszcie, zobaczysz, że się spóźnimy.

Samochód odjeżdża, a chłopcy wciąż nie ruszają się z miejsca.

– Co to znaczy: oni się rozwodzą? – pyta Krzysztof.

– Nie wiesz? To znaczy, że tata Zośki będzie miał nową żonę, a mama nowego męża.

– Jak ta pani z pierwszego piętra. Ona ma też nowego męża. I jeździ zawsze taksówką.

Znowu trzask otwieranego okna i głos niani w najmniej odpowiednim momencie:

– Krzysztof? Ile razy mam cię wołać?

– Już idę.

– Zaraz, bo powiem tatusiowi.

– Idę! – odwrzaskuje Krzysztof w stronę okna. A do kolegów cicho: – I dlatego Zośkę zabrała babcia?

– No pewnie.

Paulina wciąż czeka w oknie.

– Krzysztof, czy ja mam zejść po ciebie?

– Ojej, już idę – odpowiada Krzysztof ze zniecierpliwieniem. Bo już wie, że koledzy, których akurat nikt nie woła, którzy mogą się bawić, jak długo zechcą, zaraz będą mu dokuczać.

– Przyjdziesz po południu?

– Nie wiem.

– On nigdy nie wie.

– Bo mu niania nie pozwala.

– On musi po obiedzie leżeć.

Krzysztof wybucha ze złością:

– A właśnie że przyjdę! Właśnie że przyjdę! Zobaczycie! – I zaraz ucieka, bo po pierwsze: wcale nie jest takie pewne, czy przyjdzie, a po drugie: jeśli niania zawoła znowu, oni będą jeszcze bardziej śmiać się z niego.

Niania czeka już w progu.

–. Ile razy trzeba cię wołać? Zupa stygnie. Umyj ręce! Zgrzałeś się?

Krzysztof odwraca oczy, bo nie umie kłamać, gdy ktoś na niego patrzy.

– Nie. Wcale!

– Pokaż! Jezus Maria! Cały mokry! Co ci mówiłam, jak wychodziłeś? Dlaczego tak biegałeś?

– Wszyscy biegają!

– Ale wszyscy tak się nie grzeją.

– Wszyscy się grzeją!

– Poczekaj, wytrę ci plecy. Zawiń rękawy! Jak myjesz ręce? Całe mydło w ręcznik. Boże, z Tereską połowy tego kłopotu nie było.

Tego Krzysztof najbardziej nie lubi, tych bezustannych porównań, które zawsze wypadają na jego niekorzyść.

– Z Tereską! Mama jest duża.

Niania natomiast z upodobaniem wraca do tych wspomnień. Zaraz się roztkliwia, zaraz cała jest w uśmiechu.

– Ale była kiedyś mała. Zupełnie mała. Jak ty! No, siadaj! Już! Niedługo przyjdzie mama, tatuś, pan Antoni. Musisz szybko zjeść.

Ale Krzysztof coraz wolniej porusza łyżką.

– Nad czym ty medytujesz?

Dziecko podnosi znad talerza zamyślone oczy.

– Nianiu, a oni nie mogą się rozwieść.

– Jezus Maria! Kto? O czym ty mówisz?

– No, tata z mamą. Oni nie mogą się rozwieść, bo ja nie mam babci!

– Kto ci znowu jakichś bzdur naopowiadał?

– To nie bzdury. Po Zośkę z trzeciego piętra przyjechała babcia. Bo oni się rozwodzą.

– Jedz! Dobrze? I przestań gadać głupstwa.

Krzysztof jednak tym razem nie boi się groźnego tonu niani. Wybija takt łyżką o brzeg talerza i podśpiewuje olśniony swoim odkryciem.

– A ja nie mam babci! Nie mam babci!

– Cicho!

– Nie mam babci! Nie mam babci!

Hałas jest tak wielki, że nie słychać zgrzytu klucza w zamku i lekkich kroków przez korytarz. Cisza zalega dopiero wtedy, gdy na progu kuchni zjawia się trochę zdyszana, zaróżowiona od pośpiechu Teresa.

– Co się tu dzieje? Co to za hałasy? Krzysztof znowu grymasi przy jedzeniu.

– To nic nowego – mówi niania.

Ale Teresa nie ma dziś ochoty się gniewać.

– Pocałuj mamę i jedz. Poczekamy na tatusia i zaraz po obiedzie jedziemy do Oliwy, do parku. Co za dzień! Powietrze aż pachnie. Niania dziś wychodziła?

– Tylko do rzcźnika i po pieczywo. Przepierkę musiałam zrobić. Te pralki elektryczne to dobry wynalazek, ale się przy nich też trzeba narobić. A to wody nagrzej, a to wlej, a to wylej, a stój przy tym...

– Nianiu, na litość boską! Kazała mi niania kupić pralkę...

– A ja nie mam babci!

– Cóż to znowu nowego?

– A to przez tych z trzeciego piętra. Dzisiaj po Zosię przyjechała babcia – Paulina ścisza głos: – Krzysztof to widział i teraz z głowy mu to wyjść nie chce.

– Więc jednak... Myślałam, że się pogodzili.

– Ale gdzie tam! Najgorzej jak się w małżeństwo ktoś trzeci wda. Tak długo jest dobrze, jak tego trzeciego nie ma.

– Ach, nianiu, jak się ludzie kochają...

– A tam, kochają, kochają... To zależy na jaką porę kochania takie coś trafi. Bo miłość też ma swoje pory jak przyroda...

– Co też niania mówi?

– Już ja wiem, co ja mówię. A te kwiaty wczoraj to były od kogo?

– A czy to coś złego, że mi ktoś czasem kwiaty przyniesie? To mechanik z „Nowotki". Łączyłam go kilka razy
z domem, więc kiedy wrócił...

– No, no, ty tylko uważaj, tak się zwykle zaczyna.

Teresa czuje się naprawdę urażona.

– Ależ, nianiu, co też niania mówi? Ja bym miała...

– i spostrzega, że Krzysztof przysłuchuje się rozmowie.

– Jedz! Słyszałeś, że po obiedzie wychodzimy, a musisz jeszcze poleżeć.

– Nie chcę leżeć!

– Co to znaczy nie chcę?

– Nie chcę! Chłopaki się śmieją!

– Oni się śmieją, ale też na pewno leżą, kiedy ich mamusia o to prosi.

– Akurat! Leżą! Zaraz po obiedzie są na podwórzu.

– No i czy ja nie mam racji, kiedy mówię, że on się zrobił
niemożliwy? Kiedy ty byłaś... kiedy pani doktorowa była
mała...

Krzysztof zaczyna znowu walić łyżką o talerz i pod-
śpiewywać:

– A ja nie mam babci! Nie mam babci!

I choć bardzo zasługuje na to, żeby się na niego gniewać,
Teresa i niania wybuchają śmiechem.

– I gadaj z nim!

Ale zaraz cichną i nadsłuchują, ponieważ ktoś idzie
po schodach i otwiera drzwi. Teresa wybiega do przedpokoju.

– Ach, myślałam, że to Adaś, a to pan Antoni.

W jej głosie jest trochę rozczarowania, które nie da się
ukryć. Za to Krzysztof i Paulina promienieją na widok pana
Antoniego.

– Zrobi mi pan łódkę?

– Uspokój się, daj panu odetchnąć.

Pan Antoni, tak samo jak Teresa przed chwilą, jest cały odurzony wiosną, jej pierwszym atakiem na miasto i ludzi.

– Co za dzień! Aż się człowiekowi do mieszkania nie chce wchodzić.

Paulina już dzwoni talerzami.

– Nareszcie ciepło! Najwyższy czas! – odpowiada znad kuchni.

– Zrobi mi pan łódkę?

– Krzysztof! Pan Antoni jeszcze nie usiadł, a już ma ci łódkę robić?

– Ale jak odpocznie, to mi zrobi?

– Zrobię ci, zrobię.

– Jaką?

– Nie nudź! Widzisz, że niania daje panu Antoniemu obiad.

– Czy pani będzie jadła w pokoju razem z panem doktorem?

– Aha! To znaczy, że teraz mam ustąpić miejsca panu Antoniemu?

– Ale cóż znowu? Niech pani siedzi.

– Och, wiem, wiem, Paulina w gruncie rzeczy dba więcej o pana Antoniego niż o nas. Proszę, cóż to takiego dobrego dostaje pan na obiad?

– Botwinkę na wieprzowinie.

– No, nie mówiłam? A my mamy rosół! Nie przyszło niani na myśl, że my wolelibyśmy też botwinkę?

– Boże święty! Przecież pan doktór tak lubi rosół, a za wieprzowiną nie przepada.

Pan Antoni jest gotów się zamienić.

– Proszę, jeśli pani doktorowa ma ochotę.

– Ona taka była od dziecka. Zawsze jej lepiej smakowało u sąsiadów.

– Ja też chcę botwinki! – woła Krzysztof.

– O, jeszcze jeden się znalazł!

– Ależ to żarty! Dziękuję panu, panie Antoni. Poczekam na Adasia, tak rzadko jemy razem, albo on, albo ja mam dyżur. Ja tylko lubię od czasu do czasu podroczyć się z Pauliną. Niech pan zobaczy, jaka czerwona!

– Ale gdzie tam, to od kuchni.

– Od tego gazu, co ledwie błyszczy? Moja nianiu?

– No, już dobrze, dobrze. Niech sobie będę czerwona. Krzysztof, a marchewkę kto zje?

– Nie chcę marchewki! Kiedy pan Antoni zrobi mi łódkę?

– Słyszałeś, że pan Antoni musi najpierw odpocząć. Mało się narobi na tankowcu?

– Co to tankowiec?

– To taki duży statek, który będzie woził ropę.

– A co to ropa?

Niania wznosi oczy do nieba.

– Teraz zaczną się pytania.

– Z ropy robi się naftę i benzynę.

– Dla tatusia do zapalniczki?

Pan Antoni się śmieje.

– Do zapalniczki także.

I nagle odzywa się głos:

– Kto tu mówi o mojej zapalniczce?

– Tatuś! Tatuś!

Nikt nie słyszał, jak wszedł. Umyślnie skradał się na palcach przez przedpokój, żeby zrobić niespodziankę, bo naprawdę rzadko się zdarza, żeby mogli razem zjeść obiad. I oto obydwoje wiszą już na nim: Krzysztof i Teresa.

– Adasiu, jak to dobrze, że jesteś! Nianiu, prędko obiad!

Pauliny nie trzeba przynaglać, lubi, kiedy wszyscy są w domu, kiedy jest ruch, gwar, życie. Wymachując białym obrusem pędzi do pokoju.

Teresa promienieje.

– Zjemy obiad i jedziemy do Oliwy. Takiego dnia nie można zmarnować w domu.

– Do Oliwy? Po cóż, u licha, do Oliwy?

– Jak to po co? W parku musi być dzisiaj cudownie! Nie byliśmy jeszcze tego roku.

– Przyznam się, że marzę o prysznicu i o wyciągnięciu się na tapczanie.

Krzysztof patrzy z nadzieją na ojca.

– Dobrze, będzie jak zechcesz – mówi Teresa.

I choć głos jej brzmi zwyczajnie, Adam już wie, że sprawił jej przykrość.

– Och, Biedroneczko, co ja dzisiaj miałem za dzień!

Nareszcie są sami, na stole dymi rosół, a z kuchni dochodzi głos Pauliny, namawiający Krzysztofa do zjedzenia marchewki. Teraz można się poskarżyć, ta chwila należy do nich.

– Biedaku! – mówi Teresa i już jej wcale nie zależy na tym, żeby pojechać do Oliwy.

– Stocznia to nie fabryka zabawek. Taka piękna wiosna, a ludziom przytrafia się tyle nieszczęść. W dodatku przed samą stocznią ciężarówka przejechała jakiegoś chłopca.

– Tylko mi nie opowiadaj!

– Muszę ci opowiedzieć. Wszystkim matkom trzeba opowiadać! Jak ja zastanę kiedyś Krzysztofa na ulicy, to wszyscy dostaniecie lanie – on, Paulina i ty na dokładkę, bo mu na wszystko pozwalasz. Wpadł prosto pod koła, kierowca nie zdążył nawet zahamować. Przynieśli go do nas, żeby prędzej...

– Nie żyje?

– Nie wiem. Przy mnie jeszcze żył. Odwiozłem go do Akademii. Mieli zaraz robić trepanację. A wszystko dlatego, że dzieci wychodzą same na ulicę. Krzysztof? Chodź no tutaj!

– Ale jeszcze nie zjadłem.

– Później zjesz. Chodź no do tatusia. Pamiętaj, żebyś nigdy nie wychodził sam na ulicę. Auto cię może przejechać.

– A Zosia pojechała taksówką...

– Co to ma do rzeczy? Mówię ci, żebyś się nie bawił na ulicy.

– Po Zosię przyjechała babcia. A ja nie mam babci!

– O czym on mówi, Biedroneczko?

– Ja nie mam babci! Nie możecie się rozwieść, bo ja nie mam babci!

– Cicho bądź, Krzysztof? Wracaj do jedzenia! Pomyśl tylko, czym on sobie głowę nabił. Widzisz, ci z trzeciego piętra... Zosię dzisiaj zabrała babcia...

– Mówiłaś, że się pogodzili.

– Widzisz, jak się pogodzili.

– O co im właściwie poszło?

– A bo to wiadomo, o co ludziom chodzi w takich wypadkach? Krzysztof, umyj ręce!

– Już myłem.

– Myłeś przed obiadem, a teraz trzeba umyć po obiedzie. Wszystkie grzeczne dzieci tak robią.

– A jak już urosnę, to nie będę musiał się wciąż myć?

– Chyba że nie zostaniesz lekarzem, tak jak tatuś. Nianiu, czy Krzysztof dostał witaminy?

– Zaraz mu dam.

– Przecież mówiłem tyle razy, żeby witaminy podawać podczas jedzenia.

– Ojej, wielkie co! Rzodkiewki dzisiaj jadł, szczypiorek, marchewkę, to już ma swoje. Za moich czasów nie było żadnych witaminów, a chwalić Boga wyrosłam jak trzeba.

– No, nianiu! A ja jednak proszę, żeby Krzysztof dostawał wszystko, co mu przepisuję.

– Dostanie, dostanie, biedne dziecko!

– Więc o co im właściwie poszło?

27

– Komu?

– No, tym z góry.

– Ach, tym z góry. Czy ja wiem? Może po prostu przestali się kochać?

– I myślisz, że to takie proste przestać się kochać?

– Wcale nie myślę, że to proste. Ale tak często zdarza się teraz między ludźmi. Wiesz, czasem to aż się boję...

– Cicho sza! Nie gadaj głupstw! Daj tu nos do pocałowania. Mój brzydki, piegowaty nos! No więc co? Musimy jechać do tej Oliwy?

– A ty bardzo nie chcesz?

– To nieważne. Jeśli tobie sprawi to przyjemność...

– Ale chcę wiedzieć, czy ty masz ochotę.

– Ja mam ochotę, jeśli ty masz ochotę.

– Ale ja chcę wiedzieć, czy ty naprawdę chcesz tam pojechać?

– Jeśli ty chcesz...

– Ale czy ty chcesz?

– Biedroneczko, bo się pokłócimy z tej miłości. Powiedz krótko: uplanowałaś sobie, że dziś pojedziemy do parku? Zależy ci na tym?

– Bardzo! Wiesz, tam jest ta nasza ławeczka...

– No to nie ma o czym mówić, prześpię się innym razem. Innym razem, kiedy będę miał sześćdziesiąt lat...

– Włożę kostium.

– Włóż, co chcesz, kochanie.

– A może on już jest niemodny?

– Dlaczego ma być niemodny?

– Nie widziałeś w „Przekroju"? Teraz znowu modne są dłuższe żakiety.

– Ale tobie w tym krótkim jest tak ładnie!

– Naprawdę tak mówisz, czy jesteś taki chytry?

– Dlaczego chytry?

– Nie wiesz? Jeśli mąż nie chce, żeby żona wydawała pieniądze na nowe stroje, zapewnia ją, że najlepiej podoba mu się w starej sukience.

– Nie, daję słowo, że powiedziałem to bez żadnych ubocznych względów.

– Ach, Adasiu, widziałam w Gdyni taki piękny sweterek! Teraz jest tyle wystaw, że nie mogę spokojnie przejść przez Świętojańską.

– Zawsze twierdziłem, że ludzie jeżdżący samochodami mają mniej pokus.

– Ty żartujesz, a ten sweterek jest naprawdę cudowny. Niebieski i z dekoltem...

– No to kup sobie, kochanie... Nad czym się zastanawiasz?

– A jak nam nie wystarczy pieniędzy do pierwszego?

– Jakoś sobie poradzimy.

– Ostatecznie mogę pożyczyć od niani.

– Ani się waż! Wiesz, że tego nie lubię.

– Niania i tak nie ma co zrobić z pieniędzmi.

– To nas nie powinno obchodzić. Niech sobie kupi motocykl albo skuter.

– Już przestań na mnie krzyczeć. Nic sobie nie kupię.

– Musisz sobie kupić. Wezmę kilka dyżurów w pogotowiu.

– Mam pozwolić, żebyś zapracowywał się dla mnie? Akurat teraz, kiedy możemy być na powietrzu, pojechać do lasu czy nad morze. Krzysztof! Umyłeś ręce?

– Tak.

– Wkładaj białe skarpetki. A niania by z nami nie pojechała?

– A kto w domu co porobi? Garnków mam mało do zmywania? A bieliznę wynieść na strych? A koszulę dla pana doktora na jutro wyprasować?

– Oj, wyprasuje niania wieczorem.

– Może w nocy? W nocy to ja chcę spać.

– Chodźmy, Biedroneczko, bo niania w złym humorze.

– W złym, nie złym, ale jak robota na człowieka czeka, to co tu myśleć o spacerowaniu?

– Jak niania chce.

Przez to, że niania zostaje w domu w taki piękny dzień, upragniony spacer nie jest już tym, czym miał być, stał się jakby małym przestępstwem wobec tych, którzy nie biorą w nim udziału. I Paulina smutnieje, gdy zamykają się drzwi za Danielewiczami. Tylko pan Antoni podśpiewuje, szukając czegoś po kątach.

– A gdzie to moje nasiona? Położyłem tu wczoraj torebkę rzodkiewki i fasolki.

– Przecież leżą na oknie. A pan Antoni na działkę?

– A gdzie by? Doczekać się nie mogłem popołudnia. Przez cały czas myślałem sobie, czy przez noc otworzyły się pączki tulipanów.

– A już kwitną?

– Myślę, że właśnie dziś powinny zakwitnąć. Panno Paulino!

– Co? Jeszcze pan tych nasion nie znalazł?

– Nie to. Panno Paulino, a nie poszłaby pani ze mną na działkę?

– Jezus Maria! Ja? A co też pan, panie Antoni? Robota w domu...

– Robota nie zając, zdąży pani jeszcze wszystko porobić. A pani doktorowa na pewno się ucieszy, jak się dowie, że wyciągnąłem panią z domu. A na działce tak ładnie! Ziemia pachnie! Nie ma pani pojęcia, jak ziemia pachnie, panno Paulino!

Paulina odpowiada nie od razu. Ręce jej trochę drżą, gdy odpina fartuch.

– Dlaczego nie mam pojęcia? Przeciem ze wsi i wciąż tę wieś czuję koło nosa, jakbym wczoraj na miedzy stała i patrzała, jak ojciec orze. Wie pan co, panie Antoni, pójdę z panem!

– To rozumiem! Wstąpimy na dół po Drążków i całą paczką pojedziemy na działkę.

– A pan musi z tymi Drążkami? Nie ma pan Drążka dosyć na stoczni?

– Przecież kolega.

– Ale Drążkowa dla mnie nie koleżanka. Taka dama się z niej teraz zrobiła, że bez kija nie przystępuj.

– No, już dobrze, możemy jechać bez Drążków, szkoda czasu. Niech się pani pośpieszy, panno Paulino. Człowiek sobie przez całe życie wszystkiego skąpi, a potem nagle ni stąd, ni zowąd okazuje się, że już za późno...

– Cóż też pan, panie Antoni! Jak to za późno? Przecież dopiero piąta!

– Piąta? Gdzie tam piąta. Na naszych zegarkach jest już dalej. Chodźmy! Śpieszmy się! Prędzej! Prędzej, panno Paulino! Taki wieczór majowy mija szybciej niż te, któreśmy dawniej przeżyli.

III

Ranek na Rajskiej. Słońce we wszystkich oknach. Paulina aż oczy mruży przed tym wiosennym, natarczywym blaskiem. Z łazienki dochodzi plusk wody i podśpiewywanie pana Antoniego. Tak zaczyna się każdy dzień, ale to się nie przykrzy – wprost przeciwnie, cieszy, że zawsze jest tak samo. Paulina przelewa ze szklanki do szklanki dymiące mleko i spogląda z oczekiwaniem na drzwi łazienki, w których wreszcie ukazuje się pan Antoni z ręcznikiem przerzuconym przez ramię.

– Za późno mnie pani zbudziła, panno Paulino. Będzie bieda!

– Zdąży pan, zdąży! Co dnia mówi pan to samo.

– Ale pan Danielewicz już poszedł.

– Bo pan doktór ranny ptaszek. A dziś obiecał jeszcze przed pracą do jednego chorego wstąpić na Św. Ducha. Miał wczoraj wypadek. Nic groźnego, ale nasz pan doktór lubi o ludzi być spokojny. Mleko przestudziłam, niech pan pije.

– Dziękuję pannie Paulinie, dziękuję.

– A tu są bułki do pracy. Kajzerki dzisiaj wzięłam, bo aż chrupią. Tylko żeby były zjedzone!

– Nie ma obawy. Czy to ja kiedy jedzenie z powrotem do domu przynoszę?

Paulina zastanawia się i przyświadcza z powagą:

– Trzeba prawdę powiedzieć, że pan Antoni ładnie je.

I wybuchają obydwoje śmiechem, śmiechem, który bardziej jest do kogoś niż z czegoś, bo niby co w tym śmiesznego, że pan Antoni ma zawsze apetyt i „ładnie" je?

– Ładniej od Krzysztofa?

– O, ładniej! Dużo ładniej!

I nagle w ten śmiech, w tę hałaśliwą pogodną radość wkrada się jakiś dźwięk, odległy, ale docierający aż tutaj. Paulina nadsłuchuje.

– Zdaje się, że już grają.

– Co? Gdzie?

– Kuranty na ratuszowej wieży. Jednak naprawili! Bałam się, że już nigdy nie będą grały. Dopiero teraz znowu czuję, że mieszkam w Gdańsku.

Srebrny dźwięk rozwija się ponad miastem, płynie wśród wież, powtarza go echo mieszkające w starych murach Wielkich Młynów.

Paulina milczy i słucha, nawet spogląda w kierunku, z którego płynie pieśń ratuszowych kurantów. Ale pan Antoni wciąż jest skłonny do żartów.

– Panna Paulina się zachwyca, a kolega z kadłubowni, który mieszka na Długiej pod samym ratuszem, watę w uszy na noc musi wkładać, bo mu kuranty spać nie dają.

– Naszym ludziom nigdy dogodzić nie można. Przez tyle wieków zegary grały na ratuszowej wieży i jakoś gdańszczanie spali. Jakby w nocy nie dosypiali, to by im się w dzień pracować nie chciało, a jakie piękne miasto wybudowali.

– Panna Paulina w Gdańsku zakochana.

– A nie ma w czym? Choćby te wierzby nad Radunią. Czy jest coś takiego w innym mieście?

Teraz pan Antoni poważnieje.

– Na pewno jest, na pewno jest, panno Paulino. A ludzie to tak samo kochają, jak my kochamy wszystko, co nasze. Każdy człowiek kocha to, co jego i zawsze mu się to najpiękniejsze wydaje. Tak już na świecie jest, i dobrze, że tak jest, bo takim prawem nawet najgorsza brzydota kogoś do kochania sobie znajdzie. No, panno Paulino, komu w drogę, temu czas!

– A na obiad niech się pan nie spóźni. Jeszcze nie wiem, co u rzeźnika dostanę, ale chyba coś będzie, bo mięsa teraz dosyć.

– Niech pani sobie kłopotu ze mną nie robi, panno Paulino! Tyle razy proszę.

– Dobrze, dobrze, dla nas kupuję, to i panu mogę przynieść.

– No, to do widzenia, panno Paulino!

– Do widzenia.

To także jest co dzień: pożegnanie, małe pożegnanie na kilka godzin. A jednak zawsze trochę smutno, kiedy pan Antoni zamyka za sobą drzwi i jeszcze tylko przez chwilę słychać, jak gwiżdże na schodach, a potem puka do drzwi Drążków, którzy mieszkają na pierwszym piętrze.

Dziś pukanie trwa dłużej niż zwykle, a kiedy wreszcie drzwi uchylają się ostrożnie, ukazuje się w nich przestraszona twarz Drążka.

– Co wy, Drążek, zaspaliście? – woła pan Antoni.

– Ciii...

– Co „ciii"? Dlaczego „ciii"? Dzieci śpią?

– Dzieci nie. Emilka! Wczoraj późno wróciła, była w kinie, a potem wstąpiła do koleżanki. Już idę, tylko kawałek chleba sobie wezmę.

– Bez śniadania wychodzicie?

– Nic mi nie będzie. Na stoczni do baru mlecznego skoczę. Co będę kobietę o świcie z łóżka ściągał?

– Wy się chyba, Drążek, po śmierci do nieba wybieracie. Chodźcie, bośmy się gotowi spóźnić.

I Wantuła zatrzaskuje drzwi do mieszkania Drążków, nie zważając na przerażenie gospodarza.

– Ciii!

– Nie bójcie się, nie obudzi się. Jak była wczoraj w kinie, i z koleżanką, śpi pewnie jak kamień. A ja bym na waszym miejscu tak kobiety nie rozpuszczał.

– A bo ja ją rozpuszczam? Ot, wymyślacie bajki! Że sobie od czasu do czasu do kina pójdzie?

– A dlaczego nie z wami?

– Bo ja... ja zawsze mam coś w domu do roboty.

– Zmywanie? Oj, Drążek, Drążek!

– A czy ja czasem pozmywać nie mogę, jak kobieta chce iść do kina?

– I po lokalach też lubi latać.

– Bo młoda! Jakby była stara, to by nie latała! Ludzie tak gadają, bo mi zazdroszczą. Kobieta jak lalka, każdy to musi przyznać. Sami powiedzcie!

– Owszem.

– No, widzicie. Aż przyjemnie ubrać się w niedzielę

34

i z taką żoną wyjść na miasto. I dzieciaki czarne ślepia mają po niej, nie chciałbym, żeby były do mnie podobne.

– Co też wy wygadujecie, Drążek?

Wantuła już prawie nie słucha tego, co mówi jego sąsiad. Lubi tę poranną godzinę, kiedy do stoczni płynie ruchliwa ludzka rzeka, kiedy wymienia się powitania, bo choć nie sposób znać wszystkich w tym tłumie, to przecież od czasu do czasu trafia się jakaś znajoma, uśmiechnięta przyjaźnie gęba.

– Jak się masz, Wójcik.

– Cześć. Antoni!

– Dzień dobry, panie Cieślak.

– Jak leci?

Drążek jednak wciąż jest przy swoim:

– A bo nie wiecie, że mnie od dziecka rudzielcem przezywali? Zawsze ten rudzielec za mną szedł. Nawet jeszcze teraz czasem na stoczni słyszę, jak mówią: ten rudy Drążek.

– Zdaje się wam tylko.

– Wcale mi się nie zdaje. Więc przez tę swoją rudość powiedziałem sobie, że na łbie stanę, a dziewczynę dostanę jak lalkę. Żeby się ludzie za nią oglądali i myśleli sobie: co to musi być za chłop, co ją dostał! I doprowadziłem do swego!

– Od pięciu lat wciąż mi to samo opowiadacie.

– Bo moja Emilka... Co tu dużo gadać, kto ma na stoczni ładniejszą żonę?

– Ładności jej nikt nie odmawia, tylko...

– Tego śniadania nie możecie jej darować? Muszę jej o tym powiedzieć, to się uśmieje.

– Żeby pomyślała, że was buntuję.

– Ona i tak wie, że się zbuntować nie dam. Ja bo wolę, żeby mi ładna żona leniuchowała w łóżku, niż żeby brzydka skakała koło mnie na paluszkach. Jeszcze szóstej nie ma, a wy gonicie, aż się człowiek zasapał.

Wielki zegar nad wejściową bramą potwierdza, że istotnie śpieszyć się nie trzeba. Ale Wantuła ma jeszcze wstąpić do biura po karty dla robotników, bo dziś zaczynają nową robotę, wchodzą do następnej pompowni, i czy to byłoby w porządku, żeby ludzie czekali na majstra? Przy bramce jest jednak ścisk, przejście wąskie, każdy musi okazać przepustkę, a ludzi masa. Drążek nie lubi tej dwukrotnej w ciągu dnia ceremonii.

— Jest przepustka. Jest! Tyle lat się na człowieka patrzą i co dnia im tę tekturkę pokazuj.

— Na słowo honoru mają ludziom wierzyć? U nas na to jeszcze trochę za wcześnie.

Na terenie stoczni robi się trochę luźniej. Ludzie rozchodzą się w różnych kierunkach na swoje oddziały. Wantuła i Drążek podążają na K 3. Na K 3 stoi zbiornikowiec, pierwszy zbiornikowiec budowany na Stoczni Gdańskiej. Widać go z daleka. Niedawno jeszcze wyrastał z doku jak dom, który się podnosi piętro po piętrze. A oto dzisiaj zagradza im drogę wielki gmach, potężny gmach ze stalowej blachy.

— Wchodzimy dziś do drugiej pompowni?

— Chyba najwyższy czas!

— A może przy tej okazji ja bym nowego pomocnika dostał?

Wantuła w pierwszej chwili nie rozumie.

— Nowego pomocnika? Drążek! A od kiedy Wacek Koźlarski dla was niedobry?

— Dobry, niedobry, ale mógłby raz z kim innym popracować.

— Strzelecki wam swego pomocnika nie odda. A dlaczego wy Wacka nie chcecie?

– A czy ja mówię, że go nie chcę? Odezwać się nie można? Już bym chciał raz na inną gębę popatrzyć.

– Nic wam nie poradzę, będziecie musieli dalej patrzyć na gębę Wackową. Teraz w największą robotę, przed wodowaniem, takie rzeczy mi gadacie. Idźcie po narzędzia, a ja do biura po karty skoczę.

Na zbiornikowcu jeszcze cicho. Milczą palniki i młoty, teraz, o tej porannej godzinie, słychać tu każdy krok i każde słowo, choćby się mówiło do kogoś szeptem, z bliska, bardzo z bliska.

– Stefka!

– Nie przeszkadzaj, widzisz, że mam robotę.

– Coś ty dzisiaj taka pilna? Już przed szóstą zabrałaś się do izolacji? No, przestań na chwilę upychać tę cholerną watę i spójrz na mnie!

– Już spojrzałam! I co ci z tego przyszło?

O, jak dużo! Nawet sobie nie wyobrażasz jak dużo! Zobaczyłem, że oczy masz dzisiaj mniej czarne niż wczoraj.

– Przecież to niemożliwe, Wacek, co ty mówisz?

– Właśnie że możliwe. Każdego dnia masz inne. Nikt ci o tym nie mówił?

– Nikt.

– Widzisz, a ja to zauważyłem. A najładniejsze masz wtedy, kiedy patrzysz na mnie.

– Nie mogę wciąż na ciebie patrzyć.

– Jeszcze trochę możesz, dopóki mnie Drążek nie zawoła. Jego diabli biorą, jak nas widzi razem.

– Przestań z tym Drążkiem.

– A co ty znowu jesteś taka... ? I wczoraj byłaś pochmurna jak noc. Zbliżyć bałem się do ciebie.

– Ach, wczoraj...

– No, co się stało? Powinnaś wszystko mi mówić.

– Właśnie nie wiem czy wszystko. Będziesz miał mnie dość.

– Na pewno nie będę miał cię dość, nigdy nie będę miał cię dość. Dlaczego tak myślisz, Stefka?

– Ach, różnie nieraz myślę. Czasem to mnie aż strach ogarnia. Przecież ja się od nich nigdy nie uwolnię! Po pierwsze: oni mnie nie puszczą, a po drugie: mnie ich także będzie żal zostawić.

– O kim ty mówisz, u licha?

– O tej mojej kochanej rodzince. Ojciec wczoraj znowu prawie całą wypłatę przepił, mało co do domu doniósł. Więc mama od razu na mnie patrzy. Miałam sobie pantofle nowe kupić, ale co – to nie przelewki, troje dzieciaków, ja czwarta i najstarsza. Kto ma dać? I tak zawsze dawałam na życie, ale nie wszystko. A ojcicc teraz ma spokojną głowę, bo Stefka pracuje.

– A nie możesz załatwić, żeby wypłatę oddawali matce?

– Ale! Taki wstyd! To jednak ojciec. W pracy mu będę szkodzić?

– Więc lepiej, żeby...

– Daj mi spokój. Czasem to myślę, że się utopię albo co? Patrzę w wodę w kanale i patrzę...

– Stefka!

– A co ja mam zrobić? Tobie to dobrze! Nie masz żadnych kłopotów na głowie.

– Mam.

– Jaki?

– Ciebie.

Stefka próbuje się uśmiechnąć, ale zaraz poważnieje.

– Widzisz, sam mówisz, że to kłopot.

– Straszny! Ale jakoś go zniosę. Chcę się z tobą ożenić.

– Zwariowałeś? Zwariowałeś albo żartujesz sobie ze mnie. Po tym co ci dziś powiedziałam?

– Nie myśl, że mnie tak łatwo odstraszysz. Jak już zostanę zięciem, to się sam wezmę za szanownego tatę.

– Wesoło to sobie przedstawiasz.

– Bo jestem wesoły chłopak. Najważniejsze dla mnie w tej chwili, żebyś ty mi powiedziała, czy mnie chcesz?

– Zaraz mam odpowiedzieć, tu przy tej szklanej wacie i rurach, które obtykam?

– Przy całym tankowcu powiedz, niech on będzie świadkiem.

– Wacek, dajże spokój, wariacie jeden! Ludzie patrzą! Już się wszyscy zeszli.

– A niech patrzą! Wielka rzecz na stoczni dziewczynę wpół złapać. Jeszcze w dodatku swoją.

– Wcale nie wiadomo, czy twoja.

– Moja, moja! Myślisz, że będę czekał, aż wreszcie jakieś słowo wydusisz? Sam sobie ciebie wezmę.

– Ale oni! Wacek, oni! Czy ja mogę ich tak zostawić?

– Na pewno coś obmyślimy.

– Żeby matka mogła w domu zarabiać, żeby założyć jej jakiś warsztat, ale na wszystko trzeba pieniędzy.

– Mówię ci, że coś obmyślimy.

Ostry dźwięk syreny pogotowia przepływa nad stocznią. Na sekundę, na mgnienie oka zamiera jakby rytm wielkiego zakładu. Komu, gdzie zdarzyło się nieszczęście?

– To na „Siewierodwinsku". Co tam się komu mogło stać? Statek prawie gotów. Pewnie jakiś malarz wpadł do kubełka z farbą.

Tak, to na „Siewierodwinsku". I nawet przypuszczenia co do malarza się zgadzają, tylko że jest to dziewczyna. Ale doktor Danielewicz już tam jest i na pewno nie pozwoli jej cierpieć.

– Chwileczkę, chwileczkę... Tylko spokojnie! Zaraz zobaczymy, co się stało.

– Noga, panie doktorze, noga!

– Spokojnie, proszę się nie ruszać.

– Złamana?

– Jeszcze chwileczkę, to nie będzie bolało, niech się pani opanuje.

– Złamana?

– Na szczęście wszystko w porządku. Tylko zwichnięcie. Ale potłukła się pani porządnie! Jak to się stało?

– Ach, naprawdę sama nie wiem, wściekła jestem na siebie. Statek musiał mieć przechył, może holownik przechodził obok, akurat weszłam na drabinkę i zaczęłam malować ścianę mesy oficerskiej, straciłam nagle równowagę, no i tak mnie pan znalazł, panie doktorze. Cóż za niezdara ze mnie!

– Zdarza się to bardziej doświadczonym stoczniowcom niż pani. Nogę trzeba unieruchomić. Chwileczkę, to będzie bolało.

Dziewczyna stara się nie krzyczeć, ale to nie zawsze się udaje.

– Mimo wszystko bezpieczniej dla młodych panien malować pogodne pejzaże, rozstawiając sztalugi na łące. Będę musiał zapakować panią na kilka dni do szpitala.

– Do szpitala? Dlaczego do szpitala?

– Bo musi pani jednak leżeć. Chyba że jest ktoś w domu, kto będzie panią pielęgnował.

– Oczywiście... oczywiście, że jest ktoś w domu, kto będzie mnie pielęgnował.

– No więc jak pani sobie życzy. Odwieziemy panią karetką. Gdzie pani mieszka?

– Na Mariackiej.

Na Mariacką trzeba jechać przez Rajską. Doktor Danielewicz rozgląda się, ale na szczęście Krzysztofa nie widać na ulicy. Może poszedł z Pauliną po zakupy? Danielewicz przymyka na chwilę oczy i uśmiecha się do siebie. Samochód jedzie bardzo szybko. Zaraz skończy się krótka chwila, tak rzadka w ciągu dnia chwila, kiedy może myśleć o domu.

– Ale po schodach ostrożnie! Nie chciała pani noszy...

– Po cóż wzbudzać sensację w całej kamienicy? Jakoś doczłapię się na górę.

– Niech się pani na mnie oprze! Mocniej! A jeśli chodzi o tę sensację w kamienicy, to każę kierowcy pół godziny trąbić, żeby wszyscy widzieli, że jestem z pogotowia. Tak wysoko pani mieszka?

– Pod samym dachem.

– Jak jaskółka.

– Ja też tak zawsze myślę o sobie, kiedy drapię się na to piąte piętro. Nie, niech pan nie dzwoni. W torebce są klucze.

– W domu nie ma nikogo?

– Nie.

– A gdzież jest ten ktoś, kto się ma panią opiekować?

– Zaraz... zaraz zadzwonię po kolegę. Przyjdzie i przyniesie mi wszystko, czego będę potrzebowała.

– Proszę się natychmiast położyć. I żadnego kuśtykania po pokoju na jednej nodze. Zaczynam się jednak zastanawiać, czy dobrze zrobiłem, że nie zatrzymałem pani w szpitalu.

– Nie, nie, za nic szpital! Muszę być w domu.

– Czy wszyscy malarze są tak upartymi pacjentami?

– Nie wszyscy. Tylko ci, którzy mają egzamin na karku. Ostatni egzamin. W szpitalu nie mogłabym się uczyć.

– I po co pani to łażenie po drabinach na stoczni? Maluje pani w domu. Tyle obrazów!

– A zna pan osobiście chociaż jednego człowieka, który kupił obraz od malarza?

– Przyznam się, że nie.

– Widzi pan. A żyć trzeba.

– Przepraszam, przykro mi doprawdy...

– Ach, nie powinno być panu przykro. Czy to długo potrwa?

– Co?

– Ta historia z moją nogą?

– Jeśli nie będzie pani wstawać i nie zapomni pani o okładach, które zaraz przepiszę, to po czterech, pięciu dniach powinno być wszystko w porządku.

– Dopiero po czterech, pięciu dniach?...

– Odpocznie sobie pani trochę. Jaki jest numer pani telefonu? Zadzwonię, żeby się dowiedzieć, jak się pani czuje. Jaki numer?

– Mego... mego telefonu...? Trzysta... trzysta pięćdziesiąt dwa czternaście.

– Trzysta pięćdziesiąt dwa czternaście. Dziękuję. Gdyby obrzęk nie ustąpił po dwóch dniach, proszę zadzwonić do mnie na rejon. Centrala panią połączy. Dobrze?

– Dobrze.

– A kolega niech zaraz skoczy do apteki i przyniesie to, co zapisałem.

– Dobrze.

– Zapisałem pani miksturkę na uspokojenie, to dobrze pani zrobi.

– Dziękuję panu, panie doktorze.

– Mam nadzieję, że niedługo będzie pani mogła drapać się znowu po tych swoich drabinach na „Siewierodwinsku". Wszystkiego najlepszego! Do widzenia!

– Dziękuję panu! Do widzenia! Panie doktorze!

– Słucham?

– Ach, nie, nic... Przepraszam. Do widzenia panu...

IV

– Halo! Halo! „Bierut"? Tu Gdynia-Radio. Tu Gdynia--Radio. Halo! „Bierut"! Łączę Gdynia 93-12. Proszę mówić! Proszę mówić! Halo! Gdynia! Proszę mówić!

– Roman! Roman! Słyszysz mnie?

– Ziuta! Jak się masz, Ziuta! Mówię do was z Morza Śródziemnego. Wczoraj wyszliśmy z Marsylii. Co słychać w domu? Zdrowi jesteście? Jak Andrzejek? Czeka na tatusia?

– Czeka. Co dzień się pyta, kiedy wrócisz. Roman! Słyszysz mnie, Roman?

– Słyszę.

– Nie zapomnij o szpilkach!

– O czym? Halo! Halo! Powtórz!

– O szpilkach!

– O jakich szpilkach? Do włosów?

– Roman! Nie do włosów. Szpilki! Rozumiesz? Białe pantofle na szpilkach! Słyszysz mnie?

– Słyszę.

– U nas nie ma. Wszystkie sklepy obeszłam.

– Ziuta, chciałem ci powiedzieć, ze mieliśmy wczoraj po wyjściu z Marsylii porządny sztorm. Dlatego zaraz dzisiaj do was dzwonię. Już było z nami krucho...

– Co ty powiesz... A jakbyś znalazł te szpilki, to uważaj, żeby nie były za ciasne. Pamiętasz? Te beżowe przywiozłeś mi za ciasne, a wiesz, ile potem dają w komisie...

– Halo! Halo! Tu Gdynia-Radio! Tu Gdynia-Radio! „Kielce"? Łączę 323-17. Łączę 323-17. Proszę mówić! Proszę mówić! Jest 323-17.

– Janek! Janek! O halce pamiętasz?

– Pamiętam. Ale kupię dopiero, jak będę wracał. W Kopenhadze. Jeszcze przedtem zadzwonię. U Jadzi byłaś?

– Byłam.

– Zdrowa?

– Zdrowa. Kazała ci przypomnieć o rowerku dla Zygmusia. Bo on wciąż mówi, że mu wujek obiecał...

Przez eter płyną słowa. Z dalekich mórz ludzie wołają ziemię.

– Halo! Tu „Elbląg"! Tu „Elbląg"! Proszę Gdynię! Proszę Gdynię! Numer: 14-15. Powtarzam: Proszę Gdynię, numer 14-15. Powtarzam: 14-15!

– Łączę Gdynię! Łączę Gdynię 14-15!

W słuchawce uparty długi sygnał. Nikt nie odpowiada. Uparty sygnał, nikt się nie zgłasza.

– Halo „Elbląg"! Halo „Elbląg"! 14-15 nie odpowiada. 14-15 nie odpowiada!

– Dobrze. W porządku.

– Halo „Elbląg"! Halo „Elbląg"! 14-15 w Gdyni nie odpowiada!

– Słyszałem. Dziękuję. Pani ma bardzo miły głos. Jak pani na imię?

– 14-15 nie odpowiada.

– Dobrze. Już słyszałem. Proszę za godzinę połączyć mnie jeszcze raz. Pytałem, jak pani ma na imię?

– Proszę nie przeszkadzać. Łączę pana za godzinę. Halo! Tu Gdynia-Radio! Tu Gdynia-Radio!

Godzina szybko mija. Zgłaszają się wciąż nowe statki, z mórz bliskich i dalekich: z Bałtyku, z Oceanu Indyjskiego, z Pacyfiku.

– Halo „Karpaty"!

– Halo „Kosko"!

– Halo „Żeromski"!

I wreszcie:

– Halo „Elbląg"!

– Tu „Elbląg"! Tu „Elbląg"! Witam panią. Cieszę się, że znowu panią słyszę.

– Halo „Elbląg"! Halo „Elbląg"!

– Cieszę się, że znowu panią słyszę! Proszę mnie połączyć z 14-15.

– 14-15. Łączę 14-I5.

Długi uparty sygnał. Nikt nie podnosi słuchawki.

– Halo „Elbląg"! „Elbląg"! 14-15 nie odpowiada. Czy łączyć jeszcze?

– Jak pani chce. Czy dowiem się wreszcie, jakie pani ma imię?

– Blokuje pan falę.

– Chyba mam do tego prawo nie mniejsze niż inni. Gdybym uzyskał połączenie, rozmawiałbym najmniej przez trzy minuty. A ponieważ nikogo nie ma w domu... Czy pani nic może ze mną porozmawiać?

– Ja? Panu naprawdę się wydaje, że ja mam za dużo czasu.

– Powiedziałem, że do trzech minut mam najpełniejsze prawo. A więc szybko: Jak pani ma na imię?

– Teresa. Jeśli to panu tak koniecznie potrzebne.

– Żeby pani wiedziała jak! Będę sobie powtarzał przez cały wieczór: Ona ma na imię Teresa! Ona ma na imię Teresa!

– Pan chyba zwariował!

– Ani trochę. Czy tylko mężczyźni, którzy są niespełna rozumu, powtarzają pani imię? Teresa! Jakie pani lubi spieszczenia?

– Co takiego? Proszę pana, naprawdę nie możemy dłużej zajmować linii tego rodzaju rozmową.

– Powiedziałem: spie-szcze-nia. Spieszczenia! Chodzi mi o to, w jaki sposób mam się do pani zwracać: pani Tereso, Teresko, Tereniu czy też...

– Proszę pana, naprawdę...

– Bo mnie na imię Marcin. Marcin Jas, drugi oficer na m. s. „Elbląg", ale może pani mówić do mnie po prostu: Marcin. Chciałbym bardzo, żeby pani to powiedziała.

– Nie wstyd panu, że zajmuje pan linię?

– Ani trochę. Płacę za trzy minuty i mam prawo rozmawiać, z kim zechcę. Chyba że pani nie ma ochoty?

– Ja teraz pracuję, a pan mi w tym przeszkadza.

– Czy ja jestem winien, że pani ma taki miły głos? Nawet wtedy, kiedy się pani gniewa.

– Czy połączyć pana z 14-15?

– Teraz już nie. Za dwie godziny. Niech pani jeszcze coś powie.

– Do widzenia!

– Brakuje jeszcze 45 sekund do trzech minut.

– Powinien pan zrozumieć, że nie mam czasu.

– I serca. Serca także. Ale za dwie godziny znowu panią usłyszę. Nie powinna się pani na mnie gniewać. Do widzenia.

– Halo „Olsztyn"! Halo „Olsztyn"! Tu Gdynia-Radio! Tu Gdynia-Radio! Łączę o 13.30. Łączę o 13.30.

– Halo „Matejko"! „Matejko"!

Dwie godziny na morzu płyną wolniej niż dwie godziny na ziemi. W dodatku gdy jest się po służbie i gdy się na coś czeka. Więc kiedy usłyszy się upragnione:

– Halo „Elbląg"! – po prostu krzyczy się ze szczęścia:

– Tu „Elbląg"! Tak, „Elbląg"! Nareszcie! Nareszcie znowu panią słyszę! Myślałem, że się już nie doczekam.

– Pan prosi o 14-15?

– Jak to ładnie z pani strony, że pani pamięta.

Długi sygnał, długi, bardzo długi sygnał i nikt nie podnosi słuchawki.

– Bardzo mi przykro, ale telefon wciąż nie odpowiada.

– Niech pani nie będzie przykro. Cóż znowu? Po prostu nikogo nie ma w domu. A więc doszedłem do wniosku, że jednak najładniej brzmi: Tereska.

– Znowu pan zaczyna?

– Zwracam pani uwagę, że mam przed sobą całe trzy minuty. A więc, pani Teresko, czy zgadza się pani, żebym panią tak nazywał?

– Cóż mam robić? Jest pan tak daleko, że wszelkie sprzeciwy nie mają sensu.

– Chciałem pani właśnie powiedzieć, że niedługo będę zupełnie blisko. Za kilka dni może mnie pani zobaczyć. Co pani na to?

– Nie rozumiem pana.

– Za kilka dni będę już w Gdyni! Chcę pani zaproponować, żebyśmy się spotkali.

– Czy to dlatego, że j e j nigdy nie ma w domu?

– Jej? O kim pani mówi?

– O tej, do której pan stale dzwoni, a której nigdy nie może pan zastać. Widzi pan, martwi to jednak pana.

– Wcale mnie to nie martwi. Jej nie ma w domu, ponieważ jej w ogóle nie ma. Ona nie istnieje.

– Jak to nie istnieje?

– Po prostu nie istnieje. Czy zrozumiała mnie pani?

– Cóż to wobec tego za numer, pod który pan stale dzwoni?

– Mój Boże, wszyscy do kogoś dzwonią...

– Ale dlaczego wybrał pan akurat taki, który nie odpowiada?

– Nie może odpowiadać, bo to telefon w moim pustym mieszkaniu. Klucze mam w kieszeni. Nikogo tam nie ma.

– Pan żartuje ze mnie, a ja naprawdę nie mam czasu.

– Och, niech pani nie przerywa rozmowy! Błagam, niech pani nie przerywa! Pani nie może tego zrobić! Czy pani nie rozumie, czym jest dla mnie w tej chwili pani głos? Ziemia! Rozmawiam z ziemią! Płynę ku ziemi! Pani musi na mnie czekać, kiedy wejdziemy do Gdyni.

– Halo! Halo! „Elbląg”! Halo! „Elbląg”!

– Marcin! Ja mam na imię Marcin! Niech pani nie udaje, że odbiór się psuje, kiedy nie wie pani, co odpowiedzieć.

– Marcin! Niech pan zrozumie, że musimy kończyć tę rozmowę.

– Nie, nie, nie ma jeszcze trzech minut. Protestuję! Nie może mnie pani rozłączyć, dopóki się nie dowiem, gdzie i kiedy się spotkamy.

– Po co to panu?

– Na każdego ktoś czeka. Każdy ma o kim myśleć, kiedy jest w morzu. Każdy ma dla kogo załatwiać różne sprawunki...

– Ach, wyobraża pan sobie, że będę prosić o nylony, halki, szpilki, zamki błyskawiczne... Dosyć się tego co dzień nasłucham.

– Nie, wcale mi na tym nie zależy, choć chciałbym wreszcie dla kogoś coś przywieźć. Ale może pani będzie prosić tylko o mnie...

– Proszę pana, ta rozmowa naprawdę zaczyna tracić sens. Pan szuka kogoś nudzącego się tak samo jak pan, a ja...

– Nie, nie, niech pani dalej nie mówi. Nie chcę wiedzieć, kim pani jest, nie chcę nic o pani wiedzieć. A przynajmniej nic z tego, co jest dotychczas... Bo może któregoś dnia zechce pani zacząć wszystko od początku, a wtedy ja będę pani potrzebny.

– Proszę pana, ja naprawdę...

– Już powiedziałem, że nie chcę o pani nic wiedzieć. Po co? Widzi pani, jaki jestem dobry! Inni, kiedy wybierają sobie dziewczynę, koniecznie muszą znać jej ankietę personalną. A ja znam tylko pani głos...

– Niechże pan zrozumie...

– Chwileczkę! I wcale nie będę się pani narzucał. Będę tylko od czasu do czasu dzwonił i dowiadywał się, czy już mnie pani potrzebuje. Teraz może się pani już wyłączyć. Trzy minuty minęły i ja powiedziałem już wszystko, co miałem do powiedzenia. Aha, wolałbym, żeby pani nie myślała, że zwariowałem.

– To będzie trudne.

– Teraz pani stara się przedłużyć rozmowę ze mną.

– No wie pan!

– Najwyraźniej mnie pani zatrzymuje. Uprzedzam, że płacę tylko za trzy minuty.

– Pan jest bezczelny!

– Kobiety uwielbiają bezczelnych mężczyzn. Do widzenia, mam nadzieję, że niedługo panią usłyszę.

Teresa siedzi przez chwilę z wypiekami na twarzy. Potem szybko podnosi słuchawkę telefonu.

– Adaś? Wyobraź sobie, jaką miałam historię przed chwilą. Musiałam do ciebie zadzwonić, żeby...

– Pana doktora nie ma.

– Nie ma? Przepraszam. Tu Danielewiczowa. Jak mąż wróci, proszę powiedzieć, żeby do mnie zadzwonił.

– Nie wiem, czy pan doktór jeszcze dzisiaj tu wróci. Wyszedł wcześniej, bo miał wstąpić do chorego.

– Przepraszam.

Na Mariacką. To do chorego, a raczej do chorej na ulicy Mariackiej poszedł pan doktor Danielewicz. Jest wściekły wspinając się na piąte piętro.

– Co się z panią dzieje? Dzwonię i dzwonię, telefon nie odpowiada, wyłączyła go pani?

– Nie.

– Przepraszam, może nie zapłacony?

– On po prostu w ogóle nie działa. Poczta nie podłączyła go jeszcze do sieci.

– Dlaczego wobec tego podała mi pani numer? Dyrekcja chce wiedzieć, co się z panią dzieje. Nie zgłasza się pani do pracy, cóż to za żarty?

– Bałam się, że zapakuje mnie pan do szpitala.

– I przez cały czas leżała tu pani sama? Zupełnie sama w domu?

– Nic mi się nie stało.

– Kolega się nie zjawił?

– Nie.

– Co pani właściwie jadła przez ten czas? Widzę tu jakiś suchy chleb i trochę dżemu w słoiku. Zapewniam panią, że to by mnie nie interesowało, ale jestem lekarzem zakładowym i moim obowiązkiem jest dbać, aby chory jak najprędzej wrócił do pracy. Nie miałem prawa ustąpić pani, w szpitalu miałaby pani pełną opiekę.

– I oblany egzamin.

– Nie wiem, czy pójdzie pani na egzamin – głos lekarza brzmi sucho – jeśli dalej będzie się pani zachowywać w ten sposób. Proszę pokazać nogę. Oczywiście, tego się można było spodziewać! Nie zmieniała pani okładu?

– Nie.

– I nikt nie przyniósł z apteki tego, co zapisałem?

– Nie.

– Gdzie jest ta recepta?

– Leży na stole.

Doktor Danielewicz jest cierpliwym lekarzem, tym razem jednak zaczyna tracić panowanie nad sobą.

– Proszę dać mi klucze do mieszkania. Pójdę sam do apteki.

– Klucze są w kieszeni płaszcza. A płaszcz wisi w szafie.

– W której kieszeni?

– W prawej. Powinny być w prawej. Są?

– Są. Trzeba było od razu powiedzieć, że nikt nie przyniesie pani lekarstwa. Byłbym posłał pielęgniarza.

– Przepraszam pana.

– Szkoda pani leżenia, skoro obrzęk z nogi nie ustąpił. Gdzie tu jest najbliższa apteka?

– Na Długiej.

– Zaraz wracam.

– Panie doktorze!

– Słucham panią?

– Przepraszam, nie śmiem pana prosić... Ale skoro pan wychodzi... czy nie zechciałby pan przynieść mi czegoś do jedzenia... Na stole jest portmonetka...

– I w dodatku głodowała pani przez cały czas.

– Żeby pan wiedział jak!

– Naprawdę tylko ten chleb i dżem?

– Cieszyłam się, że i to miałam w domu. Nie prowadzę gospodarstwa.

– A co by było, gdybym się nie zjawił?

– Otworzyłabym okno i wzywała ratunku.

– Świetnie! Ile pani właściwie ma lat?

– O wiele za dużo, jak na swój wiek.

– Dlatego od czasu do czasu lubi pani być lekkomyślna. To psychicznie odmładza.

– Nie. To stwarza złudzenie, że się ma wreszcie właściwy stosunek do życia. Odnosić się pobłażliwie do własnego istnienia, czy może być coś bardziej uspokajającego?

– Mimo to przyniosę pani te pastylki, które zapisałem. A jeśli chodzi o jedzenie...

– Ach, cokolwiek. Cokolwiek! I tak się wstydzę, że pana fatyguję...

Apteka, potem jakiś sklep spożywczy, owocarnia i znowu pięć pięter w górę i okrzyk, gdy zjawia się w progu obładowany paczkami:

– Ależ, panie doktorze, kiedy ja to zjem?

– Proszę, kupiłem wszystko, co wydawało mi się najkonieczniejsze. Żeby pani nie musiała wzywać przez okno ratunku. A teraz muszę mieć trochę wody, żeby rozpuścić pastylkę na okład.

– Proszę wejść do łazienki. To te małe drzwi z przedpokoju na prawo. Na półeczce powinna być jakaś szklanka. Jest?

– Jest – odkrzykuje doktor z daleka. I dodaje wróciwszy do pokoju: – Trzeba przyznać, że ten pani stryszek jest całkiem nieźle urządzony.

Ewa się rozpromienia. Po raz pierwszy podczas wizyty lekarza odważa się na uśmiech. Nie do niego, nie. Do tego, co mówi.

– Przede wszystkim niech pan spojrzy, jaki widok z okna! Cały Gdańsk jak na dłoni! Wieże kościołów, Motława, Biskupia Góra zamykająca horyzont. Lubię na to wszystko patrzyć. Kiedy rano wstaję, mam od razu całe miasto przed sobą. Wydaje mi się, że mieszkam w jakimś ogromnym pokoju, w którym wystarczy tylko wyciągnąć rękę, aby dotknąć wieży kościoła Marii Panny. Motława służy mi zamiast lusterka, a zielony stok Biskupiej Góry jest doskonałym tłem dla koloru moich włosów...

– Przepraszam, czy mogę pani zadać jedno pytanie? Przez cały czas, kiedy pani mówiła, patrzyłem na pani obrazy. Pani tak pięknie mówi o tym, co pani widzi ze swoich okien, dlaczego pani tego nie maluje?

– Och, cóż znowu? A dlaczego nie noszę sukien z fin de siecle'u, choć byłoby mi w nich bardzo do twarzy?

– A więc moda?

– Dlaczego od razu pan to tak nazywa?

– Przecież to pani uczyniła porównanie do sukien, których dziś się już nie nosi. Proszę tu położyć nogę. Przepraszam, mam już niewiele czasu, a chcę pani zrobić opatrunek. Przyzna pani chyba także, że to, co ostatnio oglądaliśmy na wystawach malarskich, oględnie mówiąc, nie budziło zaufania.

– To samo mogę ja powiedzieć o wycinanych przez pana ślepych kiszkach. Bo pan, zdaje się, jest chirurgiem?

– Owszem, robię specjalizację w naszym szpitalu. Ale co mają ślepe kiszki do współczesnych obrazów?

– Nic. Ja się panu tylko rewanżuję za pana uwagi o malarstwie. Pana ślepe kiszki nie podobają mi się. Bo się zupełnie na tym nie znam. Auu!

– Boli? Przepraszam. To tylko chwila. Muszę przyznać, że jest pani jednak trochę złośliwa...

– Wcale nie jestem złośliwa. Pan uważa, że na temat medycyny mogą się wypowiadać tylko fachowcy. A na temat sztuki każdy. Ach!

– Proszę nie sądzić, że chcę w ten sposób osiągnąć przewagę w dyskusji. Zaraz przestanie boleć. Jeszcze chwila. A więc uważa pani, że konsument nie ma prawa wypowiadać się na temat sztuki?

– Po pierwsze: nienawidzę słowa „konsument". Po drugie: uważam, że pan nie traktuje tej rozmowy poważnie. Och!

– Teraz to już naprawdę zaraz będzie koniec. Umocnię tylko bandaż. Dlaczego nie miałbym traktować poważnie tej rozmowy? Lekarze lubią pacjentów, którzy ich ciekawią. I będę się kłócił z panią, jeśli nie da się pani przekonać, że konsumenci...

– Och, zatykam uszy!

– A więc odbiorcy, jeśli pani woli...

– Jeszcze gorzej!

– W takim razie: widzowie, czytelnicy, słuchacze – słowem, ci wszyscy, dla których się maluje, pisze, występuje w teatrze, mówi przez radio. Czy oni nie mają prawa żądać sztuki według swego gustu?

– Więc mam malować makatki? Bo – jeśli chce pan wiedzieć – najbardziej podobają się makatki.

– A może malować tak, żeby makatki przestały się podobać?

– O, teraz mnie pan złapał! Aż zaczynam żałować, że zwichnęłam tylko jedną nogę, bo nie dokończymy tej dyskusji.

– Istotnie, żałuję bardzo, ale nie dokończymy. Proszę wieczorem zmienić sobie okład. No i oczywiście nie nadwerężać nogi, wstawać tylko w koniecznych wypadkach.

– Dziękuję.

– Mam nadzieję, że z głodu pani teraz nie umrze.

– Na pewno nie.

– Ale właściwie jak pani ma się do tego zabrać? Doprawdy, czasu mam niewiele... ale może chociaż... chociaż jajecznicę i herbatę mógłbym pani zrobić...

– Ale cóż znowu, panie doktorze? Nie mam prawa tego od pana wymagać.

– Szybko, proszę mi powiedzieć, gdzie jest patelnia? Jakąś kuchenkę elektryczną chyba pani ma?

– Gazową. Tam za kotarą jest kuchnia. Ach, panie doktorze, naprawdę przykro mi, że pan...

– Przykro, przykro, cóż za głupstwa! Pomijając już nawet to, że w jakichś tam przykazaniach, o ile pamiętam, mówi się o obowiązku nakarmienia głodnych, to przede wszystkim „Siewierodwinsk" czeka, a ja jako lekarz mam nadzieję, że z pełnym żołądkiem wyzdrowieje pani prędzej niż na głodno. Więc gdzie jest ta patelnia?

– W kredensiku pod oknem na dolnej półce.

– Jest. Mam nadzieję, że sól gdzieś tu znajdę.

– Solniczka stoi na stole.

– W porządku. Pani woli jajecznicę rzadszą czy bardziej wysmażoną?

– Wszystko jedno.

– Z ilu jaj?

– Z dwóch.

– Zrobię pani z trzech. To już musi wystarczyć na cały dzień. A jutro poproszę naszą gosposię, żeby przyniosła pani obiad.

– Panie doktorze, przecież to zupełnie niepotrzebne.

– Niech już pani przestanie z tymi głupstwami! Do szpitala nie chciała pani iść, jakie jest wobec tego inne wyjście w tej sytuacji? Ja poza jajecznicą nie potrafię przyrządzić nic innego. Na drugi raz niech pani spada z drabiny w innym rejonie. Doktor Kulczycki na przykład uchodzi za smakosza. Potrafi sam gotować jakieś wspaniałe potrawy według własnej kompozycji. No, jajecznica gotowa! Proszę usiąść. Jest tu gdzieś jakaś taca?

– Jest. Na kredensie.

– Już ją mam. Masła na bułkę grubo? Może nałożyć także sera?

– Proszę.

– I od razu nastawię wodę na herbatę. Jest w domu herbata?

– Jest neska. Będzie szybciej.

– Jak pani woli. Proszę, niech pani je. Chyba będzie smakować. Jeśli tylko nie przesoliłem.

– Skądże znowu? Pyszna jajecznica! Dlaczego pan nie siada, panie doktorze?

– Dziękuję. Czy można zapalić?

– Bardzo proszę. W szufladzie powinny być dukaty.

– Wolę ekstra mocne. Mam nadzieję, że woda szybko się zagotuje.

– Mam nadzieję, że nie. Widział pan, jaki mały gaz. Po raz pierwszy cieszę się z tego. Tak dawno tu nikogo nie było...

– Widzę, że moje funkcje stają się coraz poważniejsze: zmiana opatrunków, przynoszenie lekarstw, robienie zakupów, gotowanie, a nawet rozweselanie samotnych. Widzi pani, trzeba zawsze mieć w zapasie kogoś, kto mógłby się przydać w takiej chwili.

– Nigdy nie mam nikogo w zapasie. Musiałabym się nim zajmować także i wtedy, kiedy nie byłby mi potrzebny. A na to nie mam czasu. Ani chęci. Drugi człowiek to jednak wielka komplikacja w życiu.

– Nie ma pani rodziców?

– Nie. Oboje mają nowe rodziny. Nie mieszczę się w nich.

– A więc żyją?

– Tak. I cóż z tego?

– I rodzeństwa także pani nie ma?

– Także.

– Z tych samych powodów?

– Z tych samych.

– Przepraszam, woda, zdaje się, już kipi.

– Nie, to nie woda. To w rurach czasem tak szumi. Niech pan siedzi. Niech pan przez chwilę tak siedzi! Właściwie szkoda!

– Czego szkoda?

– Właśnie tego, że tu nikt nie bywa. Bo widzę, że człowiek to jednak świetny motyw dekoracyjny!

– Dziękuję pani. Jeśli to pani akurat na moim przykładzie zauważyła...

– Niech się pan nie śmieje. Muszę panu powiedzieć, że to mnie naprawdę uderzyło po raz pierwszy.

– A czy teraz mogę już wstać? Bo woda jednak już się gotuje. Ile łyżeczek neski?

– Jedna. Ale czubata! A pan się nie napije?

– Żałuję bardzo, ale muszę już iść. Proszę, jest kawa. Niech pani dobrze rozmiesza. A więc jutro przyjdzie do pani nasza Paulina i przyniesie obiad.

– Panie doktorze, proszę tego nie robić. Nie mam prawa przyjmować od pana...

– Odda mi to pani. Na „Siewierodwinsku"! Pięknie pani wymaluje wnętrze i to będzie pani rewanż.

– Ale po co tyle kłopotu?

– Ani słowa! Nasza Paulina zresztą jest tak uczynna, że na pewno z przyjemnością to zrobi.

Okazuje się, że Paulina wcale nie jest tak uczynna. Nie przyjmuje propozycji z entuzjazmem. Co gorsza, nie wykazuje żadnego współczucia dla pacjentki pana doktora. Przy czym ma zwyczaj rozmawiania garnkami. Szczęk pokrywek i przesuwanych rondli towarzyszy każdemu jej słowu. Dziwne, ale kiedy Paulina jest w dobrym humorze, garnki milczą. Kiedy jednak coś jest nie po jej myśli...

– Ja tylko jestem ciekawa, co pani na to powie? Nosić obiady jakiejś tam... Ani to brat, ani swat.

– Moja Paulino, każdy człowiek zasługuje na pomoc. Niech Paulina to sobie zapamięta!

– Oj, nie każdy, nie każdy. Czasy teraz takie, że trzeba się dobrze zastanowić, nim się do kogo przystąpi.

– Do kościoła Paulina chodzi, ale jak trzeba coś dla kogoś zrobić...

– Tylko niech mi pan doktór kościoła nie wypomina. A że do ludzi zaufania nie mam, to ludzie sami winni.

– No, dobrze, dobrze, nie będę się z Pauliną sprzeczał. Jest właśnie pani. Zobaczy Paulina, co powie.

– A zobaczę.

Tereska nie przeczuwa, w jak ważnej sprawie będzie musiała wypowiedzieć swoje zdanie. Na razie jest jej gorąco i ciężko, zawsze wracając z pracy załatwia po drodze różne sprawunki.

– Boże, co za upał! Wzięłam rano płaszcz, bo z tą pogodą u nas nigdy nic nie wiadomo, a tu takie słońce! Och, Adasiu, weź ode mnie tę torbę. Zobacz, co przyniosłam.

– Szparagi!

– Nie mogłam się oprzeć. Drogie, bo drogie, ale ostatecznie raz możemy sobie na nie pozwolić. Nianiu, gdzie Krzysztof?

– A posłałam go do Drążka po pana Antoniego. Kartofle się jeszcze nie dogotowały, to poszedł na dół, jakby się nie mógł z nim na stoczni nagadać.

– Niania nie w humorze?

– Ach, Biedroneczko, muszę ci coś powiedzieć.

– I ja tobie. Dzwoniłam do ciebie, ale powiedziano mi, że poszedłeś do chorego.

– Do chorej – wtrąca Paulina znad garnków.

– Właśnie to ci mam opowiedzieć.

– Chodź do łazienki, muszę umyć ręce.

– Będę na Mariacką latać z garnkami! – choć drzwi do łazienki są zamknięte i nikt jej nie słyszy, Paulina nie może się powstrzymać od wygłoszenia swego poglądu na omawiany tam temat. – Mało roboty w domu i stania w sklepach, jeszcze takie coś człowiekowi potrzebne! Jak pan doktór taki dobry, to bardzo proszę! Ja ugotować mogę! Ale nosić? Drążkowa by ze śmiechu kolki dostała, jakby mnie z garnkami spotkała na schodach.

Drzwi do łazienki otwierają się gwałtownie, na progu staje Teresa i wycierając jeszcze ręce uśmiecha się prosząco do Pauliny.

– Moja nianiu, co ja słyszę? To chyba niemożliwe, żeby niania nie chciała tam pójść. Jeśli człowiek jest chory... No, jak ja nianię poproszę...

O, z Tereski jest przylepka, Paulina niczego nie może jej odmówić, ale przynajmniej niech zrozumie, że popełnia głupstwo.

Danielewicz obejmuje wpół żonę.

– Uciekajmy, Biedroneczko, bo niania zaczyna garnkami rozmawiać.

V

– Ja wyjdę! Nianiu! Wyjdę na podwórze!

– Krzysztof! Powiedziałam ci raz, że nie wyjdziesz. Idziesz ze mną. Panu doktorowi zachciało się obiady komuś dawać, to musimy iść.

– Daleko?

– Pewno, że daleko. Na Mariacką.

– To ja wiem gdzie. Koło kościoła.

– Mało to kościołów w Gdańsku.

– Ale to jest koło tego największego. Zenek mi mówił. Tam mieszka jego ciotka.

– Podaj mi koszyk. Jaki tu garnek wziąć na zupę, żeby się nie porozlewała? Też pomysł! Z restauracji mógł jej pan doktór obiady zamówić, kiedy taki litościwy! A Tereska to jeszcze pochwala. Zdejm tę koszulę, weź niebieską.

– Po co mam zdejmować?

– Bo już ją trochę zabrudziłeś.

– Czysta!

– Włóż niebieską, mówię! Żeby mnie jeszcze obmawiała, że dzieciaka brudno trzymam. Obiady komuś do domu nosić, a potem jeszcze człowieka obmówią. Teraz taka wdzięczność. Nim się co dobrego komu zrobi, to się trzeba dziesięć razy zastanowić. A Tereska! Jakby rozum miała...

– A do kogo my idziemy, nianiu?

– A bo ja wiem? Tatusia się zapytaj. To tatuś sobie wymyślił. Najłatwiej to być dobrym cudzym kosztem albo cudzą fatygą. Ja bym też potrafiła być taka dobra. Mogłabym na przykład powiedzieć, że Drążkowa zrobi komuś wielkie pranie. Jak spotkamy Drążkową na schodach, to pamiętaj, żebyś nic nie mówił.

– Czego mam nie mówić?

– Tego właśnie.

– Czego?

– Do kogo idziemy.

– Kiedy ja nie wiem, do kogo idziemy.

– Ojej! Wszystko jedno, masz w ogóle nic nie mówić. Dobrze?

– Że na Mariacką też nie?

– Też nie. Gdzie jest ten list dla pana Antoniego, co listonosz dzisiaj przyniósł? Nie brałeś przypadkiem tego listu?

– Nie brałem.

– Tylko się przyznaj! Ważny jakiś list, urzędowy. Dopiero by było, jakby się zgubił.

– Ja nie brałem.

– To gdzie może być? Boże święty, niczego w tym domu znaleźć nie można.

– Nie brałem!

– Tu leżał. Jakbym go widziała! Pamiętam, że listonosz mi go dał, a ja się podpisałam na tej kartce, a potem... Jest!

– O, widzi niania! W kieszeni był!

– A bo to człowiek może mieć głowę do czego? Kup, ugotuj i jeszcze z obiadami lataj.

– A niania od razu na mnie!

– Musiałam ten list zaraz do kieszeni schować, bo sobie pomyślałam, że jak będziemy z Mariackiej wracać, to możemy pod stocznię pójść i na bramce na pana Antoniego poczekać.

– A do środka nas nie wpuszczą?

– Po co do środka? Poczekamy, aż pan Antoni będzie wychodził i damy mu list. Bo to na pewno coś ważnego.

– Uhm, z pieczątką!

– A potem – potem poprosimy pana Antoniego, żeby poszedł z nami do jednego sklepu.

Paulina się uśmiecha, a Krzysztof nic nie rozumie.

– Do sklepu? Po co?

– Bo musimy kupić prezent. Prezent na imieniny. Bo pan Antoni ma pojutrze imieniny.

– A ten prezent będzie od kogo?

– Od ciebie. I trochę ode mnie.

– A co to ma być?

– Nie powiem ci, bobyś wypaplał. Coś, co by pan Antoni bardzo chciał mieć.

– Pan Antoni to by najbardziej chciał mieć pistolet.

– Co takiego?

– Pistolet. Taki, jaki Zenek dostał na imieniny. Prawdziwy pistolet! Strzela wodą. Jak stąd do ściany. Zenek mi pożyczy, to niania zobaczy.

– I co panu Antoniemu po takim prezencie?

– Zobaczy niania, że się ucieszy. A ja bym go też trochę miał, nie? Bo pan Antoni by go chyba na stocznię nie zabierał. Po co mu pistolet na stoczni?

– Wiesz co? Zapytamy pana Antoniego, co woli. A teraz włóż nowe sandały.

– Po co nowe sandały?

– Włóż, mówię ci! Jak się idzie do miasta, trzeba porządnie wyglądać. Otwórz, ktoś dzwoni! Kto to może być? Listonosz już był.

Krzysztof biegnie do drzwi i obwieszcza:

– Pani Drążkowa!

– Tej tylko dzisiaj brakowało – mruczy Paulina do siebie i pośpiesznie chowa koszyk.

A Drążkowa już jest w kuchni. Naprawdę śliczna, opalona, wypoczęta i nie robiąca sobie nic a nic z tego, że jej Paulina tak wyraźnie nie lubi.

– Dzień dobry, panno Paulino!

– A dzień dobry, dzień dobry.

– Zapałek mi pani pożyczy? Chcę gaz zapalić, patrzę, a tu ani jednej zapałki. Do kiosku mi za daleko, a obiad muszę gotować.

– To pani dopiero teraz do obiadu się zabiera?

– A co, nie zdążę? Z garmażu wzięłam tatara i zrobię mielone kotlety.

– Ale to się o wiele drożej kalkuluje.

– Moje stanie w kuchni jeszcze się drożej kalkuluje. Zamiast zupy kwaśne mleko i fertig! Będę pitrasić godzinami, kiedy teraz taki piękny czas? Wolę do parku z dzieciakami pojechać.

– Ale mąż po pracy najeść się musi.

– A czy ja go głodzę? Narzekał kiedy?

– Pan Drążek to, żeby prawdę powiedzieć, święty człowiek.

– Święty, nie święty, sam rozumie, że nie mogę cały dzień w kuchni się smażyć. Też mi się coś od życia należy.

– A ja miałem o czymś nie mówić!

– Cicho bądź, Krzysztof? Zajmij się sobą, dobrze? Koszulę miałeś zmienić.

– Przecież widzi niania, że zmieniłem. Kiedy idziemy?

– Przestań. Proszę, ma pani zapałki.

– Pani wychodzi?

– Tak trochę... Pan doktór ma dziś dyżur w szpitalu, a pani także dłużej dziś pracuje. Nie musimy czekać z obiadem, pójdziemy na słońce.

– A pan Antoni?

– Sam sobie weźmie. Co to ja u pana Antoniego jestem czy u pana doktora?

– Tak sobie powiedziałam, a panna Paulina zaraz się gniewa. Już idę. Chciałam tylko zapytać, ile pani doktorowa dała za ten sweterek?

– Za jaki sweterek?

– Za ten, co go wczoraj miała na sobie. Niebieski, z dekoltem. Ja takiego od dawna szukam.

– To drogi sweterek.

– To co z tego? Stary musi kupić. Ja mu stale powtarzam: jak się ma żonę, to trzeba mieć i na żonę. Nie dasz Emilce ty, to da kto inny.

– Co też pani takie rzeczy opowiada?

Drążkowa pokazuje w uśmiechu swoje wspaniałe zęby.

– Daję słowo, że mu tak mówię. Stracha ma, aż się trzęsie! Mało to chłopów na świecie? No więc ile ten sweterek kosztował?

– Pięćset.

– Tak sobie od razu pomyślałam. Drogi, bo drogi, ale jest się w czym pokazać. Ech, tyle ma człowiek z życia, co się trochę ludziom podoba! Pani doktorowej ładnie w tym sweterku, ale mnie by też brzydko nie było. Prawdę powiedziawszy, to do moich włosów nawet by lepiej pasował. Czarne z niebieskim zawsze dobrze wygląda. I w biuście jestem pełniejsza. Da mi panna Paulina przymierzyć?

– Jezus Maria! Przymierzyć? Słyszał to kto, żeby cudze rzeczy mierzyć!

– Wielkie co! Ugryzę, jak na siebie włożę? A parchów nie mam. Chciałam tylko zobaczyć, czy mi dobrze, a panna Paulina taka nieużyta.

– Choćbym nawet była użyta jak sam święty Piotr, to i tak nic z tego. Pani w tym sweterku do pracy dziś poszła.

– Wcale nie, bo w bluzce!

– Krzysztof, co ty tam wiesz? Jeszcze spałeś, jak mama wychodziła.

– Ale się obudziłem, jak przyszła mnie pocałować.

– Przywidziało ci się przez sen.

– A może panna Paulina zajrzy jednak do szafy.

– Do szafy nie mam po co zaglądać, wiem, co mówię.

– To ja przyjdę, kiedy pani doktorowa będzie w domu. Na pewno pozwoli mi przymierzyć.

– Może... – Paulina mruczy pod nosem. – Po Teresce wszystkiego można się spodziewać. Jak na przykład z tym obiadem...

– Z jakim obiadem? – podchwytuje Drążkowa, a Krzysztof tańczy po kuchni wyśpiewując:

– Z obiadem! Mamy iść z obiadem! Na Mariacką! Tatuś kazał!

– Ile razy ci mówiłam, że masz być cicho i nie wtrącać się, kiedy starsi mówią? Zmień koszulę!

– Już zmieniłem! Co niania z tą koszulą?

Drążkowa robi się nagle słodziutka.

– To ja już pójdę. Skoro panna Paulina ma komuś obiad zanieść...

– Ano, mam zanieść, to żaden wstyd! Chorego człowieka trzeba poratować w nieszczęściu. Nasz pan doktór dba o swoich pacjentów.

– A może to jest pacjentka, panno Paulino. Opowiadał mi mąż, że na „Siewierodwinsku" był niedawno wypadek.

– Mnie tam wszystko jedno. Chory jest dla mnie chory. I dla pana doktora pewnie to samo. Ja już muszę się szykować. Ma pani zapałki?

– Mam, dziękuję. Po południu oddam. Do widzenia.

– Do widzenia.

Paulina nie może się doczekać, żeby za Drążkową zamknęły się drzwi.

– A bodaj cię! Krzysztof? Ja ci mówię, że ty kiedyś dostaniesz takie lanie...

– Co niania znowu?

– Miałeś nic nie mówić.

– A czy ja co powiedziałem? Niania sama powiedziała o obiedzie.

– A o sweterku mamy?

– Kiedy naprawdę poszła w bluzce.

– No to co z tego? Kto się ciebie pytał?

– Ale ja chciałem tylko powiedzieć, jak było naprawdę. Niania zawsze każe, żebym mówił prawdę.

– Każę, ale nie każdą prawdę trzeba zaraz mówić na głos. Jakbyś ją trochę w środku potrzymał, też by była tyle samo warta. Ech, co ja ci zresztą będę mówić. Język za zębami – ot, co jest najlepsze! Ubieraj się!

– Przecież już jestem dawno ubrany.

– No już dobrze, dobrze, tylko ja się trochę ogarnę. Swe- terek Tereski mierzyć! Dobre sobie! A ja już lecę do szafy i daję. Krzysztof? Gdzie list do pana Antoniego?

– U niani w kieszeni.

– Prawda, w kieszeni. Nie widziałeś gdzie tej niebieskiej pokrywki?

– Przecież ma niania w koszyku.

– Czy człowiek kręćka nie może dostać w tym domu? Niech mi się tylko wszystko z tych garnków powylewa! Obiady chorym nosić! Pacjentkom! Może jeszcze szpital w domu założymy? No, idziemy! Krzysztof! Ubrany jesteś?

– Dawno!

– Jezus Maria! Klucze! Wyszłabym bez kluczy! Krzysz- tof! Nie widziałeś gdzie...

– Tu ma niania w kieszeni – mówi Krzysztof z pełnym pobłażliwości spokojem.

Wreszcie idą przez miasto. To jest coś najprzyjemniej- szego, co się może zdarzyć. I choć niania trzyma mocno za rękę i nie ma mowy o zatrzymywaniu się przed wystawami, i tak jest wokoło wiele rzeczy do oglądania. Dorośli właści- wie zupełnie nie umieją chodzić po ulicach. Zawsze się dokądś śpieszą, zawsze myślą, że najważniejsze jest przed nimi, a nie obok nich. A tu tymczasem co krok warto by było przystanąć i patrzyć. Na niektórych domach są nawet obrazki. Po co tam są, kiedy nikt ich nie ogląda? Niania ciągnie za rękę i nawet przed halą nie pozwoli się zatrzymać, choć na pewno sama miałaby ochotę przejść się między kolorowymi straganami.

Na Mariacką trzeba iść oczywiście koło tego największe- go kościoła w Gdańsku. Krzysztof zadziera głowę, żeby zobaczyć czubek wieży, a wtedy dwa obłoki zatrzymują się nad nią, a ona płynie, wieża płynie, ucieka gdzieś w bok, aż Krzysztof krzyczy ze strachu i niania musi przygarnąć go do siebie, żeby już nie widział uciekającej wieży. I zaraz potem śmieją się oboje i szukają tego domu, o którym mówił pan doktor.

Krzysztof lubi schody, ale po tych się idzie i idzie jak do nieba. Nianię znów ogarnia zły humor, koszyk z jedzeniem nie jest wcale taki lekki, a jeszcze kiedy trzeba czekać pod drzwiami...

— Zadzwoń jeszcze raz! Nie dość, że się człowiek drapie po schodach tak wysoko, to jeszcze mu nikt nie otwiera.

— Może nikogo nie ma w domu?

— Wszystko możliwe. Pan doktór ma dobre serce i innych swoją dobrocią zadręcza — tchu złapać nie mogę po tych schodach — a tymczasem chora może na spacer poszła. Cicho, bo ktoś idzie. Ukłoń się, jak otworzy.

Paulina przygląda się bez sympatii młodej dziewczynie w piżamie, która staje w drzwiach.

— Od pana doktora Danielewicza.

— A proszę, proszę! Przepraszam, że tak długo nie otwierałam, ale muszę skakać na jednej nodze.

— Obiad przyniosłam.

— Ach, prosiłam pana doktora, żeby nie sprawiał sobie kłopotu.

— Prawdę powiedziawszy, to pan doktór kłopotu ma z tym niewiele. Krzysztof? Zamknij drzwi i chodź tutaj! Powiedz pani: dzień dobry.

— Dzień dobry! Ojej, ile tu obrazów!

— Możesz sobie wszystkie obejrzeć. Tylko nie wiem, czy będą ci się podobały.

— Ma pani gdzie talerze? — wtrąca się Paulina lodowatym tonem. — Bo talerzy to już nie brałam.

– Ależ mam, oczywiście. Tam za kotarą jest kuchenka. W szafce pod oknem znajdzie pani wszystko. Talerze, łyżkę, widelec. Mam nawet jeden nóż, ale niezbyt ostry.

– Zupę, zdaje się, trzeba będzie podgrzać.

– W kuchence jest gaz. Na stoliku powinny być zapałki.

– Ja już sobie poradzę.

Paulina znika za kotarą. Krzysztof zostaje sam z obcą panią, która choć się uśmiecha, nie wydaje się przez to mniej obca.

– No, powiedz, podoba ci się to, co tu jest namalowane?

– Nie wiem.

– Jak to nie wiesz? Przypatrz się dobrze, pomyśl i powiedz: podoba ci się czy nie?

– Nie.

Obca pani wybucha śmiechem.

– To rozumiem! Sąd jasny i zdecydowany! A może mi przynajmniej powiesz, dlaczego ci się nie podoba?

– Bo nic nie rozumiem.

– Ach, wyobraź sobie, że twój tatuś powiedział to samo. A kiedy słonko świeci, to ci się podoba.

– No pewno!

– A widzisz! A czy rozumiesz dlaczego? Mój Boże, cóż ja ci tu opowiadam? A nawet nie wiem, jak masz na imię.

– Krzysztof.

– Krzysztof? Jak ładnie! A w domu mówią pewnie na ciebie: Krzyś.

– Nie, Krzysztof.

– Wiesz, to mi się nawet lepiej podoba. Krzysztof? To bardzo poważnie brzmi! A mnie na imię Ewa. Będziemy sobie mówić po imieniu, zgoda?

– A kto to słyszał, żeby dzieciak mówił po imieniu dorosłej osobie? – odzywa się nagle Paulina z kuchni.

– Takiej znów dużej różnicy wieku między nami nie ma. Głupie piętnaście lat!

Paulina wyłania się zza kotary z talerzem dymiącej zupy.

— Jak nastałam do rodziców mojej pani, to znaczy pani Danielewiczowej, to miałam akurat tyle lat, co pani, a Tereska była taka jak Krzysztof. Ale nigdy mi nie mówiła po imieniu. Ani nawet teraz, kiedy tam znów takiej dużej, jak pani mówi, różnicy wieku między nami nie ma: głupie piętnaście lat. Proszę, niech pani je. Zupa podgrzana.

— Ach, jaka pyszna!

— Taka sobie — Paulina jest skromna. — Całkiem zwyczajna, na kościach cielęcych. Tyle że koperku świeżego dodałam, to od razu wiosną pachnie.

— Otóż to! Nie umiałam tego określić, ale jak pani to powiedziała? Wiosną pachnie! Domowe jedzenie jest zawsze w zgodzie z kalendarzem. Człowiek wchodzi do kuchni, pociąga nosem i od razu przypomina mu się, jaka to pora roku. Jak koperek — to wiosna, jak pierogi z jagodami — lato, grzyby — jesień, a jak pachnie poczciwą kiszoną kapustą — to oczywiście zima. A w restauracji — kotlet schabowy przez cały rok. Jak pani gotowała tę zupę? Nie, pani ją chyba czarowała! Ja nigdy nie jadam zup, a tu, aż wstyd! Talerz wylizany.

— Każda zupa musi być dobra, jak się ją uczciwie ugotuje i doda tego, co w zupie musi być. Kostka, jarzynka, trochę masła, śmietany. We wszystkim można oszukać, tylko w gotowaniu i w miłości oszukaństwo zawsze się wyda.

— Co też pani mówi? W gotowaniu i w miłości?

— A bo nieprawda? Krzysztof, nie dotykaj palcami! Jak człowiek zje co oszukanego, to od razu poznać. I smak nie ten sam, i zaszkodzić może. A jak z fałszywym sercem do człowieka kto podejdzie, to też od razu się poczuje, jak nieświeży smalec. Krzysztof? Chodź tutaj! Ile razy mam ci mówić, że nie wolno niczego dotykać?

— Nic się nie stanie, może dotykać.

– O Jezu! Zapomniałam, że zostawiłam pieczeń na gazie!
Krzysztof zbliża się do obrazu opartego o ścianę.

– Tu jest namalowane coś, co ja rozumiem, rzeka i most, nie?

– Nie poznajesz? Przecież nieraz musiałeś ten most widzieć.

– Pewnie że widziałem. Zenek w szkole namalował ten most kredkami. Pani im kazała. Ten most jest pomarańczowy, a rzeka fioletowa.

– Zupełnie jak u mnie, tak? A drzewa? Nie pamiętasz, czy namalował drzewa?

– Namalował. Różowe. Bo Zenek nie miał innej kredki, to musiał zrobić różowe. Pani też nie miała innej kredki?

Ewa obejmuje kolana ramionami i kiwa się w obie strony ze śmiechu.

– Nie, nie miałam innej kredki... Może przyjdziesz kiedyś do mnie z Zenkiem, skoro on taki malarz. Poprosisz nianię, to was przyprowadzi.

– Sam bym też trafił... – zaczyna Krzysztof, ale zaraz urywa, bo niania znów wkracza do pokoju.

– Jeszcze trochę, a pieczeń byłaby się spaliła. Ten gaz to raz jest, a raz go nie ma. Taka złośliwa bestia, jak człowiek. Kiedy się przy nim stoi, ledwo dycha. A tylko się odwrócisz, a jeszcze nie daj Boże mleko nastawione, od razu wyleci. Jak pani zje, to pozmywam.

– Niech się pani już nie fatyguje. Proszę talerze zostawić w zlewie i napuścić wody. Ja tak zawsze robię, kiedy mi się nie chce zmywać.

W głosie Pauliny brzmi nagana:

– Pani to sobie tak może robić, ale ja to bym nie zasnęła, jakby u mnie nie było wszystko pozmywane. Nawet zwierzę niektóre do czysta po sobie sprząta. U nas na wsi był pies, co jak nie mógł zgryźć do końca kości, to w ziemi zakopywał, żeby koło budy nic nie leżało.

– Przyznam się, że wolałabym zakopywać brudne talerze, niż je zmywać.

Paulinie nie zawsze dopisuje poczucie humoru. Wzrusza ramionami.

– A kto by nastarczył na takie gospodarowanie? Naczynia teraz drogie i kupić nie zawsze można. Płytkie talerze to się jeszcze od czasu do czasu w sklepie pokażą, ale głębokich to już trzeba szukać ze świeczką. My mamy takich sąsiadów, co się kłócą i talerzami w siebie rzucają. Jak już im się na to zbiera, to teściowa zaraz wszystkie talerze zamyka w kredensie na klucz. Tylko im te małe deserowe zostawia, bo do kupienia łatwiejsze.

– Teraz chyba najłatwiej kłócić się ceramiką?

– Ce... Czym takim?

– Tymi glinianymi garnkami z Cepelii. Zawsze je można dostać.

– Najlepiej to się w ogóle nie kłócić. Wody w usta nabrać, ręce robotą zająć, to i złość przejdzie. Kłócą się tacy, co dużo czasu mają. No, pozmywam czyściutko, żeby pani nie miała kłopotu.

– Ale ja naprawdę proszę...

– Co tam, dwa talerze, jak po kocie.

– W tym pudełku są farby? – pyta nieśmiało Krzysztof.

– Tak. Ale w tym drugim są czekoladki. Poczęstuj się.

– Ja nie lubię czekoladek.

– O, jak można nie lubić czekoladek? Ja bardzo lubię.

– Tatuś mówi, że prawdziwi mężczyźni czekoladek nie jedzą.

– A to przez to, proszę pani – wtrąca Paulina z kuchni – że on miał robaki. To pan doktor nie pozwalał mu dawać słodyczy.

Krzysztof jest bliski płaczu ze wstydu i upokorzenia.

– Wcale nie! Wcale nie przez robaki! Ja nigdy nie lubiłem czekoladek!

– Ależ wierzę ci! Na pewno nigdy nie lubiłeś czekoladek. Właściwie czekoladki są tylko dla dziewczynek. Ty pewnie za to lubisz szpinak.

– Nie bardzo.

– Bo prawdziwi mężczyźni jedzą szpinak. Żeby byli silni i odważni.

Paulina nadpływa z kuchni.

– Do jedzenia to on w ogóle jedyny! Palcem trzeba wszystko popychać jak u gęsi. Ma pani pozmywane. Jutro przyjdę trochę wcześniej niż dzisiaj, bo pani po nocnym dyżurze będzie miała wolne.

– Ja naprawdę bardzo dziękuję. Proszę się nie fatygować. Jutro może już wstanę.

– Ja tam nic nie wiem. Mam powiedziane, żeby z obiadem iść, to idę.

– Proszę podziękować panu doktorowi ode mnie i powiedzieć...

– Kiedy pan doktor nie ma nic do tego. Pani kazała.

– Pani?

– Pewnie, że pani. No, Krzysztof, powiedz: do widzenia.

– Do widzenia.

– Zadzwonimy jutro dwa razy, żeby pani wiedziała, że to my. Polepszenia.

– Dziękuję.

Na schodach nianię ogarnia podniecenie.

– Szybko! Zaraz druga! Pan Antoni może wyjść ze stoczni i cała niespodzianka na nic.

Kiedy kończy się pierwsza zmiana i ludzie opuszczają stocznię, niełatwo znaleźć kogoś w tym tłumie. Paulina aż wypieków dostała, wypatrując pana Antoniego. W dodatku Krzysztof szarpie ją co chwila za rękę, bo mu się wciąż zdaje, że widzi pana Wantułę. Ale Paulina nie da się zmylić, poznałaby pana Antoniego na końcu świata. Kiedy wreszcie dostrzega go mijającego bramkę, biegnie mu naprzeciw, aż ludzie oglądają się za nią i Krzysztofem.

– Panie Antoni! Panie Antoni!

– Panna Paulina? Krzysztof? Co? Co się stało?

– Co się miało stać? Dlaczego się pan tak wystraszył?

– Bo nikt tu nigdy na mnie nie czeka...

– Niespodziankę mieliśmy panu zrobić! Niania powiedziała, że niespodziankę.

– Cicho bądź! List przyszedł do pana. Myślałam, że może coś ważnego...

– List?

– I niespodzianka! Niespodzianka!

– List z prezydium rady narodowej. To pewnie w sprawie planu na dom.

Pan Antoni rozdziera kopertę, a Paulina i Krzysztof nie spuszczają oczu z jego twarzy. I wreszcie ulga:

– Zatwierdzili!

– Chwalić Boga! Dosyć się pan nachodził i podań naskładał.

– Teraz trzeba się będzie brać do roboty. Cegłę mam, wapno mam. Jednego człowieka zgodzę, a popołudniami sam będę pomagał. Zaraz po obiedzie jadę na działkę.

– Kiedy ja... kiedy my z Krzysztofem chcieliśmy pana zabrać do jednego sklepu...

– Do sklepu?

– To ma być niespodzianka! Niespodzianka!

– Co wy tu knujecie obydwoje? Co za sklep? O co chodzi?

– Bo pan Antoni ma imieniny.

– Cicho, Krzysztof!

– Ach, to ma być ta niespodzianka? Do imienin jeszcze daleko, całe dwa dni.

– Ale jutro niedziela, chcieliśmy więc z Krzysztofem dzisiaj panu coś kupić.

– Dobrze, ale u mnie taki zwyczaj, że na swoje imieniny ja kupuję prezenty.

– Kiedy to nie miał być żaden prezent, tylko róże.

– Róże? To dlaczego mnie pani ciągnie do księgarni? Panno Paulino, coś się pani musiało pomylić...

– Od razu wiedziałem, że pan by wolał pistolet!

– Ale to są właśnie róże z księgarni. I wiem, że się pan Antoni nimi ucieszy. Bo to jest książka, która się tak nazywa. Książka o różach.

– A ten pistolet to strzela wodą. Zenek mi pokazywał...

– Że też panna Paulina o tym pomyślała... Doprawdy...

– Bo pan Antoni wspominał, że róże... że chciałby róże posadzić na działce... a już teraz, jak dom stanie, na jesieni można by się tym zająć...

– I pani o tym pamiętała? Panno Paulino... Naprawdę na jesieni już by można róże sadzić. Od południowej strony przy murze i wzdłuż płotu. Tam jest tyle słońca.

– Niech pan poczeka z Krzysztofem na ulicy, a ja wejdę do księgarni.

– Pistolet by się panu lepiej przydał – mruczy Krzysztof rozczarowany.

– Co ty mówisz? A co ja bym z nim robił?

– Strzelałby pan. Zenek cały dzień strzela.

– Ale ja pracuję. Nie mógłbym cały dzień bawić się pistoletem.

– To by pan trochę mnie go dawał...

– Wiesz, to jest myśl! Chodź szybko, zobaczymy, czy w tym sklepie naprzeciwko jest taki pistolet.

Krzysztof wspina się na palce, żeby poprzez ladę zobaczyć wszystko, co znajduje się na półkach z zabawkami.

– Proszę pana, czy ma pan pistolet, taki dziecinny pistolet na wodę?

– Nie, jest tylko na kapiszony.

– Może być – podpowiada Krzysztof szeptem.

– Dobrze, weźmiemy go. Już płacę, kapiszony proszę też dołożyć. Schowaj do kieszeni i nie pokazuj zaraz pannie Paulinie. Dopiero w domu.

– Dobrze, dopiero w domu.

– Do widzenia panu.

– Dziękuję. Do widzenia.

– Ale on jest nabity? – pyta Krzysztof na ulicy.

– Pewnie, że nabity. Wyjmij rękę z kieszeni, niania idzie.

Paulina jest zaróżowiona z przejęcia.

– Akurat tyle ludzi w księgarni! Może wszyscy kupują książki na prezent imieninowy. Panie Antoni! To ode mnie i od Krzysztofa! Żeby panu róże na działce pięknie rosły! I żeby wszystko... wszystko się udawało!

– Dziękuję! Dziękuję pannie Paulinie. I Krzysiowi, Krzysiowi także!

I szeptem:

– Mówiłem ci, wyjmij rękę z kieszeni!

– Nie, ja tylko tak...

– A teraz, jak imieniny, to imieniny! Idziemy na lody! Paulina bardzo ma ochotę.

– Ale pan Antoni bez obiadu...

– Lody! Idziemy na lody! – podskakuje Krzysztof.

– Później zjem obiad. Będzie mi lepiej smakował! Słyszałem, że wyrabiają teraz bardzo dobre lody Ca...

– Calypso! – podchwytuje Krzysztof. – Hurra! Idziemy na lody Calypso!

I nagle wśród tej uciechy pada strzał. Paulina łapie się za serce.

– Jezus Maria! Co to jest? Co się stało? Co ty masz w kieszeni?

Krzysztof podnosi niewinne oczy.

– Nic.

– Jak to nic? Pokaż! Wyjmij rękę.

– Niech panna Paulina się nie gniewa. To mój pistolet. Czy ja na swoje imieniny pistoletu nie mogę sobie kupić?

VI

Tu, w pokoju lekarza, jest cicho. Za ścianami stocznia huczy jak gigantyczny motor. Tylko wtedy, gdy w gabinecie zjawia się nowy pacjent, przez otwarte drzwi wdziera się za nim głos maszyn, młotów i blach. A kiedy zamyka drzwi, znów wszystko przycicha, i lekarz podnosi oczy na przybyłego.

– A i pan Drążek sobie o nas przypomniał! Witam, witam sąsiada. Proszę, niech pan spocznie.

– Dziękuję panu doktorowi.

– Chyba pan nie chory? Cera zdrowa, rumieniec.

– Pan doktór to sobie zawsze lubi pożartować. Ale tak się człowiek długo przed chorobą broni, aż go raz do muru przyciśnie, a wtedy ani rączką, ani nóżką...

– Jakoś z kończynami u pana na razie w porządku. Panno Zosiu, proszę kartę pana Drążka!

Już podaję, panie doktorze.

– Proszę się rozebrać.

– Prawdę powiedziawszy, to pan doktór niewiele tam zobaczy.

– Gdzie tam?

– Bo mnie w krzyżu boli. Tak mi przedwczoraj w krzyż coś wlazło, że się nawet schylić nie mogę. Och!

– Przedtem mówiliście, że ani rączką, ani nóżką, teraz że jeszcze i schylić się nie możecie. To jakiś ciężki przypadek.

– Proszę, karta pana Drążka.

– Dziękuję. No, niechże się pan wreszcie rozbierze.

– Jak pan doktór tak koniecznie chce...

Doktor Danielewicz zerka na kartę pacjenta.

– Ostatni raz miał pan grypę w kwietniu.

– Głupie trzy dni.

– A przedtem jakieś dolegliwości żołądkowe.

– Kiełbasę zjadłem. Bo to można przewidzieć, co w takiej kiełbasie jest. Mówią, że mięso z norek. Psiakrew, kto inny nosi futra, a kto inny musi kiełbasy żreć.

– Dobrze, dobrze, cztery dni.

– Czy to kto sobie choroby szuka? Pan doktór to zawsze tak. Aż strach przyjść do przychodni. Nieraz człowiek źle się czuje, ale woli przecierpieć...

– No więc gdzie pana boli?

– O, tu, panie doktorze, tu, w tym miejscu. Dotknąć się nie mogę.

– A po co ma się pan tu dotykać? Tutaj?

– O, tutaj! Tutaj!

– I nigdzie więcej?

Trochę jeszcze na lewo.

– I na prawo?

– I na prawo też.

– Dziękuję panu.

– No i co, panie doktorze? Co to jest?

– Sprawa poważna. Ale przepiszę panu smarowanie i po dwóch dniach powinno panu przejść. Emilka pana natrze, ale jak się pan przytuli do takiej żony, to bez smarowania powinno panu przejść.

– Z przeproszeniem pana doktora, jak człowiek chory, to gdzie mu tam w głowie takie rzeczy.

– Taki znów chory pan nie jest. A muszę panu powiedzieć, że młode i ładne żony nie lubią kwękających mężów.

– Moja tam nie z takich.

– Ja tylko przestrzegam pana. Proszę, recepta. Niech pan jeszcze dziś postara się o lekarstwo, jeśli tak pana boli. Panno Zosiu, następny!

– A... a zwolnienie? Nie da mi pan doktór zwolnienia?

– Nawet mi przez myśl nie przeszło, że w taki piękny czas będzie pan chciał leżeć w szpitalu.

– W szpi... w szpitalu?... Dlaczego zaraz w szpitalu?

– Jak się jest tak ciężko chorym, to po co sprawiać kłopot w domu? Nie mógłbym Emilce spojrzeć w jej piękne oczy, gdybym jej zwalić miał teraz na głowę chorego męża.

– Co się pan doktór wciąż tylko Emilką kłopocze?

– Ktoś musi o niej myśleć. Mąż choruje...

– Ale po co pan doktór od razu z tym szpitalem? W domu człowiek najprędzej do siebie przyjdzie.

– Inaczej teraz zwolnień nie daję. Raz uległem pewnej młodej damie, która tak jak pan nie chciała iść do szpitala, a potem musiałem załatwiać jej zakupy, latać do apteki i smażyć jajecznicę, dopóki Paulina nie zgodziła się mnie wyręczyć i nosić jej obiady aż na Mariacką. Może pan sobie wyobrazić, jaka była wściekła. Teraz już nikomu nie ustąpię.

– Ale po sąsiedzku...

– Słuchajcie, Drążek. Przyznajcie się od razu. Potrzebne wam wolne? Pranie w domu albo co innego.

– Co też pan doktór? Jak Boga kocham, takie rzeczy. Czy to ja kiedy...

– Pokazałem wam, jak wygląda wasza karta. Za ostatnie miesiące. Nie chce mi się patrzyć, jak było przedtem. Wracajcie na tankowiec! Wantuła was pewnie szuka.

– Wie, że jestem chory.

– To mu teraz zameldujcie, że wam przywróciłem zdrowie. Nie ma to jak leczyć zdrowych! Lekarz się czuje cudotwórcą!

– Pan doktór wierzy dopiero człowiekowi, jak na mordę leci.

– Dawno takich nie widziałem, nawet nie pamiętam, jak to wygląda. Życzę wam długich lat czerstwego zdrowia, panie Drążek. Jak dotychczas! Do widzenia! Panno Zosiu, następny!

Drążek powoli opuszcza gabinet lekarza.

– Do widzenia! – burczy w drzwiach.

Trzeba na kimś wyładować złość, ale nawet Wacka nie ma w pobliżu. Pewnie znowu grucha z dziewczyną, ci zakochani to skaranie boskie!

– Stefka, no jak? Rozmawiałaś z matką?

Stefka odwraca oczy.

– Rozmawiałam.

– I co?

– Przccicż wicdziałam, co mi powie.

– Ale gadaj po ludzku, zgadza się czy nie?

– Powiedziała, że mam czas.

– Ale ja nie mam czasu! Dobre sobie! Kiedy sama miała się żenić, to jej na pewno było spieszno.

– No właśnie – to mi też powiedziała. Żebym się namyśliła. Bo nie sztuka za mąż wyjść i od młodości dzieciakami się obłożyć...

Wacek ścisza głos i próbuje dotknąć ręki dziewczyny.

– Ale my będziemy mieli tylko jednego. I potem szlus, produkcja skończona.

Choć wcale jej niewesoło, Stefka musi się śmiać.

– Oj, Wacek, tobie tylko żarty w głowie. A tu nie ma nadziei, żebyśmy nie dziecko, ale nawet kota mogli mieć razem. Ani mieszkania, ani w ogóle nic.

– Poczekaj. Wszystko będzie! Nie bądź taka czarnowidząca. Jakbym na Dzień Stoczniowca dostał motocykl, to by się sprzedało...

– Tere fere, gruszki na wierzbie! Motocykl!

– A co ty myślisz? Majster mnie do nagrody podał.

– A ja słyszałam, że on sam ma nagrodę dostać.

— Jego pewnie dyrekcja podała. Piętnaście lat chłop pracuje na stoczni.

— Dom podobno buduje.

— E tam, zaraz dom! Może willę? Domek mały buduje, jak kiedyś w „Przekroju" pokazywali. Byłem u niego na działce. Sam przy nim robi.

— Ale i tak pieniędzy sporo musiał zebrać.

— Co chcesz, majster, źle nie zarabia, a na co ma wydać? Nie pije, nie pali i sam jak palec.

— To po co mu domek?

— Tylko z tym przed nim nie wyjedź! Bo wszyscy mu tym oczy wykłuwają. A on powiada, że właśnie jak sam, to mu się należy mieć i psa, i drzewa, i ptaszki wokół siebie. A zresztą chłop niestary, dopiero mu piąty krzyżyk stuknął, jeszcze się może ożenić.

— O, wy to zawsze macie czas!

— Tak już jest na świecie, bo was jest więcej niż nas. Uważaj, Stefka, nie przebieraj.

— Już ty się o mnie nie bój! Która godzina?

— Na co ci godzina? Jak będzie fajrant, to się dowiesz.

— Do lekarza chciałam iść.

— Epidemia jakaś, jak Boga kocham. Drążek dopiero co do lekarza poszedł.

— Poszedł...

— No właśnie, a teraz ty...

— Głowa mnie od kilku dni boli.

— Bo się kochać nie chcesz. Jakbyś się dała pocałować...

— Wacek!

— No co? Nikt nie widzi! Od tego cię głowa boli, że się dotknąć nie pozwalasz. Po ślubie też taka będziesz? Powiedz od razu, żebym się jeszcze mógł rozmyślić.

— Do ślubu jeszcze daleko. Sam widzisz, ty liczysz na motocykl...

– Ja liczę przede wszystkim na swoich dziesięć palców. Jeszcze nikogo nie zawiodły.

– Dużo nimi zrobisz. Tak jak Wantuła będziesz sobie budował domek po pięćdziesiątce albo jeszcze później.

– A ty chcesz mieć wszystko na raz? Tak? Taka jesteś niecierpliwa?

– A żebyś wiedział, że niecierpliwa! Ja muszę przede wszystkim matce dać coś w garść, żeby na siebie i na dzieciaki mogła zarobić. Inaczej nigdy od nich się nie wydostanę. Zrozumiałeś? I nie gadaj mi tu o gruszkach na wierzbie, tylko myśl tak jak inni...

Wacek puszcza rękę dziewczyny i pyta cicho:

– A jak inni myślą?

– A daj mi spokój! O, jest pan Drążek!

Drążek jest tak wściekły, że nie zwracając uwagi na obecność Wacka wybucha:

– Nie idź dzisiaj, Stefka. Nie dał.

– O czym... o czym pan mówi? – pyta Stefka, oblewając się rumieńcem. – Do kogo mam nie iść?

I znów gabinet lekarza.

Doktor Danielewicz ma dziś powodzenie. Pacjent za pacjentem, ani chwili wytchnienia.

– Panno Zosiu, karta panny Ewy Radoniówny!

– Ach, nie! – parska śmiechem Ewa. – Dziękuję. Nie jestem dziś w charakterze pacjentki. Jak pan widzi, czuję się doskonale. Przyszłam panu podziękować.

Nie, naprawdę nie wygląda na chorą. Ma olśniewające rumieńce i oczy tak pełne blasku, że Danielewicz czuje się naraz dziwnie zmieszany.

– Ależ nie ma za co, zwykła ludzka przysługa.

– Nie wiem, czy zwykła. Muszę panu powiedzieć, że tak dobrych obiadów nie jadałam nigdy w życiu.

– To zasługa naszej Pauliny. Terroryzuje nas od rana do nocy, ale jeśli chodzi o gotowanie, to prawdziwy skarb!

– W każdym razie czuję, że mimo choroby przytyłam. I egzamin zdany, może mi pan pogratulować.

– Szczerze się cieszę.

– A wszystko to zawdzięczam panu. Bo gdyby mnie pan zapakował do szpitala albo pozwolił mi umrzeć z głodu na tym moim strychu...

– ...projektowałaby pani w tej chwili rozwiązanie plastyczne gabinetu świętego Piotra.

– O ile tego już nie zrobił Leonardo da Vinci. Zresztą myślę, że trudno by ich było namówić na coś nowoczesnego. Oni tam w niebie muszą być potwornie konserwatywni.

– I chyba, nie obrażając pani, mogą sobie pozwolić na trochę snobizmu. Ściągnęli do siebie tyle sławnych nazwisk.

– Mój Boże, jeszcze większa konkurencja niż na ziemi! Ach, muszę się panu pochwalić: sprzedałam obraz!

– Niesłychane! – woła doktor.

– Pan jest prawie niegrzeczny! Gdyby nie uratował mi pan życia, na pewno bym się na pana obraziła.

– Ależ przecież pani sama mówiła, że nikt tego nie kupuje.

– Przede wszystkim co to znaczy „tego"? Mówi pan o dziełach sztuki! Czy ja wyrażam się obraźliwie o ślepych kiszkach, które pan operuje? Niech pan sobie wyobrazi, że ni stąd, ni zowąd zjawił się u mnie jakiś jegomość i kupił obraz, który pan zganił najbardziej.

– O, przepraszam, jeśli pamiętam, nie wyraziłem żadnego sądu.

– Ale oczy! Oczy! Pan nie panuje nad swoimi oczyma, panie doktorze! Tak szczerze się pan przestraszył, że się pan aż cofnął. A tymczasem ten szelkarz...

– Kto?

– No, ten klient. Jakoś najłatwiej wyobraziłam sobie, że on robi szelki, on zapłacił za ten obraz trzy tysiące złotych.

– Ile?

– Słownie: trzy tysiące! Kiedy nieraz marzyłam, że któregoś dnia zjawi się na moim strychu jakaś postać z bajki i zechce kupić jeden z moich obrazów, najwyższą ceną, która chciała mi przejść przez wyobraźnię, było tysiąc złotych. A teraz powiedziałam trzy i nawet się nie zająknęłam, a chce pan wiedzieć dlaczego?

– Dlaczego?

– Bo pomyślałam sobie, że ten niewinny człowiek musi zapłacić za wszystkie moje dotychczasowe rozczarowania. Trzy tysiące złotych i ani grosza mniej!

– Zapłacił?

– Oczywiście. Słowa nie powiedział. Aż mi potem było żal, że zaceniłam za mało.

– Odbije to pani sobie na następnych.

– Jeśli tylko będą następni. W każdym razie chyba okazja wystarczająca, żebym w charakterze rewanżu zaprosiła pana na obiad.

– Ależ, proszę pani!

– Niech pan tak nie krzyczy! Siostra pomyśli, że pan wzywa pomocy. Przynajmniej raz w tym gabinecie lekarz wydaje jęki. Cóż w tym złego? Nie mogę pana zaprosić na obiad? Karmił mnie pan przez tyle dni.

– Bardzo proszę już o tym nie wspominać.

– A ja właśnie wcale nie mam zamiaru o tym zapomnieć. Poza tym chciałam panu powiedzieć, że nie odmawia się niczego osobom, którym się uratowało życie. Zapraszam pana na obiad do „Monopolu" i niech pan przestanie mieć minę panny, której zrobiono niestosowną propozycję.

– Kiedy propozycja jest naprawdę niestosowna. Jakże bym mógł pozwolić, żeby pani...

– A dlaczego ja miałam zjadać pana pyszne obiady?

– To zupełnie co innego.

– To zupełnie to samo. Jeśli nie przyjmie pan mego zaproszenia, będzie pan tego gorzko żałował. Ponieważ nie mam zamiaru przyjmować od pana niczego bez możności rewanżu, tu na tej ścianie zawiśnie jeden z moich obrazów i będzie pan musiał na niego patrzeć przez kilka godzin dziennie podczas przyjmowania chorych.

– Jezus Maria!

– Biedni ludzie!

– Kto?

– Pana pacjenci. Wyobrażam sobie, jak się pan będzie nad nimi znęcał! Czy to nie humanitarniej ze strony lekarza przyjąć moje zaproszenie?

– A więc zgoda, ale tylko na kawę!

– Warunki będzie pan dyktował na miejscu. O drugiej czekam na pana przy bramce. I niech pan nie próbuje się rozmyślić, bo po raz drugi zwichnę nogę.

A przez eter ktoś woła. I ktoś czeka na ten głos, czeka jak na objawienie.

– Halo! Halo! „Mazury"! „Mazury"! Koniec łączenia! Koniec łączenia! Ponownie łączę o 15.30. Halo „Mazury"! Ponownie łączę o 15.30. Halo „Elbląg"! Tu Gdynia-Radio. Tu Gdynia-Radio! Halo „Elbląg"! Halo „Elbląg"!

– „Elbląg"! Tu „Elbląg"! Halo Gdynia! Halo Gdynia! Tu „Elbląg"! Dzień dobry pani! To pani Teresa, tak?

– Tak.

– Tu Marcin! Od razu miałem przeczucie, że dziś będę z panią rozmawiał. Co słychać?

– W tej chwili pana. Z kim pan chce rozmawiać?

– Z panią! Tylko z panią! Czy tęskniła pani trochę do mnie?

– Cóż też pan sobie wyobraża?

– Ach, wyobraźnia to jedyna moja pociecha. Wyobrażam sobie wiele rzeczy. Na przykład, jakie pani ma oczy.

– A nie wyobraża pan sobie przypadkiem, że któryś z pana kolegów chciałby w tej chwili rozmawiać ze swoją rodziną?

– O, co do tego, to się zabezpieczyłem. Za drobne usługi koleżeńskie obiecali mi nie przeszkadzać w rozmowie z panią. Poza tym oni wszyscy są po mojej stronie.

– Po – co? Halo, nie słyszę!

– Po mojej stronie!!! Koledzy są po mojej stronie. Uważają, że nie powinna pani być taka bez serca.

– Ależ ja nie jestem bez serca.

– Jak to nie?

– Po prostu to serce jest zajęte.

– I długo utrzyma się w tym stanie?

– Proszę pana!

– Tylko pytam. Przeważnie każda kobieta wie, jak długo u niej trwa taka historia.

– U mnie zawsze.

– Ho, ho, tym bardziej będę musiał poznać panią osobiście. W dzisiejszych czasach znaleźć kogoś takiego! Zawsze! Skąd pani właściwie jest? Z jakiejś powieści zeszłowiecznej...

– Halo! Halo! Nie słyszę!

– Pytam, skąd pani jest?

– Z Gdańska.

– Ach, nie, pani jest z *Sagi rodu Forsyte'ów*.

– O czym pan mówi? Nic pana nie rozumiem...

– To dobrze. Czy pani sądzi, że aby się z kimś porozumieć, trzeba go koniecznie rozumieć? A więc, jakie pani ma oczy? Cały statek chce wiedzieć, jakie pani ma oczy.

– Jak to cały statek?

– Wszyscy koledzy. Powiedzieli mi, że nie odstąpią mi więcej swego czasu na rozmowę, jeśli się nie dowiem, jakie pani ma oczy. Twierdzą, że to nonsens kochać się w kobiecie, o której się nic nie wie. A ja im mówię, że oni też kochają się w kobietach, o których nic nie wiedzą. Oni tylko znają ich wygląd. Więc żebym nie był gorszy od nich, niechże mi pani powie coś o sobie.

— A więc oczy mam zielone. Trochę bure, ale to lepiej brzmi, jak się mówi, że zielone. A na nosie mam całą masę piegów.

— Uwielbiam piegi!

— O, pan też?

— Halo! Halo! Co to znaczyło, to „pan też"? A więc i tamten lubi piegi? Nienawidzę go!

— Ależ za co?

— Nie tylko, że podkradł mi kobietę, ale jeszcze i upodobania.

— Przecież to nie on panu, my znamy się od wielu lat.

— A my jeszcze dłużej. Chciałem pani powiedzieć, że kiedy miałem dziesięć lat, ściągnąłem komuś książkę o pewnej rudej piegowatej dziewczynce i zakochałem się w niej. Już wiem, pani jest z „Zielonego Wzgórza".

— Skąd? Halo! Tu Gdynia-Radio! „Elbląg"! „Elbląg"! Nie słyszę pana! Skąd?

— Z „Zielonego Wzgórza". Pani jest stanowczo za mało oczytana. Będę musiał popracować trochę nad panią. Ale te piegi istnieją naprawdę?

— Niestety, tak.

— Dlaczego niestety? Czy on nie mówi pani, że są urocze?

— Mówi.

— Och, jakże go nienawidzę! I całuje pewnie także?

— Czasem.

— Zabiję go, gdy tylko wyjdę na ląd. Albo sam zacznę je całować.

— Miejmy nadzieję, że do tego nie dojdzie.

– Nie widziała mnie pani na oczy, a zupełnie nie ma pani na mnie ochoty. Niechże pani będzie przynajmniej trochę mną zaciekawiona. Jestem pewien, że gdy wreszcie się poznamy, rzuci mi się pani w ramiona.

– Istotnie, nie brak panu pewności siebie.

– Same panie utwierdziły mnie w tym przekonaniu... Jeśli w każdym porcie czeka ich co najmniej dziesięć...

– Ile?

– Dziesięć! To dla tradycji. Żaden marynarz nie przyznaje się do mniejszej liczby. Ale za to w Gdyni będzie na mnie czekać tylko pani!

– Wciąż pan taki uparty?

– Wytrwały! Powinna pani powiedzieć: wytrwały. I jeszcze kiedyś będzie pani dziękować Bogu za to, że taki jestem. Bo nie przestanę na panią czekać. Wolno pani uważać mnie za wariata, trudno. Ale ja jednak będę czekał na panią.

– Ależ proszę pana...

– Marcin! Niech pani raz powie: Marcin!

– Marcin.

– To jeszcze nie było to, ale kładę to na karb zniekształcenia w odbiorze. Teresa! Teresa! Będę o pani myślał przez cały wieczór. A co pani robi dziś wieczorem?

– Ja? Ja idę do kina.

– Oczywiście z nim?

– Jakże by inaczej? Miał postarać się o bilety na *Balladę o żołnierzu* i czekać na mnie.

– Zabiję go! Daję słowo, że go zabiję. Albo zamustruję go na mój statek, a sam zostanę na lądzie... Niechże pani jeszcze raz powie: Marcin! Do widzenia, Marcin!

– Do widzenia, Marcin!

Tego lata tańczono „Petit fleur". „Mały kwiat", małe słowa, małe westchnienia podawane z ust do ust w czułym zbliżeniu.

– Proszę, jak pan świetnie tańczy! Od kiedyż to lekarze stoczniowi tak tańczą?

– Pani ma, zdaje się, o nas w ogóle dość mierne wyobrażenie.

– Zależy tylko od pana, żeby je poprawić.

– A czy nie staram się?

– Owszem, są pewne postępy.

– Pewne? O, pani jest wymagająca!

– Muszę pana uprzedzić, że bardzo!

– Przyznam się, że wobec tego nie wiem, co teraz robić.

– Niech pan tańczy! Niech pan tańczy! To wystarczy. Oni świetnie grają! Nie uważa pan, że oni świetnie grają? Boże! Jak jednak od czasu do czasu człowiekowi tego potrzeba! Trochę dobrej muzyki, trochę dobrego wina, i żeby ktoś oddychał... blisko... zupełnie blisko.

Ewa nuci, mruczy melodię, jest gorąca, trochę ciężka, ale kiedy taniec się kończy, żal wypuścić ją z ramion.

– Och, to było cudowne! Proszę, niech mi pan naleje wina!

– Może już dosyć, panno Ewo. Powinniśmy pójść...

– Jeśli pan myśli, że uda się panu zepsuć mi wieczór, którym święcę sprzedaż mego pierwszego obrazu, to się pan myli. Albo dobrze, pójdziemy! Wypijemy wino do końca i pójdziemy! Pokażę panu, jak w księżycu wyglądają wierzby nad Radunią, usłyszy pan, jak przy Wielkim Młynie śpiewa woda w przepustach... No, niechże pan wypije! Ach, jakie dobre wino! Uwielbiam wermut!

– Owszem, ja też.

– Jakoś pan posmutniał. Co się stało?

– Ależ skądże znowu?

– Nie trzeba o niczym myśleć, kiedy się pije wino. Człowiek musi wziąć od czasu do czasu urlop ze swego własnego życia. To mu się uczciwie należy. Inaczej nie mógłby w nim wytrzymać, tak jak nie mógłby bez odpoczynku i odprężenia wytrzymać przez cały rok w biurze czy na stoczni.

– Co też pani mówi!

– Naprawdę to wcale nie jest takie głupie, jak się panu zdaje, i ja sama tego nie wymyśliłam. No, idziemy!

– Chwileczkę, muszę poprosić kelnera.

– Ależ zapłacone!

– Panno Ewo!

– Przecież zapraszałam pana! Co pan sobie wyobraża? A ponieważ wiedziałam, że będzie się pan ze mną kłócił, załatwiłam to już z kelnerem. Niechże pan wreszcie wstanie! Najpierw chce pan iść, a potem z krzesła pana ruszyć nie można.

– Ależ ja nie mogę się na to zgodzić.

– Już powiedziałam panu, żeby mi pan nie psuł wieczoru. Czy pan sądzi, że tak prędko uda mi się sprzedać drugi obraz? Może to święto na całe życie? Ach, chodźmy, chodźmy! Wieczór w czerwcu ma dla mnie zawsze coś z bajki!

Tak, wieczór w czerwcu ma coś z bajki. Niebo jest wtedy parasolem pełnym gwiazd, a drzewa stoją oblane księżycowym światłem jak lukrem...

– Boże, jacy szczęśliwi są poeci, że mogą o tym pisać!

– A dlaczego malarze nie malują?

– Znowu pan zaczyna? Nie, tym razem nie nabierze mnie pan na dyskusję. Nie chcę myśleć, chcę oddychać, chcę żyć... Niech mnie pan weźmie pod rękę...

– Służę pani.

– Widzi pan? Księżyc nad dachem kościoła św. Katarzyny! Wygląda jakby na nim siedział! Lubię sobie czasem pomarzyć, patrząc na te stare mury. Wydaje mi się wtedy, że jestem młodą panną gdańską z siedemnastego wieku, że biegnę na nieszpory w krochmalonych spódnicach i oglądają się za mną nawet starzy kupcy, popijający goldwasser na przedprożach swoich kamieniczek. Pana to nudzi?

– Co za przypuszczenie?

– Może pan tego nie lubi? Takich spacerów i majaczeń przy księżycu. Ale niech się pan poświęci. Mnie także było stać na wielkie poświęcenie dla pana.

– Dla mnie?

– A tak! Żeby pan wiedział, jaka słona była ta jajecznica, którą mi pan usmażył! Aż oczy wyłaziły! A zjadłam i nie powiedziałam słowa.

– Co pani mówi? Dałem tylko łyżeczkę soli.

– Łyżeczkę! Boże! Byłam tego pewna. Widzi więc pan, na co m n i e stać. Niech pan wobec tego zrobi też coś dla mnie. Niech pan idzie ze mną... Niech pan mnie mocno trzyma i oddycha obok mnie, niech pan b ę d z i e, niech pan będzie i słucha razem ze mną, jak szumi woda w jazach, jak śpiewa na kamieniach i leci nie wiadomo dokąd...

VII

– Jakbym zakreśliła siódemkę, miałabym cztery trafienia. Koło nosa mi przeszło. Dosłownie koło nosa!

– A mówiłem niani, żeby siódemkę!

– E, tam, mówiłeś! Ty zawsze mówisz, żeby wszystko po kolei skreślać. A tu wolno tylko pięć, pięć cyfr, rozumiesz? Pomieszaj w kubku numery!

– Już pomieszałem.

– No to ciągnij! Tylko zamknij oczy.

– Przecież i tak nic nie widzę.

– Zamknij oczy, mówię ci! Pokaż, co wyciągnąłeś. Dziesięć.

– Dziesięć to dobrze?

– A czy ja wiem, czy dobrze? Jakby człowiek miał szczęście, to by było dobrze.

– Jeszcze ciągnąć?

– Tak. Pomieszaj znowu!

— Ja rozwinę!

— No, rozwiń, rozwiń. Osiemnaście!

— Osiemnaście to dobrze?

— Mówiłam ci, że nie wiem. Nikt nie wie. Jakby z góry było wiadomo, to by nikt nie grał w jantara. Ani w totolotka. Trzeba mieć szczęście.

— Wie niania co? Zenek to ma szczęście! On raz znalazł scyzoryk.

— Ciągnij jeszcze.

— Znalazł prawdziwy scyzoryk. Jedno ostrze było ułamane, ale drugim można było kroić.

— Pokaż, co tam masz? Dwadzieścia trzy! Zeszłym razem też było dwadzieścia trzy! I gdybym tylko wykreśliła tę siódemkę...

— No to teraz zakreślmy siódemkę!

— Ojej, Krzysztof, nic nie rozumiesz. Wtedy trzeba było mieć siódemkę, w t e d y! Wygralibyśmy dużo pieniędzy.

— Dużo pieniędzy to ile?

— To dużo! Bardzo dużo, bo ja wiem, prawie sto tysięcy.

— To ja bym wtedy dostał kolejkę elektryczną, prawda?

— Kolejkę elektryczną pewnie i tak dostaniesz.

— To po co my jeszcze gramy w jantara?

— Ach, tak? Ty jesteś tylko jeden. A mało to różnych rzeczy by się przydało?

— Ja chcę tylko kolejkę...

Teresa nadchodzi z głębi mieszkania.

— A może by tak Krzysztof poszedł już spać?

— Jeszcze nie, jasno na dworze!

— Jasno, bo dzień teraz długi. A trzeba iść spać, bo się nie wyśpisz.

— Wyśpię się, musimy z nianią skończyć jantara.

— No to ciągnij prędko. Pomieszaj!

— Po co go niania do tego przyucza?

– A bo to co złego? Człowiek swego szczęścia szuka. Samo nie przyjdzie. Pokaż! Dziewiętnaście! Hm, osiemnaście i dziewiętnaście, dwa numery obok siebie...

Teresa uśmiecha się, ale jakoś dziwnie smutno.

– To już teraz musi niania trzymać się swego sposobu szukania szczęścia. Inaczej wszystko nieważne.

– Ale, żeby tak obok siebie osiemnaście i dziewiętnaście...?

Krzysztof podśpiewuje klaszcząc w ręce:

– Osiemnaście i dziewiętnaście! Osiemnaście i dziewiętnaście! Osiemnaście...

– Cicho, Krzysztof! Cicho, zdaje się, że telefon dzwoni...

– Nic nie dzwoni – Paulina wzrusza ramionami. I do Teresy cicho, żeby Krzysztof nie słyszał: – Niech pani tak wciąż nie nadsłuchuje. Kto to widział tak czekać? Nerwy sobie targać! Ja na pani miejscu to bym najlepiej na spacer poszła.

– Sama?

– No to co, że sama? Ludzi na ulicach mało? W taki wieczór to nikt w domu nie siedzi.

– Ja pójdę z mamą!

– O, znalazł się kawaler!

– Ty pójdziesz przede wszystkim spać. Najwyższy czas!

– Kiedy ja muszę czekać na tatusia!

– Wcale nie musisz. Tatuś jest w szpitalu...

– A nie, nie jest w szpitalu! Przecież tam dzwoniłaś!

– Cicho bądź! Bo dostaniesz! Ja ci mówię, że ty będziesz tak długo podskakiwał, aż nastąpisz Panu Bogu na odciski.

– Najgorzej to się boję, czy mu się coś nie stało – szepcze Teresa. – Może wypadek jaki. Nigdy przecież tak nie było, żebym nie wiedziała, gdzie jest.

– E, zdarzało się, nawet niedawno, nie pamięta pani? A co mu się miało stać? Niech się pani nie martwi. Chłopu się tak prędko nic nie stanie... Może koledzy go gdzie zaciągnęli.

– Adasia? I on by nie zadzwonił do domu? Wie, że czekam.

– Może telefon zepsuty? Ja zobaczę!

– Zostaw! Nie manipuluj przy telefonie! Przecież to się nigdy przedtem nie zdarzało. Niania najlepiej wie, że to się nigdy nie zdarzało...

– To tym bardziej nie ma o co robić takiej tragedii. Pan doktor, prawdę powiedziawszy, to był do tej pory jak zegarek. Więc jak sobie raz gdzieś wyskoczył...

– Moja nianiu, co to znaczy „raz sobie gdzieś wyskoczył"?

– Ojej, pani innych chłopów nie widzi? Co dnia na nich żony wyczekują. Ja na miejscu pani to bym słowa nie powiedziała, jakby nigdy nic...

– A czy ja coś mówię? Co ja mogę w ogóle mówić, jak go nie ma? Prawie jedenasta, a jego nie ma! A niania chce, żebym była spokojna. Telefon?

– Żaden telefon, znowu się pani zdaje – Paulina dotyka pleców Teresy i gładzi je lekko jak wtedy, kiedy Teresa była mała. – Nie można tak czekać! To nic dobrego takie czekanie. Ja sama myślę, że zwariuję, kiedy patrzę, jak pani czeka. I chłopu tego wcale nie trzeba pokazywać.

– Czego?

– A właśnie tego, że się tak na niego czeka. Żaden z nich nie powinien wiedzieć, że kobieta miejsca sobie nie może znaleźć, jak go nie ma w domu.

Krzysztof nudzi się i szpera po kątach.

– Czy ja mogę wziąć latarkę pana Antoniego?

– Nie, zostaw! Jak przyjdzie, to ci sam da.

– A kiedy przyjdzie?

– A ja wiem? – wybucha Paulina. – Już by mógł być! Siedzi na tej działce i siedzi, niedługo to będzie tam nocował. Tylko jestem ciekawa, po co ja kolację robię. A potem odgrzewaj, przysuwaj, odsuwaj...

Telefon! Teraz nie ma już żadnej wątpliwości, że telefon! Teresa biegnie do pokoju.

– Chyba niania nie powie, że mi się zdaje.

– Krzysztof, przestań się już kręcić, tylko szykuj się do spania!

– Ale jantar jeszcze nie skończony.

– Prawda! Bo to człowiek ma spokojną głowę, żeby co po ludzku zrobić? Jedenasta, a on na działce!

– Już pomieszałem, a teraz ciągnę! Niech niania rozwinie!

– Trzydzieści!

– Teraz na pewno wygramy! Ja niani mówię, że wygramy!

– Skąd wiesz?

– Bo to ja ciągnąłem. A ja byłem przez cały tydzień grzeczny.

– Ach, to dlatego?

– Pewnie, że dlatego. Bo to się liczy, nie?

– Pewnie, że się liczy. Jeszcze jak teraz ręce umyjesz przed spaniem.

– Już myłem.

– Ale kiedy to było? Myj, bo nie wygramy w jantara! Teresa wraca od telefonu.

– To nie Adaś – mówi z rezygnacją.

– A kto?

– Żona tego Królikiewicza z CBKO, wie niania. Chciała się dowiedzieć, czy idziemy na zabawę na stoczni. Byli z nami zeszłego roku. Pewnie ma nową kieckę i nie ma jej gdzie pokazać.

– Drążkowa też sobie kupiła nową suknię! Specjalnie na zabawę! Wczoraj odebrała od krawcowej i przyszła mi pokazać. Materiał owszem – biały nylon w czerwone grochy, nawet jej w tym do twarzy, tylko...

– Tylko?

– Co już do dekoltu, to za przeproszeniem wszystko ma na wierzchu.

– Moja nianiu, teraz taka moda.

– Z taką modą to chyba można się w teatrze pokazywać, ale nie żeby akurat taka Drążkowa miała wystawiać wszystko, co ma.

– Przecież ja też noszę dekolty i niania na mnie nie krzyczy.

– Ty! Ty to co innego!

– A dlaczegóż ja to co innego? – pyta Teresa ubawiona. I nagle poważnieje. – A niech mi niania powie, co właściwie ja mam włożyć na zabawę?

– Tę różową.

– Przecież byłam w niej zeszłego roku.

– Kto tam będzie to pamiętał?

– Jak to kto? Wszyscy! Wystarczy, że Królikiewiczowa pamięta. A może niania wyprałaby mi tę zieloną? Na halce będzie jak nowa.

– Mogę wyprać, ale właściwie mogła sobie pani coś nowego sprawić. Dzień Stoczniowca jest raz do roku i jeśli taka Drążkowa...

– Nianiu, co też niania ma do tej Drążkowej?

– A bo mnie zgniewała! Widziała pani, jak się na wodowaniu tankowca wciąż pchała naprzód? Żony żadnego inżyniera nie było widać ani żony żadnego majstra, ale Drążkowa była wszędzie...

– Młoda, ładna, przyjemnie popatrzyć, niechże już niania nie wydziwia.

– Wcale nie wydziwiam, ale nie lubię, jak kto nosa wyżej zadziera, jak mu wzrostu starcza. Ot, na ten przykład pani nie będzie miała na zabawę nowej sukienki, a Drążkowa ma!

– Moja nianiu, Drążkowa może ma jeszcze jakieś inne nadzieje. A mnie mój mąż wystarcza. Po co mi się do innych wystrajać?

Zgrzyt klucza w zamku, Teresa podrywa się z miejsca.

– O, jest Adaś! Nie, to pan Antoni.

– Dobry wieczór! – Wantuła wkracza do kuchni uśmiechnięty, z olbrzymim bukietem jaśminu.

– A dobry, dobry, tylko mógłby być trochę wcześniejszy – burczy Paulina. – Kolację trzy razy przygrzewałam.

– A po cóż przygrzewać? Zimne bym zjadł, kiedy na dworze tak ciepło.

– Pan Antoni to niedługo będzie nocował na tej swojej budowie.

– Ale dopiero jak będzie dach! Na razie gwiazdki jeszcze mrugają, a ja nie mogę spać, jak ktoś do mnie mruga.

– Czy mogę wziąć latarkę? – woła Krzysztof z łazienki.

– To ty jeszcze nie śpisz? Cóż to za nocny marek?

– Taki sam jak pan Antoni. Nic tylko po nocach łazić.

– Nie po nocach, nie po nocach, jeszcze prawie widno.

– No to co, że widno? Ale która godzina? A rano trzeba wstawać.

– Wyśpimy się w zimie. O, pana doktora też jeszcze nie ma?

Ano właśnie.

– Pan doktór pewnie u chorego.

– Nie... Tak... – w głosie Teresy budzi się nadzieja. – Może naprawdę wezwano go do jakiegoś wypadku...?

– Ale chyba nie na stoczni, bo druga zmiana już dawno skończyła pracę. Dziękuję, panno Paulino, niech już pani nie grzeje. Zjem na zimno.

– Ale! Na zimno to się jada kompot albo lody. A gulasz ma być gorący, takie jego prawo.

– Naprawdę zaczynam się niepokoić.

– Niech się pani doktorowa nie niepokoi. Pewnie pan doktór kogo spotkał, na dworze tak pięknie...

– Właśnie, mieliśmy iść na spacer...

– Ach nie to, żeby miał z kim pójść – pan Antoni szybko poprawia swoją gafę – tylko może rzeczywiście wypadło co ważnego. Może w szpitalu musiał zostać...

– W szpitalu nie, mamusia dzwoniła.

– Krzysztof! Pójdziesz ty wreszcie spać? Żebyś mi był za chwilę w łóżku!

– Dlaczego niania krzyczy? Ja czekam na tatusia...

– Chodź, ja cię położę! – Teresa wyprowadza Krzysztofa z kuchni.

– Nie! Nie chcę!

– Co to znaczy nie chcę? Jak ty mówisz? Chodź zaraz do pokoju!

– Ale ja czekam na tatusia. Ja muszę z tatusiem porozmawiać!

– Ja też muszę z tatusiem spokojnie porozmawiać i dlatego ty musisz spać.

– Ale ja mu mam coś ważnego do powiedzenia. Coś bardzo ważnego!

– Powiesz mu jutro.

– Nie! To co ty masz do powiedzenia, powiesz mu jutro, ja muszę dzisiaj. Bo jak tatuś kupi mi kolejkę z lokomotywą, to ona nie będzie elektryczna.

– O czym ty mówisz?

– Niania powiedziała, że kolejkę i tak dostanę, czy wygramy w jantara, czy nie. To pewnie tatuś mi kupi, bo ja się mam przecież znów niedługo urodzić...

– Masz mieć urodziny, skończysz sześć lat.

– Siedem!

– Sześć! Chyba ja wiem lepiej.

– A Zenek to sobie zawsze rok dodaje.

– Włóż piżamkę, dobrze? I śpij! Mamusia przy tobie posiedzi.

– Więc żeby ta kolejka nie miała lokomotywy. Zenek mówi, że elektryczna nie może mieć lokomotywy. Jechał raz z ciotką, to widział.

– Przecież ty też jechałeś.

– E, dawno.

– Poczekaj, pojedziesz znowu.

– Kiedy?

– Na urodziny.

– Wiesz co? To ja już wolę pojeździć w domu tą kolejką, co dostanę.

– Dlaczego?

– Bo ja już was znam, powiedzielibyście potem, że po co mi ta mała kolejka, kiedy już jestem taki duży, że mogę jeździć tamtą.

– Krzysztof?

– Zenek jak się przyznał, że nie wierzy w świętego Mikołaja, to figę dostał.

– Śpij, dobrze? Przytul się i śpij!

– Kiedy nie mogę, bo mi się mówi.

– Co ci się robi?

– Mówi mi się. Wciąż mi się chce coś mówić...

– To niech ci się odechce. Późno już. Mamusia rano wstaje.

– Ale przecież ty i tak będziesz czekać na tatusia – i po chwili: – Musisz na niego czekać?

Teresa wybucha, zapominając, że mówi do dziecka:

– Muszę! Och, muszę!

I leżą razem spleceni uściskiem, i chyba oboje płaczą, choć z kuchni dochodzą pogodne głosy Pauliny i pana Antoniego, choć robi się tam nagle bardzo, ale to bardzo wesoło.

– Ale co też pan Antoni mówi? – woła Paulina. – Ja? Ja bym miała...?

– Mówię i nie ustąpię, choćby mi się tu panna Paulina nie wiem jak upierała.

– Ale Krzysztof? Z kim Krzysztof zostanie?

– Sam zostanie! Taki duży, mądry chłopak! Już ja z nim porozmawiam. Powiem mu: czy chcesz raz niani sprawić przyjemność?

– Oj, co pan...

– Czy chcesz, żeby się zabawiła, popatrzyła trochę na ludzi? Wciąż tylko przy tych garnkach siedzi i świata bożego nie widzi. Też jej się coś od życia należy...

– Panie Antoni...

– A bo prawda! Mało się pani natyra? Ja nic nie mówię, państwo Danielewiczowie dobrzy ludzie i na swoim by pani lepiej nie miała. Ale czy u siebie, czy gdzie indziej, kobieta zawsze się narobi i jeszcze nie wiadomo, czy takiego znajdzie, co to widzi i pochwali.

– Pan Antoni to ma takie zrozumienie dla każdego...

– Więc pomyślałem sobie, że tego roku panna Paulina musi być na zabawie. Bo to tyle uroczystości razem się zeszło, i dziewiętnastotysięcznik na wodzie już stoi, i nasza milionowa tona po morzach pływa. „Bal Milionerów" mówią przez to w Gdańsku o naszej zabawie. O, i piętnastolecie stoczni, no i moje, moje także! Bo przecież ja tu od początku, od pierwszej stępki, od pierwszego oczyszczonego doku. Więc kiedy tyle świąt na raz, panno Paulino!

– Ale po cóż tam ja? Po co ja, panie Antoni?

– Po co? A żebym ja miał z kim walczyka zatańczyć! Jak Boga kocham, nie pamiętam, kiedy tańczyłem po wojnie. A jak mi nie bardzo pójdzie, to panna Paulina wybaczy.

– Ze mnie też taka tancerka... Pan Antoni się tylko wstydu naje...

– Będziemy się jakoś razem podpierać. A w tłumie i tak nikt nie zobaczy, bo narodu będzie, że szpilki nigdzie nie wsadzisz.

Paulina broni się, broni, ale widać od początku wiedziała, że ustąpi panu Antoniemu, bo nagle woła:

– O Jezu, to ja jutro od samego rana po sklepach muszę latać. Nic nie mam! Ani butów, ani sukni.

Wantuła chrząka i cały czerwony jak rak proponuje nieśmiało:

– Jeśli panna Paulina... chciałem powiedzieć... jeśli pannie Paulinie potrzeba pieniędzy..., to ja... ja mógłbym... bardzo proszę... naprawdę... to przecież nic takiego...

– No wie pan? – Paulina ma naprawdę ochotę się obrazić. – Panie Antoni! Mnie takie coś proponować! A bo to ja pieniędzy nie mam? Na co mam tutaj wydać? Pensję co miesiąc dostaję, wikt mam, mieszkanie zapłacone, a jeszcze trzeba powiedzieć, Tereska od czasu do czasu co już sama nie nosi, mnie sprezentuje.

– A właśnie chciałbym prosić... chciałbym prosić..., żeby tego już nie... żeby tego już nie było... już nigdy... żeby panna Paulina wszystko nowe...

– A czy to ja po Teresce rzeczy znosić nie mogę? Jej zawsze coś nowszego się należy, bo między ludźmi się obraca. A ona tak wszystko nosi, że nawet nie poznać, że na sobie miała.

– Ale nie o to chodzi... nie o to... Pani doktorowa czysta kobieta, ale po co panna Paulina ma po niej... Panna Paulina powinna mieć wszystko nowe... i... i najpiękniejsze... A suknię na tę zabawę to już ja sam...

– Jak to sam? Co znaczy sam? Tylko niech mi pan Antoni nie robi takich historii. Cóż to, mnie na suknię nie stać?

– Ależ, ja nic... ja tylko myślałem, żeby... żeby razem...

– A razem to owszem. Ale ja chciałam zaraz z rana do „Telimeny" do Wrzeszcza pojechać.

– Do kogo?

– Do „Telimeny", to taki sklep.

— A nie może panna Paulina do popołudnia poczekać?

— Przecież pan Antoni po południu na budowie.

— To raz nie pójdę na budowę.

Paulina zagląda do przedpokoju.

— O, jest pan doktor! Tak pan cicho wszedł! Pani już się niepokoiła.

— Dobry wieczór! — Danielewicz mruży oczy przed światłem. — Nie śpicie jeszcze?

— Trzeba sobie od czasu do czasu pogadać — odpowiada pogodnie Wantuła.

Teresa nadbiega z pokoju.

— Adasiu! Gdzież ty byłeś do tej pory?

— I ty też jeszcze nie śpisz?

— Jak ja mogę spać, kiedy ciebie nie ma w domu?

— Nieraz mnie nie było w domu, a spałaś. Dobudzić cię nie mogłem, gdy wracałem.

— Bo wiedziałam, gdzie jesteś. Trudno, żebym nie spała podczas twoich wszystkich dyżurów. Ale dzisiaj nie zadzwoniłeś...

— Tak się złożyło.

— Ale przecież wiedziałeś, że ja czekam.

— Przepraszam cię, kochanie.

— Czy to jest wszystko, co masz zamiar powiedzieć?

— Może przynajmniej wejdziemy do pokoju? Chyba nie będziemy się tu kłócić?

— Wcale się nie kłócimy.

— Niech już pani da spokój, dopiero po jedenastej.

— Nianiu, tyle razy prosiłam — w głosie Teresy brzmi niebezpieczna wysoka nuta.

— To już pójdę do siebie — mówi pośpiesznie Wantuła. — Dobranoc państwu!

— Dobranoc, panie Antoni! — odpowiada tylko Paulina.

— Państwo to, nie przymierzając, jak dzieci. A ja mam jednego Krzysztofa i mi wystarczy.

– Proszę, wobec tego przejdźmy do pokoju – Teresa trzaska drzwiami i od razu krzyczy: – Ja czekam, ja się martwię, ja sobie wyobrażam Bóg wie co!

– Cóż ja poradzę, że ty się tak łatwo martwisz i wyobrażasz sobie Bóg wie co.

– Ciebie w dodatku to denerwuje!

– Nie denerwuje, ale też i nie cieszy. Wolałbym, żebyś podchodziła do tych spraw w sposób mniej przewrażliwiony.

– O czym ty mówisz?

– O twoim zachowaniu. Robisz mi scenę, ponieważ spóźniłem się trochę do domu.

– Trochę? Jest po jedenastej!

– Tragedia, prawda? Ciekawy jestem, co byś powiedziała, gdybyś, jak inne żony, musiała na mnie czekać po całych nocach.

– Po ca... całych nocach? – powtarza Teresa z bezmiernym, pełnym rozpaczy zdziwieniem i już wic, że zaraz będzie płakać.

– Przepraszam, po prostu rozpieściłem cię.

– Więc tak, rozpieściłeś mnie...

– Tylko nie płacz! Przecież to jest nie do zniesienia, że ty zaraz musisz płakać.

– Wcale... nie... muszę...

– Tak, wcale nie musisz, tylko łzy kapią na podłogę. No więc spotkałem kolegę!

– Jakiego... jakiego kolegę?

– Czy nazwisko ci coś powie? Nie znasz go. Kolega jeszcze ze studiów, nie widzieliśmy się kilka lat. Musiałem z nim pogadać.

– Tak długo?

– Wracał do Warszawy tym pociągiem o dwudziestej trzeciej. Miałem go zostawić samego? Siedzieliśmy w „Monopolu"...

Teresa bardzo pragnie uwierzyć w to, co mówi mąż.

– Nie mogłeś go zaprosić do domu?

– O, ty bardzo lubisz niespodziewanych gości! Wyobrażam sobie, jaką zrobiłabyś minę. Ty i Paulina.

– Ale zadzwonić mogłeś.

– Kochanie, wiesz jak to jest, raz go przeprosiłem, wyszedłem, żeby zadzwonić, ktoś wisi na aparacie. Drugi raz – to samo. Miałem się ośmieszać i wylatywać co pięć minut? Pomyślałby, że jestem żonaty z jakąś ksantypą.

– No już dobrze, dobrze, wierzę ci.

– A ty zamiast się położyć, czekasz i dręczysz się głupstwami.

– Ach, nie... – Teresa odwraca zarumienioną twarz. – Czekałam, bo chciałam porozmawiać z tobą o Krzysztofie.

Danielewicz blednie.

– O Krzysztofie? – pyta cicho. – Co się stało?

– Nic się nie stało. Ale on kończy pojutrze sześć lat.

– Prawda! Zupełnie zapomniałem.

– Widzisz. Adasiu, to już sześć lat!

– Właśnie, jak ten czas leci.

– Przyjechałeś do kliniki z takim dużym koszem róż...

– Żebyś wiedziała, jakie były drogie!

– Zdaje się, że ten dzień będzie cię zawsze drogo kosztował. Obiecałeś Krzysiowi kolejkę elektryczną.

– On o tym pamięta?

– Pewnie, że pamięta. Dziś mi mówił!

– Ale tyle pieniędzy! Wydawać tyle pieniędzy na zabawkę?

– Obiecałeś mu.

– Ale czy to ma sens? Zastanów się!

– Przecież to ty zdecydowałeś, że mu kupimy. Ja od początku uważałam, że to za drogo. Ale skoro dziecko już wie...

– Można mu powiedzieć, że ta, co była w komisie, już sprzedana, a innej nie mogliśmy znaleźć.

– Ja mu tego nie powiem. Ty powiesz?

– Ja, ja też nie.

– No to co? Nie ma innego wyjścia, tylko trzeba jutro po południu iść i kupić.

– Jutro... jutro po południu mam dyżur w pogotowiu.

– Dyżur? Przecież miałeś już w tym tygodniu.

– Zastępuję Wilczewskiego. Musisz pójść sama. Ale zastanów się jeszcze, czy stać nas na taki wydatek.

– Ostatecznie na co ja wydaję pieniądze? Nawet sukni nie kupiłam sobie nowej na zabawę. Niech przynajmniej dziecko ma przyjemność.

– Rób, jak uważasz.

– Dzwoniła Królikiewiczowa. Nawet myślałam, że to ty. Kupiła sobie jakiś szałowy ciuch i chciała się dowiedzieć, czy będą mogli pójść z nami jak zeszłego roku. Czy my w ogóle idziemy na tę zabawę?

Danielewicz długo nic odpowiada.

– Myślę, że trzeba będzie się pokazać – mówi wreszcie.

– Suknia musi być gotowa na sobotę! – woła Ewa i bombarduje pięściami drzwi mieszkania swojej krawcowej.

Panna Józefina śpi i dopiero po chwili rozlega się jej człapanie w korytarzu.

– Kto tam? – pyta zaspany i przestraszony głos.

– To ja, Ewa! Proszę otworzyć! Kochana panno Józefinko! Proszę otworzyć! Niech się pani nie boi, nie przyszłam pani obrabować.

– Boże drogi, panno Ewo, co się stało?

– Nic się nie stało. Tylko suknia musi być na sobotę!

– Jezus Maria i dlatego mnie pani budzi po nocy?

– Po pierwsze, jest dopiero wpół do dwunastej. A po drugie, nie śpi się, kiedy kwitną jaśminy.

– Co? Gdzie? Jakie jaśminy?

— W parku w Oliwie! Mówię pani, pachną, aż w głowie
się kręci.

— Ale dlaczego mnie pani ściska, panno Ewo!

— Muszę kogoś ściskać! Moja cudna panno Józefinko,
muszę kogoś ściskać! Niech pani nie patrzy na mnie tak,
jakbym zwariowała.

— Nie, skądże... skądże znowu...

— A więc suknia musi być na sobotę! Żeby pani miała ją
szyć przez całą noc, nic mnie to nie obchodzi. I nie szmizjer-
ka, nie kołnierzyk, nie guziki, tylko dekolt! Bez pleców, bez
ramion i w ogóle bez niczego.

— Ależ to się zupełnie model zmienia...

— No, zmienia się, wszystko się zmienia! Dekolt, mówię
pani!

— Zaraz, zaraz, nic nie rozumiem... Ze snu mnie pani
budzi, nic nie rozumiem...

— Ja też! Żeby pani wiedziała, jak to dobrze nic nie rozumieć. Człowiek chodzi jak napompowany kolorową lemoniadą.

— Ale jak bez pleców i bez ramion, to na czym to się
będzie trzymać?

— Na m n i e! Pani obraża swoje klientki, panno Józefinko!
Niech pani tnie dekolt i zamiast o anatomii niech pani pomyśli o mojej duszy! Szyje pani suknię dla osoby szczęśliwej!

— No, nareszcie! Panno Ewo! Zawsze uważałam, że pani
tego brak.

— Czy pani wie, ja go dzisiaj pocałowałam.

Panna Józefina jest wyraźnie zgorszona.

— Pani? Chyba on...

— Mogłabym długo czekać! Może za rok by się zdecydował. Kto wie, może za pół? A ja powiedziałam: Niech pan
spojrzy, co za księżyc! – i pocałowałam go.

— Panno Ewo, doprawdy, w moim wieku... Po co mi to
pani opowiada?

Ewa znowu chwyta opierającą się starą pannę i okręca ją wokół siebie w szalonym tańcu.

– Przecież muszę, muszę komuś to powiedzieć! Oknu, drzwiom, lampie w moim pustym mieszkaniu? A to jest coś takiego, że człowiek sam ze sobą nie może dać sobie rady. Coś go rozsadza, chciałby się śmiać, śpiewać...

– Oj, sąsiedzi śpią...

– Niech się pani nie boi, panno Józefinko złociutka! Więc zrobi mi pani tak, jak mówiłam?

– No, zrobię, już zrobię, tylko dlaczego po nocy?

– Oj, po nocy, po nocy, cudowne rzeczy dzieją się po nocy. A ja w sobotę idę na zabawę, rozumie pani? I mam być ładna w tej sukience. Tak ładna, żeby ktoś posmutniał z miłości. Och, żeby pani wiedziała, jaki on się robi wtedy smutny! Nie patrzy na mnie, ale wiem, że ma mnie całą pod powiekami...

– Ale na sobotę to będzie trudno – zauważa trzeźwo panna Józefina.

– Jak się pani teraz nie położy spać, to pani zdąży – prosi Ewa.

Ewa patrzy na starą pannę i modli się do niej oczyma.

– Szyć po nocy...? – wzbrania się panna Józefina.

– Pani musi zrozumieć, że całe moje szczęście jest teraz w pani igle. Kiedy pani była młoda i zakochana, ktoś pewnie także dla pani szył po nocach sukienki. Do widzenia! Panno Józefino! Moja złota! Moja kochana! I niech się pani układje w palec, bo to podobno przynosi szczęście.

VIII

Bal, wielki bal w hali stoczni. Raz do roku, przez całą letnią noc, do rana, trwa to roztańczone, rozśpiewane, kolorowe szaleństwo. Kilka orkiestr, kilka bufetów, kilku wodzirejów, zachrypniętych, ocierających pot z czoła.

– Wszystkie pary tańczą! Walc w lewo!

– Słuchaj, jeśli mnie jeszcze raz zostawisz i pozwolisz, żeby mnie Kulczycki prosił, idę do domu. On mi tak pantofle podeptał...

– Przesadzasz, Biedroneczko. Tu taki tłok, że wszyscy się depczą. Doktor Kulczycki świetnie tańczy!

– To tańcz z nim sam! Depcze po palcach i sapie nad uchem. A w dodatku strasznie się poci.

– Bo tak gorąco! Zupełnie nie ma wentylacji.

– Nie dlatego! On zawsze się poci.

– Co ty nagle chcesz od tego Kulczyckiego?

– Nic nie chcę! Chcę, żebyś nie zostawiał mnie obcym panom.

– Ależ, kochanie, przecież nie mogę wciąż z tobą tańczyć. Wiesz, ile jest znajomych.

– Niech znajome tańczą ze swoimi mężami.

– A może wcale nie mają na to ochoty?

– No, wiesz! To dlatego ja mam odstępować im ciebie?

– Albo może w ogóle nie mają mężów?

Teresa nuci walczyka.

– To niech sobie ich znajdą. To niech sobie ich znajdą. Żadnej mego nie odstępuję...

– Panie w lewo! Panowie w prawo!

– O, nie, nie! – woła Wacek. – Nie mam wcale zamiaru cię puścić. Bo mi znowu zginiesz.

– Wacek! Puść! Musimy tańczyć jak wszyscy.

– Ani myślę! O, tutaj potańczymy sobie pod ścianą. Cóż ty taka ładna dzisiaj jesteś, Stefka? I kiecka nowa, i buty! Powariowały te baby, jak Boga kocham! Co jedna to lepiej wystrojona. Ale ty mi się najlepiej podobasz.

– Ty mnie też!

– No, widzisz! Jaka ładna z nas para! A słyszałaś, co powiedział inżynier, jak mi wręczał telewizor? To jest wasz posag, Koźlarski! – tak powiedział. A wszyscy się roześmieli, bo wiedzą, że to dla ciebie.

– Ale miałeś nadzieję na motocykl.

– No, miałem. Trudno. A telewizor zły?

– Ale zawsze to nie to.

– Pewnie, że nie to, ale za telewizor ze sześć kawałków można dostać i na początek na mieszkanie już coś jest.

– Wiesz co, poczekajmy. Po co się mamy śpieszyć i zaraz go sprzedawać. Może na mieszkanie jakoś inaczej... jakoś inaczej uzbieramy...

– Jak inaczej?

– Ojej, to jest akurat rozmowa na zabawę!

– Ach, naprawdę, Stefka, o czym my gadamy? Co się będziemy martwić? Jakoś to wszystko będzie. Grunt, że ty jesteś ze mną, a ja z tobą.

– Bardzo to lubisz?

– Co?

– No właśnie to, kiedy jesteś ze mną, a ja z tobą.

– Bardzo! Najbardziej ze wszystkiego!

– Jeszcze więcej niż lody?

– Jeszcze więcej!

– Panie do środeczka! I kółeczko! Panowie tańczą w prawo! Panie w lewo!

– O, pani doktorowa! – cieszy się Paulina. – Chwała Bogu, jest wreszcie ktoś ze swoich! Już myślałam, że się tu w ogóle nie spotkamy!

– Boście się gdzieś tak ukryli z panem Antonim.

– A chciał z kolegami razem siedzieć. Ani ja tam kogo znam...

– To się niania zapozna. Przepraszam, ja tak stale niania i niania, a tu tymczasem niania w tej sukni od „Telimeny" wygląda jak moja siostra.

– E, co też pani?

– No, może trochę starsza siostra...

– Wszystko by było dobrze, gdyby te pieruńskie buty tak nie cisnęły.

– Mówiłam, że za małe.

– Ale gdzie tam za małe! W długości w sam raz! Może w palcach trochę za wąskie, bo teraz te szpice takie głupie robią... Jakie to nogi trzeba mieć, żeby w czymś takim wytrzymać?

– Trzeba się przyzwyczaić.

– Ale! Będę się tam przyzwyczajać. Jak tylko do domu przyjdę, jak w kąt rzucę!

– Nianiu! Tyle pieniędzy!

– A lepiej, żebym się męczyła?

– Niech niania tańczy i nie myśli o butach.

– Kiedy właśnie w tańcu najwięcej o nich muszę myśleć. Tak mi dają, że oczy wyłażą!

– Panie robią koszyczek! Panowie w lewo! Panie w prawo!

– Kto to te zabawy cholerne wymyślił? – stęka Drążek. – Człowiek się zgrzeje, pieniędzy natraci i żadnej przyjemności z tego nie ma. Nie widział pan gdzie mojej żony, panie Wantuła?

– A bo ja za waszą żoną chodzę, Drążek.

– Co majster taki kwaśny jak ocet?

– A jaki mam być? Bo to kto człowieka cukrzy?

– Niektórych dzisiaj pocukrzyli! No, gdzie ta Emilka? Z oka spuścić nie można.

– Chcieliście mieć ładną żonę.

– No, właśnie! Na zabawę brzydsza by się przydała.

– W takim razie trzeba mieć dwie.

– O raju! Ja jednej nastarczyć nie mogę!

– Widzicie! A szach musi!

– Jaki znowu szach?

– Bo ja wiem jaki? Taki co ma harem.

– Jak kto ma harem, to musi mieć i na harem. Mnie jedna Emilka wystarcza.

– Ja myślę...

– Panie wybierają! I walczyk! Panie wybierają!

– Już się bałam, że cię nie znajdę – szepcze Ewa.

– To ja bym cię znalazł! Przez cały czas starałem się być blisko ciebie.

– Wiesz, nie mogę tańczyć z innymi.

– Dlaczego?

– Nie chcę! Po prostu nie chcę. Po co?

– Jak to po co? Przecież jest bal! Ślicznie wyglądasz.

– O, chciałam dziś ślicznie wyglądać! Żebyś wiedział, jak chciałam! Tylko bałam się, czy ty to zauważysz.

– Ewa!

– Och, tak! Tak! Bądź taki! Ja tak bardzo lubię, kiedy ty usiłujesz mieć nadzieję, chociaż odrobinkę nadziei, że nie będziesz musiał mnie pokochać.

– Ewa!

– Czy ty wiesz, jak brzmi w twoich ustach moje imię? Jakbyś tonął i wzywał pomocy.

– Cóż znowu?

– O, a takim cię nie lubię. Trzeźwiejesz, jakby cię ktoś szczypał dla przywrócenia przytomności.

– Wymyślasz sobie jakieś historie.

– Nic sobie nie wymyślam. Ja cię znam. Ty sobie nawet nie wyobrażasz, jak ja cię dobrze znam.

– Czy to możliwe?

– Myślisz, że znamy się za krótko? Przecież na ciebie wystarczy spojrzeć, żeby wszystko wiedzieć.

– Wszystko? Co to znaczy wszystko?

– Jaki jesteś. Kiedy zobaczyłam cię po raz pierwszy, pamiętasz, bandażowałeś mi nogę, głowę miałeś pochyloną, a ja widziałam tylko twoje włosy, ciemne włosy z przedziałkiem z boku, i pomyślałam sobie: to jest chłopiec, to jest mały, nieśmiały chłopiec, który bardzo chce być mężczyzną.

– Ewa!

– Cicho! Nie toniesz, nie wzywaj pomocy! I pomyślałam sobie jeszcze, że dopiero przy mnie naprawdę nim będziesz. Bo już wtedy wiedziałam, że będziesz mój.

– Nie mów! Nic nie mów!

– Dlaczego? Kto mi może zabronić mówić prawdę? Już wtedy wiedziałam, że będziesz mój! A potem kiedy przyszedłeś i usiadłeś w foteliku pod oknem, a ja powiedziałam: szkoda!

– Czego szkoda?

– Tego, że u mnie nikt nie bywa. Tak powiedziałam. Ale myślałam co innego. Że szkoda, że tu nie ma ciebie, że wstaniesz i odejdziesz, i zostanie puste miejsce, na którym nie będę chciała widzieć nikogo... Nikogo... Och, mam jedno marzenie na dzisiejszy wieczór... Ale to później... później... A teraz tańcz! Tańcz! Tańcz ze mną!

– Odbijany! Walczyk odbijany!

– Emilka! Nareszcie! Nareszcie cię mam! – Drążek dopada żony.

– Oszalałeś! Będziesz się ze mną w odbijanego bawił! Nie mogłeś sobie znaleźć kogoś innego?

– A po co mam szukać kogoś innego, kiedy mam ciebie.

– Bo to kto na zabawie ze swoją żoną tańczy?

– A rozejrzyj się tylko wokoło.

– Pewnie, jak rutkę baby sieją, to się mężowie poświęcać muszą. Ale ty się dla mnie poświęcać nie potrzebujesz.

– Właśnie to widzę! Musiałaś przy wybieranym tego inżynierka z W2 chwycić? Chłop żonaty...

– Ojej, żonaty, żonaty, ja też nie panna.

– Ale czwarty raz już z nim tańczyłaś, dobrze widzę!

– A licz, licz, tabliczkę mnożenia sobie przypomnisz!

– Emilka, tylko nie bądź zaraz taka.

– Jaka? No, jaka? Na zabawie mam pod ścianą siedzieć, tego byś chciał? To po co szyłam suknię, kupowałam buty...

– No, właśnie! Ubrałem cię jak lalkę. Ludzie się oglądają!

– Ludzie się oglądają z a m n ą. Jakbyś żonę Strzeleckiego ubrał w sto metrów nylonu, też by jej nie pomogło. Chuda jak gnat!

– Ale ja cię ubieram nie dla innych, tylko dla siebie.

– Jak mi będziesz tym ubieraniem oczy wykłuwał, to ci się tu na środku sali rozbiorę i wszystko ci oddam!

– Emilka! Bój się Boga, Emilka!

– No to cicho! Po co gadasz? Jak nie przestaniesz gadać, to ci to zrobię!

Ostatnie tony walca. Drążkowa w ramionach męża wzdycha z ulgą:

– Koniec! Ale ciągnęli tego walca! Muszę się czegoś napić w bufecie – i okręciwszy się nagle, znika w tłumie. Drążek biegnie za nią i woła:

– Emilka! Poczekaj, Emilka!

Ale czy tu można kogoś znaleźć, zwłaszcza teraz, kiedy wszyscy rozchodzą się do swoich stolików.

– Adasiu, nie mamy nic do picia – mówi Tereska.

– Zaraz ci przyniosę.

– Nie, nie, niech nam podadzą do stolika. A kto to była ta dziewczyna, z którą tańczyłeś?

– To... to ze stoczni... znajoma... Wiesz, ta... której posyłaliśmy... której Paulina nosiła obiady...

– Ach, to ona! Nic nie mówiłeś, że jest taka... taka młoda. I nawet nie uważa za stosowne, żeby mi podziękować.

– Ależ, Biedroneczko, wcale nie sądziłem, że ci na tym zależy.

– Wcale nie chodzi o to, czy mnie na tym zależy, tylko że ona nie poczuwa się do obowiązku.

– Ach, dziękowała aż do przesady.

– Ale tobie! Tobie, nie mnie.

– Mogę ci ją przedstawić, jeśli tak tego pragniesz.

– Zapewniam cię, że wcale tego nie pragnę.

– I czego ty się właściwie ze mną kłócisz?

– Wcale się nie kłócę.

– Nie, jesteś bardzo przyjemna, prawda?

– A ty?

– Cóż ja? Dostosowuję się do ciebie. O, jest pan Antoni! Mieszka się pod jednym dachem, a zawsze przyjemnie się spotkać! Proszę, niech pan siada!

– Dziękuję.

– A gdzież to nasza niania?

– Właśnie, gdzie zgubił pan Paulinę?

– Panna Paulina, z przeproszeniem państwa, musiała pójść do toalety, żeby wodą pantofle zmoczyć. Tak ją cisną, że wytrzymać nie może. Trzeba będzie chyba iść do domu albo co?

– Pan Antoni coś nie w humorze.

– Nie, dlaczego?

– Przecież widzę, mnie pan nie zmyli.

– Zdaje się pani doktorowej. Zziajał się człowiek przy tym walczyku, to do siebie niepodobny. Z dziesięć kołnierzy bym do rur wpasował, a bym się tak nie spocił.

– Bo pan praktyki nie ma, panie Antoni. Jakby pan tak co dzień wywijał jak dzisiaj...

– Już za późno na wywijanie. Komu to tam wywijać? Człowiek się robi stary, tylko patrzyć, jak nigdzie nie będzie potrzebny...

– Panie Antoni! Co też pan wygaduje? Przecież mówię, że panu coś jest! Mnie pan nie oszuka, za dobrze pana znam.

– Głupstwo, proszę pani doktorowej, głupstwo! Czasem się jakaś drzazga pod paznokieć dostanie, ale już jutro będzie boleć mniej, pojutrze jeszcze mniej. Cierpliwości!

– Popatrzcie! – woła Danielewicz. – Popatrzcie, co niesie Paulina! Tort! Jaki olbrzymi tort!

Paulina przeciska się przez tłum, chroniąc tort swoją piersią jak tarczą.

– Wygrałam! Wygrałam na loterii! Wychodzę z toalety, trochę mi ta woda w butach pomogła, a tu słyszę, że wywołują numer trzydzieści siedem. Patrzę na te losy, co mi pan Antoni kupił – jest trzydzieści siedem! I taki tort mi dali! Jak pachnie! Kawowy!

Teresa zbliża swój piegowaty nosek do tortu.

– Uhm, rzeczywiście cudnie pachnie!

– Muszę trzydzieści siedem wykreślić w jantara. To pan Antoni ma takie szczęście!

– A w czymś szczęścic trzeba micć, jak nie w jednym, to w drugim.

– O Jezu, wciąż pan taki nie w sosie? Mnie buty cisną, a się śmieję, panie Antoni!

– No już dobrze, panno Paulino. Też się będę śmiał, daję słowo.

– Adasiu, a może by tak butelkę wina pod ten tort niani?

– Chyba że pozwolisz mi pójść do bufetu. Widzisz, że tu nikt nie podaje.

– Dlaczego ty od razu tak? Pewnie, że musisz iść do bufetu. Tylko wermut! Ja proszę o wermut.

– Wermut? Nigdy nie piłaś wermutu.

– Ale teraz mam ochotę! Pod tort niani mam ochotę na wermut. Najlepiej, żeby był jugosłowiański.

– Zobaczę, czy jest.

Paulina wciąż ogląda swój tort.

— Może by pan Antoni kolegów na ten tort zaprosił? Ogromniasty jak koło. Dla wszystkich starczy!

— A widziałem tu gdzieś Wacka ze Stefką. Trzeba ich będzie zawołać, jak się znowu pokażą.

— Tylko dla Krzysztofa kawałek odkroję.

— Nianiu, on będzie spał.

— A jak się rano obudzi, to się ucieszy. Będzie wiedział, że niania o nim pamiętała. Prawdę powiedziawszy to mnie co rusz coś w sercu piknie, jak sobie o nim pomyślę. Dzieciak sam w mieszkaniu.

— Ach, nianiu, co mu się może stać?

— A bo to wiadomo, co takiemu chłopakowi może przyjść do głowy? Jeszcze gaz otworzy.

— Przecież zamknęła niania kuchnię na klucz.

— Ale łazienka otwarta! Trzeba było zamknąć też łazienkę.

— On na pewno śpi, nianiu, co też niania się kłopocze?

— A może ja wyskoczę do domu i zajrzę do niego?

— Panie Antoni!

— No, co takiego? Przecież blisko!

— Ale jakże to! Zabawę będzie pan sobie psuł?

— Wcale jej sobie nie zepsuję. Wcale sobie nie zepsuję tej zabawy... A jak panna Paulina ma być niespokojna... O, i tort od razu bym mu zaniósł!

— Ale on śpi! A tortu szkoda niszczyć.

— Przecież i tak trzeba go napocząć. Niech no pan da nóż, panie Antoni! O, to będzie dla Krzysztofa! W serwetki się zawinie.

— Ale niech pan nie idzie, panie Antoni, naprawdę to nie ma sensu. Zresztą my chyba w ogóle... będziemy się niedługo zbierać do domu...

— I ja też tak myślę, proszę pani doktorowej.

— Buty znowu mi dają! Przez chwilę był spokój, a teraz się zagrzały i znowu! Chyba je zdejmę albo co...

– Pewnie, pod stołem nikt nie widzi.

– Tylko niech niania ich nie zgubi.

– Wcale by mi ich żal nie było. Tylko ten wstyd, że przez salę na bosaka.

– Jest Koźlarski! Wacek! Wacek! Przestańcie się kręcić! Jeszcze się dosyć w życiu nakręcicie. Patrzcie, jaki tort!

Wacek przestaje tańczyć i ciągnie za sobą Stefkę.

– O rany!

– Jaki duży! Jak pięknie ubrany!

– To panna Paulina wygrała – mówi Wantuła z dumą.

– Ale niech nas pan zapozna – wtrąca Teresa.

– Prawda, pani doktorowa właściwie wszystkich zna z opowiadania, bo w domu wciąż się wspomina, a Wacek to, a Stefka tamto... A to właśnie jest Wacek i Stefka!

– Bardzo mi miło!

– A o pani Danielewiczowej, żonie naszego doktora, tościе się ode mnie też dosyć nasłuchali. Pannę Paulinę już znacie.

Paulina rozdziela ogromne porcje.

– Proszę, pyszny tort! Pewnie go specjalnie na zamówienie dla stoczni robili.

– Ależ, proszę pani, ja tyle nie zjem.

– Zje panna Stefka! To tylko tak dużo wygląda, ale lekkie jak puszek.

Wacek przysuwa się do Wantuły.

– Niech się pan nie martwi, panie majster. Różne rzeczy się zdarzają.

– Ja się wcale nie martwię. Ani mi to w głowie. Nie dali, to nie, trudno.

– Ja myślę, że musiał panu nogę ktoś podstawić. Tylko to, nic innego.

– Ale niby o co?

– A pan nie wie, jacy ludzie są? Najwięcej to ich ten pana domek w oczy kłuje.

— Co domek? Za czyje pieniądze buduję? Jakbym przepijał, to by było w porządku?

— Ojej, a dlaczego to pan Antoni tortu nie je?

— Jem, jem, pyszny tort!

— Tylko Adasia z tym winem nie widać.

— Może ja skoczę — podrywa się Wacek.

— Po co tyle wina? Czy to bez alkoholu nie można się bawić?

— A czy wino to alkohol, panno Paulino? Idź, Wacek, przynieś dwie butelki. Ja stawiam.

— Jest Drążek, może by jego na ten tort też poprosić?

— A czemu nie? Przecież sąsiad.

— Panie Drążek! Panie Drążek! Niech tu pan do nas pozwoli.

— Emilki szukam. Dobry wieczór!

— Znajdzie się, niech się pan nie boi. Żony zawsze do mężów wracają. A pan tymczasem zje kawałek tortu. Na loterii wygrałam. Niech pan skosztuje, jaki smaczny!

— Ale ja tylko na chwileczkę.

— Na chwileczkę, na chwileczkę... Nikt siłą nie będzie pana trzymał. A jeśli o Emilkę chodzi, to stąd najlepszy widok na całą salę.

— Emilki pan tak łatwo nie dostrzeże — parska śmiechem Stefka. — Zawsze tłok koło niej.

— Ty pilnuj siebie, dobrze?

— Ona ma już takiego, co ją pilnuje. Też sobie chłopak bierze zmartwienie na zdrową głowę. Niedługo będę miał dwóch takich w brygadzie, co się wciąż za żonami uganiać będą.

— Gdzie tam mnie do Emilki?

— No, no, tylko ty nas na komplementa nie wyciągaj! Poczekajcie, przecież to Wacek Drążkową prowadzi.

Drążkowa jest w cudownym humorze, ale chmurzy się na widok męża.

– Dobry wieczór! O, i ty tutaj? Nigdzie się ruszyć nie mogę, żeby jego nie spotkać.

– Kupuję wino, patrzę, szefowa we własnej osobie lemoniadę z butelki pociąga. Myślę sobie, jak ją poderwę temu facetowi, co takiej kobiecie lemoniadę stawia, i na wino pana majstra zaproszę, mój szef, czyli pan Drążek, nie zapomni mi tego do grobowej deski.

– Żebym wiedziała, że on tu jest, to bym nie przyszła.

– Szefowo kochana, fe! Kto tak widział do ślubnego małżonka się odzywać?

– Bo łazi za mną krok w krok i bawić się nie pozwala.

Teresa przechyla się ku Wackowi.

– Nie widział pan mego męża przy bufecie? Poszedł po wino.

– Bo pan doktór to pewnie jakieś droższe wino kupuje. A na droższe wino to trzeba dłużej czekać.

– Proszę, niech pani Drążkowa poczęstuje się tortem. Podobno dobry.

– Och, jak pachnie! Uwielbiam kawowy tort! A Drążek zamówił dla nas piwo i parówki. Brr... Zawsze mu szkodzą, ale on na zabawie musi jeść parówki.

– Przede wszystkim nie mów mi: Drążek. W domu: Drążek, przy ludziach: Drążek. Cóż to ja imienia nie mam?

– Cicho, panie Drążek, spokojnie. Kto to widział na zabawie takie rzeczy...

– Bo on się w ogóle nie umie bawić. On mi każdą zabawę musi popsuć! Każdą!

– Jezus Maria! Gdzie moje buty? Lewy jest! Ale prawy?

– Ja poszukam – zgłasza swoją gotowość Wacek. – Szukanie butów to moja specjalność. Stefka zawsze w kinie zdejmuje.

— Tylko nie szczyp w nogi! Bo on zawsze wtedy szczypie.

Wszyscy śmieją się i piszczą, i z początku nikt nie zauważa powrotu Danielewicza, a z nim...

— Pozwól, Teresko, to jest panna Ewa, którą chciałaś poznać.

Teresa nie jest przygotowana na to spotkanie i długiej trzeba chwili, żeby mogła wykrztusić:

— Bardzo mi miło.

— Och, to ja chciałam panią poznać! — woła Ewa. — I podziękować za tyle troskliwości i takie pyszne obiady!

— Doprawdy, proszę pani, nie ma za co. Drobnostka. A wino, Adasiu? Miałeś przynieść wino.

— Wino? Jakie wino?... Ach, rzeczy... rzeczywiście... wino... Zaraz przyniosę — Danielewicz gotów jest biec, żeby uniknąć pełnego wyrzutu spojrzenia Tereski.

Ale orkiestra zaczyna grać tango i Ewa kładzie dłoń na ramieniu doktora.

— Pani nie będzie miała nic przeciwko temu, że porwę pani męża na jedno tango?

— Ależ proszę! — odpowiada szybko Teresa.

— Pani to, jak Boga kocham — mruczy Paulina — nigdy się rozumu nie nauczy.

— Moja nianiu! — woła Teresa i od razu widać, że jest bliska łez.

A oni tańczą. Tańczą przytuleni do siebie, jakby byli złączeni na zawsze, jakby nie potrafili już istnieć osobno.

— Zdaje się, że zrobiłam rzecz straszną.

— Straszną!

— Ale i cudowną! Nic mnie nie obchodzi. Nic! A wiesz, co teraz zrobimy?

— Co?

— Mamy czasu akurat tyle, ile trwa jedno tango. Uciekniemy stąd, złapiemy jakiś samochód i choć na chwilę, choć na jedną chwilę ty usiądziesz w foteliku pod oknem, a ja powiem: szkoda!

– Ależ to niemożliwe.

– Niemożliwe jest to, żebyśmy tego nie zrobili. Chodźmy! Mamy tak mało czasu! Tak mało czasu! Musimy się spieszyć! Szybko! Na szczęście są samochody! Zatrzymaj jakiś wóz! Bo ty na pewno nie zechcesz, nie potrafisz nie wrócić tu, gdy tango się skończy... Odpowiedz! Natychmiast odpowiedz!

– Nie wiem! Och, nie wiem...

Bal trwa dalej. Grają orkiestry, strzelają w bufetach korki, a wodzireje upadają ze zmęczenia.

– Emilka! Idziemy do domu, Emilka!

– Nie zawracaj głowy! Zabawa w najlepsze, a ja będę szła do domu.

– Ale Wantuła już idzie, panna Paulina, pani Danielewiczowa.

– No to niech idą, sami do domu nie trafimy? Co się ich tak trzymasz? Skwaszeni jacyś tacy.

– Paulinę buty cisną.

– A co jego ciśnie? Bo co doktorową, to ja wiem. Oko mam dobre. Raz spojrzałam i wiem wszystko. Doktór z nimi też wraca?

– Nie widziałem.

– Tego byłam pewna! No chodź! Zatańczę z tobą! Widzisz! Emilka pokrzyczy, pokrzyczy, wyłaje, ale jest się do kogo przytulić.

W mieszkaniu na Rajskiej świeci się już w oknach światło.

Paulina zdjęła szpilki, nastawiła wodę na herbatę. Pan Antoni rozbiera się w swoim pokoju, ale już po chwili staje na progu kuchni z krawatem w ręku, w rozpiętej pod brodą koszuli.

— Piętnaście lat! Piętnaście lat, panno Paulino! I żeby jedno słowo, jedno słóweczko ktoś rzekł, a tu nic, jakby mnie w ogóle nie było na stoczni.

— Cicho, panie Antoni, cicho! Może to pomyłka jaka? Może maszynistka opuściła, jak pisała listę tych, co nagrody mieli dostać? Wszystko możliwe! Na pewno się wyjaśni...

— Nic się nie wyjaśni. Nie wierzę. Tylko mi ten dzień zepsuli. Myślałem, że wytrzymam i nic nikomu nie powiem, ale pani doktorowa zauważyła i Wacek, i Drążek. No i panna Paulina przecież od razu... A tak się cieszyłem na tę zabawę, tak chciałem, żeby pani miała przyjemność. I wszystko się przeze mnie popsuło. Przepraszam.

— Ale gdzież tam przez pana, panie Antoni? Gdzież tam przez pana! To moje buty wszystkiemu winne. Zachciało się babie szpilek! To przez nie musieliśmy wcześniej wyjść. A to panu powiem, że wszędzie dobrze, a w domu najlepiej.

— Oj, to, to, panno Paulino, szczera prawda! Nie ma to jak w domu. W naszej kuchni — woda na gazie syczy...

— Co to? Czy to nie Krzyś płacze?

— Może dzieciaki u Drążków?

— Nie, to u nas! Zaraz — Paulina biegnie do pokoju i otwiera drzwi. — Tereska! Bój się Boga! Tereska! Kto to widział? Krzysia obudzisz!

Teresa leży na tapczanie i dusi się od płaczu.

— Och, nianiu, nianiu!

— No, zawieruszył się gdzieś na chwilę. Mówiłam, żeby czekać, a ty nie chciałaś. Ale na pewno zaraz tu będzie, głowę daję, że zaraz tu będzie... Wróci do stolika, zobaczy, że nas nie ma i przyleci do domu...

— Nianiu? — odzywa się z drugiego pokoju zaspany głos Krzysztofa.

— No, cicho, cicho, śpij! Widzisz, obudziłaś dziecko.

— Jest mama? — pyta Krzysztof.

Teresa podbiega do niego i obejmuje go gwałtownie.

– Jest, skarbie, jest!

– A tatuś? Bo w kolejce szyny się zepsuły.

– Tatuś zaraz przyjdzie. Zaraz przyjdzie.

Na biurku odzywa się telefon.

– Widzisz – mówi Paulina z ulgą. – Na pewno telefonuje, że zaraz przyjdzie.

Teresa jednym skokiem jest przy telefonie.

– Jeśli sobie jeszcze wyobrażasz, że będziesz mi robił wymówki...

– Tu Gdynia-Radio! 320-31?

– Tak – odpowiada Teresa zdumiona.

– Jak się masz, Teresa. Łączę cię z „Elblągiem". Jakiś nienormalny facet upomina się o ciebie od kilku godzin. Tak mnie zdenerwował, że postanowiłam połączyć go z twoim domem. Jeśli mąż ci zrobi awanturę, złóż to na mnie.

– Mąż mi nie zrobi awantury...

– No, to powodzenia! Halo! Halo! „Elbląg"! Halo, „Elbląg"! Proszę mówić! Jest 320-31. Proszę mówić!

– Dobry wieczór pani! Nareszcie znalazłem numer telefonu, który odpowiada! Czy to pani Teresa?

– Tak, to ja.

Co za szczęście! Pani nie wie, co się ze mną dzisiaj działo. Musiałem z panią rozmawiać! Przez kilka godzin dobijałem się do Gdyni, aż pani koleżanka zlitowała się nade mną.

– Proszę pana! Marcin! – woła Teresa nagle. – Marcin! Kiedy pan przyjeżdża do Gdyni? Halo! Kiedy pan przyjeżdża do Gdyni?

– Za trzy dni: Za trzy dni! Właśnie dlatego dzwonię. Powiedziałem sobie, że co dzień przez trzy dni będę prosił panią, żebyśmy się wreszcie spotkali!

– Nie musi mnie pan prosić przez trzy dni.

– Więc zgadza się pani?

– Tak.

– Halo! Halo! Czy zgadza się pani?

– Tak! Mówię, że tak. Gdzie się spotkamy?

– Może w „Klubie Morskim"? Tam, gdzie był dawniej „Inter-Club".

– Dobrze! Kiedy?

– We wtorek o czwartej. Może pani o czwartej?

– Mogę. Ale jak się poznamy?

– Mnie pozna pani bez trudu. Sympatyczny, budzący zaufanie młody człowiek, to widać na pierwszy rzut oka! Poza tym metr osiemdziesiąt pięć wzrostu, włosy ciemno-blond, dołek w prawym policzku, ale tylko wtedy kiedy się uśmiecham... Stanę w progu i będę się uśmiechał.

– A ja włożę białą suknię...

– Och, i bez tego poznam panią. Jakże bym mógł pani nie poznać? Przecież co wieczór panią widzę. Co wieczór przeżywam tę chwilę, kiedy stanę wreszcie na progu, uśmiech-nę się, a pani zbliży się do mnie i powie: Marcin! Niech pani powie jeszcze dziś po raz ostatni z daleka: Marcin!

– Marcin! Do widzenia, Marcin!

– Tereska, tyś oszalała!

– Oszalałam, nianiu! Na pewno oszalałam!

IX

Wacek trzyma kołnierz rury i nie podaje Wantule, bo mu się wierzyć nie chce, po prostu wierzyć mu się nie chce, żeby on mówił to poważnie.

– Panie majster! Nie! Panie majster? Pan chciałby mnie i Stefkę...?

– A dlaczego nie? Dlaczego mielibyście ze mną nie za-mieszkać? Jak się nie macie gdzie podziać. Dorobicie się, to się zapiszecie do spółdzielni, może dostaniesz mieszkanie z przydziału na Osiedlu Młodych albo gdzie indziej. A tymczasem zanim co, macie kąt u mnie. Podaj no wreszcie ten kołnierz.

– Proszę. Ale przecież nie po to pan buduje, żeby mieć lokatorów.

– A może właśnie strach mnie obleciał przed samotnością... Jak by było, przyzwyczaiłem się trochę do nich.

– Do kogo?

– Do naszego doktora, do Danielewicza. Do jego żony, do Krzysia, no i... i do panny Pauliny także. Zawsze jak człowiek do domu przyszedł, to ktoś był, ktoś czekał... ktoś chciał, żebym zaraz coś jadł. A Krzysztof, żebym mu puszczał okręty w łazience. Ruch, gwar, mój Boże, czasem nawet kłótnia, ale słychać było, że ktoś jest, że ktoś żyje, że ktoś garnkami rzuca. A teraz... Widzisz, Wacek, tak pragnąłem własnego domku, ale z początku na pewno będę tęsknił za moimi z Rajskiej. Dlatego myślę, że dobrze, jeśli chociaż wy ze mną będziecie.

– Dziękuję panu majstrowi, ale, jak już mam szczerze powiedzieć, to mnie się wydaje, że pan majster powinien się ożenić...

– I mnie się tak... i mnie się tak wydaje. Ale ja się coś boję, że ona nie zechce ich zostawić.

– Kogo?

– Jakże kogo? Danielewiczów! Tyle lat z nimi. Tereskę wychowała, to znaczy doktorową, potem Krzysztofa. A gdzież ona od nich odejdzie!

– To pan majster o... o pannie Paulinie?

– A o kim?

– A ja sobie tylko tak powiedziałem, że pan majster powinien się ożenić... Nie wiedziałem, że pan...

Wantuła milczy przez chwilę, zły, że dał się złapać.

– Nie wiedziałeś... No, czego nie wiedziałeś... Ludzka rzecz, tyle lat człowiek na kobietę patrzy, to musi w końcu zauważyć, jaka ona jest. I wiekiem dla mnie w sam raz – nie tam koza jakaś, co by mi tylko po zabawach chciała latać – gospodarna i taka, widzisz, o wszystko dbająca... Ty nawet jeszcze nie pomyślisz, że chciałbyś coś mieć, a ona już to wie. Na ten przykład te róże.

– Jakie róże?

– No i gdzie ten Drążek? Czy ja będę za niego kołnierze heftował?

– Miał skoczyć do magazynu.

– I pewnie gada z magazynierem.

– Ale co z tymi różami, panie majster?

Pan Antoni poprawia czapkę i zamyśla się na chwilę.

– Ano, wiedziała, że ja kwiaty lubię i na imieniny mi książkę o różach kupiła. Żebym umiał hodować na działce. Bo na jesieni już można sadzić, a na przyszły rok to o tej porze już może kwiaty będą miały...

– Panie majster, ja na pana miejscu...

– Co ty na moim miejscu?

– Przepraszam, że tak mówię, ale ja to bym na nic nie patrzył, tylko się ożenił.

– Opowiadasz! Jak ja bym mógł im coś takiego zrobić? Przygarnęli mnie ludziska, traktują jak swego, a ja im będę pannę Paulinę podkradał? A co oni by bez niej zrobili? Co Krzysztof by bez niej począł? Przepadłby dzieciak z kretesem! Nie, nie mogę się na to ważyć, muszę kobietę zostawić w spokoju.

– Jakby się człowiek o swoje nie dobijał, to by nigdy nic nie miał. Ja też chciałem ze Stefki zrezygnować i było sto powodów, żebym to zrobił. A to, że stary pije, że ona jedna dom utrzymuje, że matka się nie zgadza i nie mamy mieszkania... I co? Wszystko na dobre się obraca. I z pieniędzmi u nich jakoś lepiej, widać stary poszedł po rozum do głowy, i wy nas chcecie przygarnąć. Ojej, muszę Stefce zaraz o tym powiedzieć. Niech się ucieszy.

– Tylko mi nie przepadnij. Widzisz, ile roboty.

– Nie, tylko powiem jej i wracam. Ale i tak zaraz fajrant. Majster zegarka nie ma?

– Rzeczywiście, tak się w te rury gapimy jak sroka w kość, a czas leci. Psiakrew, gdzie ten Drążek?

– Pewnie zaraz przyjdzie. No to ja skoczę do Stefki.

– Skacz, skacz! Skaranie boskie z tymi zakochanymi!

– Oj, panie majster, żebym ja panu coś nie powiedział...

– Cicho! Cicho! – Wantuła udaje niezadowolonego, ale stukając młotkiem w rurę zaczyna nagle pogwizdywać i nucić. Urywa zawstydzony, bo Wacek wraca niespodziewanie prędko.

– Nie ma jej! Ciekawy jestem, gdzie ona łazi?

– Nie wściekaj się! Może ją majster po co posłał. Po ślubie będziesz jeszcze nudniejszy niż Drążek.

– To niemożliwe.

– Ja ci mówię.

– Niemożliwe, żeby ktoś mógł być jeszcze nudniejszy. Drążek to szczyt! A jakby Stefka miała być taka jak Emilka! O rany!

– Przestań tylko wciąż o tych babach gadać i bierz się do roboty. Przytrzymaj tę rurę, jeszcze dzisiaj trzeba na niej kołnierz przyheftować.

– Ja o Stefce tylko dlatego tyle gadam, że jestem na nią zły. Chciałem jej o mieszkaniu powiedzieć, a jej nie ma.

– Powiesz jej jutro.

– Jutro to nie dziś. Tu każdy dzień ważny. Bo ja sobie pomyślałem, że moglibyśmy już od dzisiejszego popołudnia panu pomagać...

– Gdzie, w czym?

– W budowie. A co pan myśli? Pan się będzie męczył, a my przyjdziemy na gotowe?

– Przecież mam murarza.

– Ale jak dwóch pomocników przybędzie, to zobaczy pan, jak się robota ruszy! Ja się trochę na budowie znam.

– Będzie więcej majstrów jak cegieł.

– Ale na przyszły miesiąc możemy wiechę oblewać!

– Kwaśnym mlekiem, bo ja w lecie piję tylko kwaśne mleko! Panna Paulina nastawi nam po litrze na zsiadłe i przyniesie na budowę. Ej, ale panna Paulina nie będzie się z nami cieszyć.

– Bo ja panu mówię, panie majster...

– Cicho bądź! Co ty tam wiesz! Taki młokos będzie staremu rady dawał.

– Ale ten młokos panu dobrze życzy.

Nad stocznią, nad całym północnym obszarem Gdańska brzmi potężny głos stoczniowej syreny. Wantuła odkłada palnik.

– Fajrant – mówi i po chwili dodaje: – Fajrant, ot co! Widzisz, w życiu jest tak samo, jeszcze byś to i owo zrobił, za to i za tamto się wziął, a tu odtrąbione, fajrant, już tego zrobić nie możesz, za późno! Za późno, braciszku. Zbieraj narzędzia.

– Ja będę czekał na pana majstra przy bramce przed stocznią. Bo teraz to bym jednak chciał Stefkę złapać, żeby jej powiedzieć.

– Dobrze, powiedz jej, jak ci tak pilno. A jeśli nie będziecie na mnie czekać, to się wcale nie pogniewam.

– Będziemy czekać, co pan majster?

Tłum płynie do bramy stoczni. Niełatwo znaleźć w nim Stefkę, ale oczy zakochanego są oczyma sokoła.

– Stefka! Halo! Stefka! Co ci tak spieszno? Uciekasz, jakby cię kto gonił.

Stefka zatrzymuje się niechętnie.

– Kto ma mnie gonić, co ty gadasz?

– Szukałem cię przed chwilą u ciebie. Gdzieś była?

– A czy ja ci muszę wszystko mówić? Kroku bez ciebie zrobić nie mogę?

– Nie, to nie. Ja ci wobec tego też nic nie powiem.

Wacek zaczyna gwizdać i wciąż zerka na dziewczynę.

– A miałem ci coś ważnego do powiedzenia!

Stefka milczy, idzie bardzo szybko, a Wacek zaczyna teraz nucić. Nuci coraz to inną piosenkę, ale to jest w końcu zupełnie nie do zniesienia.

– Bardzo byś się ucieszyła. Naprawdę!

– No to powiedz. Przecież widzę, że nie możesz wytrzymać.

– Mam dla nas mieszkanie! – wybucha Wacek. – I co ty na to?

Stefka aż przystaje na chwilę.

– Nie, Wacek, nie?

– Jak mówię, to jest. Wantuła nam daje jeden pokój w swoim domku w Oliwie.

– Majster?

– Wantuła jest jeden. Widzisz, jaki chłop? Jeszcze powiada: będzie mi z wami weselej na początek. Stefka, czy ty sobie wyobrażasz? Pokój z widokiem na las, pod oknem róże, bo majster na jesieni już róże sadzi, a na drzewach kosy i wiewiórki skaczą...

– Wiewiórki to już sobie zmyślasz – woła Stefka ze śmiechem.

– Nic nie zmyślam. Tam jest pełno wiewiórek, przecież byłem kiedyś u majstra, to widziałem... I dzięcioły są, i sikorki. Och, Stefka, i słowiki! Otworzymy sobie okno, a tu słowiki w bzach...

– Naprawdę nie zmyślasz ty tego wszystkiego?

– Czego? Słowików? Czy w ogóle, że pokój?

– Że pokój. W słowiki łatwiej uwierzyć.

– Przecież majster powiedział mi przed chwilą. Dlatego cię szukałem, ale ty gdzieś latasz.

Stefka nagle smutnieje.

– Nigdzie nie latam. Nie myśl tak o mnie, Wacek. Ty mnie stale tylko posądzasz o jakieś głupoty w głowie. A zobaczysz jeszcze, co ja w tej głowie mam. Na pewno mi podziękujesz.

– Podziękować mogę zaraz.

Stefka cofa się i wyciąga ręce przed siebie.

– Tylko mnie nie... nie dotykaj.

– O, wciąż jesteś taka niedotykalska! Co ja z ciebie będę miał, Stefka.

– Tu... tyle... tyle ludzi...

– I co z tego, że tyle ludzi? A nie widzisz, jak na ulicy młodzi teraz chodzą! Wpół się trzymają. Albo za szyję. Ładna moda! Musimy tak spróbować.

– Ale może nie tu. Wieczorem... Pójdziemy na spacer wieczorem.

– Żebyś wiedziała, jakie będziemy mieli teraz spacery! Właśnie chciałem ci o tym powiedzieć. Od dzisiejszego popołudnia pomagamy Wantule na budowie. Przecież nie może sam robić, a my wprowadzimy się na gotowe.

– Pewnie że nie, ale ja dziś... ja dziś nie mogę...

– Nie możesz? Dlaczego nie możesz?

– Bo nie mogę. I koniec. Obiecałam matce, że pójdę z nią do ciotki.

– Ciotka nie zając, pójdziesz w niedzielę. Powiedziałem majstrowi, że dziś robimy. Mam zaczekać na niego przed bramką.

– Ale beze mnie. Akurat będę wystawać przed stocznią. Mówię ci, że się śpieszę.

– Wiesz, Stefka, doprawdy, jakbym cię nie znał, to bym myślał, że coś kręcisz.

– A myśl sobie, co chcesz. Powiedziałam ci, że dziś nic mogę, to nie mogę. Co to Wacek! – Stefka zatrzymuje się i chwyta go za rękę. – Co to się dzieje na bramce?

– Co się dzieje? Nic nie widzę.

– Jak to nic nie widzisz? Zatrzymują do kontroli, czy co?

– Aha, tak, zatrzymują. Pewnie, że do kontroli. Poczekaj! – parska Wacek śmiechem. – Przecież naszego majstra też wzięli! O raju, ale się chłop będzie złościł! Każda minuta mu droga, a tu go teraz będą macać. Jakby mi tak ciebie chcieli macać, to bym nie pozwolił.

– Nie bądź głupi, Wacek! Wiesz, ty chwilami jesteś taki głupi!

– O co się wściekasz? Jak Boga kocham, nie rozumiem, o co się znowu wściekasz? Chwilami to się do ciebie odezwać nie można.

– To się nie odzywaj!

– Przyjemna jesteś! Jak osa! No widzisz, przeszłaś przez bramę i nikt nie miał na ciebie ochoty. To tylko ja taki głupi jestem. A ty jeszcze na mnie wrzeszczysz.

Za bramką Stefka zwalnia, podnosi głowę i uśmiecha się.

– Nie wrzeszczę, Wacek – mówi dziwnie miękko. – Co ty? Czasem tylko zdenerwowana jestem... Musisz mnie zrozumieć... No, przepraszam, Wacek. Już dobrze?

– Dobrze. Widzisz, jaka potrafisz być miła! Przylepka, psiakrew! A czasem... No, ja czekam tu na majstra.

Stefka znów dotyka jego ramienia.

– Ale ja naprawdę nie mogę. Wacek, wierz mi, nie mogę.

– Jak nie możesz, to zmykaj. Ale jutro, pamiętaj! Jutro musisz pójść.

– Jutro w porządku. Do widzenia.
– Do widzenia! A nie oglądaj się po drodze za chłopakami!
– Nie.

Na schodach ciężkie kroki i klucz nie tak wesoło wsunięty w zamek jak zawsze. Cóż to takiego, dlaczego Wacek przyszedł razem z panem Antonim? Paulina nie lubi w porze obiadowej gości i bez uśmiechu wita przybysza.
– Dzień dobry, panno Paulino!
– Dzień dobry. Czekam i czekam z obiadem. Która godzina?
– Przyszedłem z panem majstrem, bo widzi panna Paulina, majster trochę tego... trochę niezdrów...
– Nic mi nie jest.
– Pewnie wstąpiliście gdzieś po drodze.
– O, wszystkie kobiety to tylko o to jedno chłopów posądzają. Nie, pan majster naprawdę trochę źle się czuje, zdenerwował się...
– Ty mnie jeszcze więcej nie denerwuj! Mówiłem ci, żebyś ze mną nie szedł. Będzie mnie do domu odprowadzał! I jeszcze jakieś brednie tu opowiada.
– Żadne brednie. Panno Paulino, jest może w domu waleriana? Bo pan majster sercowy.
– Jezus Maria! Co się stało?
– Nic się nie stało. Nic...
– Jak to nic? Przecież widzę. Taki pan blady, panie Antoni!
– Na bramce majstra zatrzymali. Do kontroli.
– Matko Boska! Przecież na pewno... na pewno... nic... nic nie znaleźli?
– Panno Paulino!
– No to co zaraz taką tragedię robicie? Mało to razy ludzi na bramce zatrzymują?
– To samo ja majstrowi mówię. Ale majster wciąż swoje.

– Ja wciąż swoje, bo mam rację.

– Jaką rację?

– Majster uważa, że to nie przypadek, tylko że naumyślnie go na bramce do rewizji zatrzymali.

– E, co też pan Antoni.

– Że to się jedno z drugim wiąże. To, że na Dzień Stoczniowca nagrody nie dostał i teraz ta kontrola.

– Ja bym na miejscu pana Antoniego od razu taka oparzona nie była. Dyrekcja swoje prawo ma ludzi kontrolować. Od tego strażnicy na bramce stoją.

– Ale akurat mnie? Akurat mnie?

– A bo oni tam patrzą, kogo? Żeby swoje zrobili.

– Piętnaście lat pracuję na stoczni, to mnie już znają. Piętnaście lat pracuję i nigdy nawet tego, co pod paznokciem, nie wyniosłem. Ale to się razem łączy! Ja wiem swoje.

– Zdaje się panu majstrowi...

– Wczoraj inżynier, kiedy przyszedłem po karty, ni stąd, ni zowąd taką rozmowę ze mną zaczął: że armatura ginie na naszym oddziale, że trzeba raz z tym zrobić koniec. Jaki ja z tym mogę zrobić koniec? – powiedziałem. – Nikogo nie podejrzewam. No i masz! Na pomysł wpadli. Ano pewnie, domek buduje.

– Panie majster! No, panie majster!

– Ty dobrze wiesz, że ja mam rację. Może ktoś inny by się nie przejmował. Ale ja się przyzwyczaiłem, że mnie ludzie szanują. Odzwyczaić się trudno. Idź do domu, Wacek, nie pójdziemy już dziś na działkę...

– Pójdziemy. Jak się weźmiemy do roboty, to pan majster o wszystkim zapomni.

– Kiedy nie... Widzisz, ja naprawdę... naprawdę nie mogę... No, nie mogę...

– Boże święty! Waleriana! Żeby nie było w domu kropli waleriany!

– Nie, nie, panno Paulino. Zaraz mi przejdzie... Zaraz...
– I pana doktora akurat nie ma. Poślę Krzysztofa do apteki – Paulina dopada okna. – Krzysztof! Krzysztof! Ani śladu. Gdzieś poleciał.
– To może ja do apteki skoczę.
– Ani mi się ważcie. Gdzieś po aptekach latać... Co to ja baba jestem? Zaraz mi przejdzie. No, zdenerwowałem się, każdemu się zdarza.
– Ale pan blady! Ja się boję, panie Antoni!
– Nic mi nie będzie. Niech się panna Paulina uspokoi.
– Ja przecież jestem spokojna. Ja tylko mówię, że w tym domu niczego nie ma, nawet głupiej waleriany! A pan doktór też by już mógł wrócić... Po walerianę skoczę do Drążkowej, na pewno będzie miała! No, jak się pan czuje, panie Antoni? Tylko na chwileczkę na dół zejdę, pan Wacek przy panu zostanie... Boże drogi, żeby chociaż Drążkowa w domu była! Ani doktora, ani pani... Czwarta godzina, a pani jeszcze nie ma...

Teresa? Teresa siedzi przy stoliku w „Klubie Morskim". I nie sama, już nie sama.
– Bardzo się pan rozczarował?
– Bardzo! Przede wszystkim z tymi piegami to przesada! Głupie pięć piegów, a pani je tak reklamuje, jak nie wiadomo co. Poza tym ten rumieniec!
– Przepraszam, to straszne, ale naprawdę muszę być chyba czerwona jak rak.
– Jak rak! – zgadza się. – Czy tak ma wyglądać współczesna wyzwolona z wszelkich przesądów kobieta, która umawia się z nieznajomym mężczyzną? Boże drogi! Rumieniec! Rumieniec w dzisiejszych czasach!
– Bo kiedy stanął pan w progu z tym ogromnym bukietem...

– Przepraszam, a z czym miałem stanąć? Z miotłą?

– Ale wszyscy ludzie na sali nie przestają patrzyć na nas. Tyle róż! Przecież to szaleństwo!

– Zobaczy pani, jak nam się przydadzą. Wsadzę je w ten flakon po serwetkach – o, tak! Teraz nikt nas tu nie podpatrzy, zasłaniają nas przed wszystkimi spojrzeniami. Czego się pani napije?

– Herbaty.

– Może mleczka? Bo, jeśli już tak skromnie, to może mleczko?

– Ja jednak pozostanę przy herbacie.

– Niech się pani zgodzi przynajmniej na kieliszek pepermentu. Bo mnie w gardle zasycha po herbacie, a przecież mam pani tyle do powiedzenia.

– Jeden kieliszek, proszę.

– Na razie! Zgoda. A teraz wystawię głowę zza naszego żywopłotu i poszukam kelnerki. Proszę pani! Proszę o dwie herbaty i dwa pepermenty! O, jak przyjemnie schować się w naszej kryjówce! Dlaczego pani nic nie mówi?

– Czekam, żeby pan mówił.

– Ja? Hm, pani naprawdę myśli, że ja jestem taki odważny? Ja tylko z morza byłem taki kozak, kiedy wiedziałem, że pani jest daleko. A teraz pani na mnie patrzy...

– Mogę nie patrzeć.

– Nie, nie, proszę! Nawet mi pani nie powiedziała, czy się pani podobam.

– Jak można tak od razu o to pytać?

– A kiedy? Za dwa lata?

– Nie za dwa lata, ale przynajmniej...

– ...za dwa dni, nie, za dwie godziny! Dobrze, będę patrzył na zegarek. Bo widzi pani, ja nie oszukiwałem, tak jak pani z tymi piegami. Metr osiemdziesiąt pięć wzrostu jest?

– Jest.

– Dołek w prawym policzku jest?

– Jest.

– Ujmująca powierzchowność?

– O, przepraszam. Miał pan czekać dwie godziny.

– Dla państwa dwie herbaty?

– Tak. I peperment.

– Proszę – kelnerka stawia na stoliku filiżanki i kieliszki.

– Dziękuję. Pani Tereso, niech się pani napije!

Teresa macza usta w zielonym płynie.

– O, jakie to dobre!

– W tej zieleni jest kolor pani oczu.

– Przecież pan widzi, że są właściwie bure.

– Ale pani powiedziała, że to lepiej brzmi, kiedy się mówi, że zielone. Powiedziała tak pani?

– Tak.

– Dlaczego? Chciała mi się jednak pani podobać.

– Wtedy jeszcze nie.

– Wtedy jeszcze nie? Co to znaczy? A teraz?

– Ach, niech pan nie zwraca uwagi na to, co mówię. Plotę głupstwa! Plotę okropne głupstwa!

– Ale jest pani z tym do twarzy! I znowu rumieniec! Co to jest z tymi rumieńcami? Jak pani to robi?

– Ja nie wiem... To dlatego, że... Przepraszam, ja muszę zatelefonować...

– Mam nadzieję, że pani wróci.

– Czy sądzi pan, że zostawiłabym te cudne róże?

Szybko, szybko do telefonu! 3-2-0-3-1. Jak te numery trzeba długo nakręcać! Sygnał – i wreszcie znajomy głos w słuchawce:

– Halo, słucham.

– Niania?

– To pani?

– Tak. Czy pan jest?

– Nie ma. Jeszcze nie ma.

– Nie ma... A nie dzwonił?

– Nie dzwonił. A dlaczego pani na obiad nie przychodzi?

– Przecież niania wie – umówiłam się z kimś...

– Tereska, bój się Boga!

– Co niania mówi?

– Mówię, bój się Boga. Uważaj!

– Na co mam uważać? Siedzę w kawiarni i piję herbatę. Zobaczy niania, jakie róże dostałam! Więc pana nie ma?

– Mówiłam, że nie ma. Może szpital dziś ma.

– Nie. Na pewno dziś nie ma szpitala.

– A pogotowie? Może ma pogotowie?

– Pogotowie też nie. Krzysztof obiad jadł?

– Zjadł. Lata teraz. Ale pan Antoni czegoś chory.

– Co niania mówi? Co się stało?

– Coś z sercem. Zdenerwował się.

– Czym?

– A co będę przez telefon opowiadać! Wróci pani, to opowiem. Walerianę musiałam mu dawać. Szkoda, że pana doktora akurat nie ma.

– Właśnie. Nianiu, to tymczasem. Bo tu ktoś chce dzwonić, nie mogę dłużej zajmować telefonu. Niech niania pozdrowi pana Antoniego. Jak wrócę, to zrobię mu zastrzyk.

– Pan doktór? A bo to wiadomo, kiedy pan doktór wróci.

– Ja! Ja zrobię mu zastrzyk. Przecież wie niania, że umiem. Do widzenia.

Marcin prowadzi ją wzrokiem przez całą długość sali.

– Przepraszam, zamówiłem po jeszcze jednym pepermencie, bo mi się wydawało, że po tak długiej rozmowie będzie pani musiała poczuć pragnienie. I głód! Tort zamówiłem także.

– Za tort jestem naprawdę wdzięczna, bo sobie dopiero teraz przypomniałam, że nie jadłam obiadu.

– Jakże można! Przecież tu na dole jest restauracja, wystarczy zejść do piwnicy.

– Nie, dziękuję. Muszę zjeść obiad w domu. Tego by mi nie wybaczono. Co jak co, ale tego na pewno nie.

– Aż tak się pani go boi?

– Nie go, tylko jej! To jest moja niania i, jeśli chce pan wiedzieć, chyba jedyny autorytet w moim życiu.

– Jedyny? Naprawdę jedyny?

– Wydaje mi się, że tak.

– No więc zdrowie niani! I wszystkiego najlepszego za to, że panią taką wyhodowała. Z rumieńcami i ze strachem przed niezjedzeniem w domu obiadu. O, chciałbym mieć taką nianię! Wychowywałem się w domu dziecka.

– Biedak z pana! Strasznie mi przykro.

– Do współczucia nie ma powodu. Widzi pani, jaki tam wyrosłem. Nie było mi źle, tylko – zimno. Rozumie pani, zimno! A przedtem wychowywała mnie matka, bo ojca straciłem zaraz w trzydziestym dziewiątym, i przyzwyczajony byłem do ciepła, do nadmiernego ciepła. Tylko dwoje nas było i chuchaliśmy na siebie aż do przesady. Więc kiedy i ona... kiedy i jej już nie było..., długo nie mogłem sobie na świecie znaleźć miejsca. Pani mnie słucha?

– Tak. Słucham pana.

– Przez długi czas, kiedy już byłem dorosły, myślałem, że to dobrze nie bawić się w sentymenty. Że człowiek staje się silny. Samodzielny. W jakiś szczególny sposób bezpieczny. Ale i biedny, biedny także. Przepraszam, nie powinienem mówić o tym z panią.

– Nie, niech pan mówi, proszę, niech pan mówi.

– Bardzo biedny... czy pani pamięta, jak dzwonił telefon w moim pustym mieszkaniu? Nikogo tam nie ma.

– Dlaczego? Dlaczego nikogo tam nie ma?

– Bo powtarzałem sobie dotąd, że jeśli nawet to nie jest

szczęście, to jednak także i nie cierpienie. A drugi człowiek zawsze niesie ze sobą cierpienie, czy się go kocha, czy nienawidzi – zawsze to samo. A ja się bałem... Zawsze się tego bałem...

– Po co mi pan to mówi?

– Nie wiem po co. Nie wiem. Żeby pani wiedziała, co to jest noc na morzu, kiedy się nie śpi, kiedy się nie może spać... i nie ma, nie ma o kim myśleć... Liczy się fale bijące w bulaj i chce się przynajmniej wspominać, ale nie ma wspomnień wartych wspominania. Och, czy pani wie, jak trudno jest o ludzi, którzy potrafią nie niszczyć za sobą wspomnień?

– Może wiem, może potrafię to sobie wyobrazić... Czy... czy pan pozwoli, że ja... że ja jeszcze raz zadzwonię?

– Nie dodzwoniła się pani?

– Nie. Tak. To jest nie było tej osoby w domu.

– Chyba i tym razem nie zabierze pani bukietu ze sobą?

– Nie, przepraszam. Niech pan nie żartuje ze mnie. Zaraz wracam.

Portier przy drzwiach patrzy na nią ze zdziwieniem. Tak, może zmienić złotówkę na dwie pięćdziesięciogroszówki. I znowu 3-2-0-3-1. I sygnał, i głos Pauliny.

– Niania?

– To znowu pani?

– Niania niezadowolona?

– Co znaczy niezadowolona? Myję Krzysztofa w łazience, bo wrócił jak kominiarz. A pan Antoni się położył.

– Pana nie ma?

– Nie, nie ma.

– To przepraszam – i nagle Teresa krzyczy: – Nianiu! Nianiu! Ja chyba będę tu tak długo siedziała, dopóki on nie wróci.

– Kto?

– Adam. Ja nie mogę wrócić przed nim.

— Jezus Maria! Co ty wygadujesz? A jak on wróci w nocy?

— No, nie wiem, to ja chyba także wrócę w nocy.

— Ani mi się waż! Słyszysz! Masz zaraz być w domu!

— Nie, nianiu, nie. Nie mogę. Żeby niania wiedziała, jakie to cudne róże!

— Co mają do tego róże?

— Bo ja muszę z nimi wejść. Rozumie niania? Ja muszę z nimi w e j ś ć.

Gdy Teresa wraca do stolika, Marcin pyta z uśmiechem:

— Czy to już aby koniec?

— Co?

— Z tym telefonowaniem?

— Nie wiem.

— Aha, to znaczy, że będziemy tak tu sobie siedzieć, rozmawiać i telefonować, rozmawiać i telefonować. To nawet wesołe, nie uważa pani?

— Ja pana ostrzegałam, że we mnie nie ma nic zabawnego.

— To dobrze, to bardzo dobrze. Nie lubię kobiet, przy których czuję się, jakbym był w teatrze. Drugi człowiek nie musi być rozrywką.

— Przedtem powiedział pan, że drugi człowiek jest zawsze cierpieniem...

Marcin znowu się uśmiecha i patrzy na nią spod przymrużonych powiek.

— Powiedziałem i co najgorsze, mam rację. Pani oczywiście nie da się pocałować?

Teresa zamyka i otwiera torebkę, i znowu robi się czerwona jak burak.

— Ja... proszę pana...

— Byłem tego pewny. Jak ja byłem tego pewny! Więc co? Siedzimy tu, telefonujemy, pijemy herbatę i telefonujemy... A czy przynajmniej zechce mi pani odpowiedzieć na jedno pytanie?

138

— Proszę.

— Uczyniono mi dziś propozycję. Mógłbym zostać na lądzie i doglądać na stoczni budowy nowego statku. Czy pani wolałaby, żebym znów poszedł w morze, czy żebym został?

— Niech pan zostanie — mówi Teresa cicho.

X

— I co pana sprowadza, panie Wantuła? Dawnośmy się nie widzieli. Siadajcie.

Niemłody już człowiek za biurkiem wskazuje Wantule krzesło.

— Przyszedłem, bo mam coś na wątrobie.

— To do rady zakładowej przychodzi się dopiero wtedy, gdy ma się coś na wątrobie?

— Ano, tak powinno być. Kiedy wszystko gra jak należy, to po co ludziom sobą głowę zawracać? Ja to mam zasadę taką: rób, co masz robić, a poza tym jakby cię nie było. Ale teraz musiałem do was przyjść. Myślałem, że sobie jakoś sam dam z tym radę, ale widzę, że nie. Za bardzo gryzie.

— Co się stało, Wantuła? Mówcie.

— Zatrzymali mnie na bramce do kontroli.

— I co?

Wantuła zaczyna nagle krzyczeć:

— Jak to co? Mówię wam przecież, że mnie zatrzymali na bramce do kontroli. Mnie! Mnie! Tegom się doczekał po piętnastu latach!

— Spokojnie! Poczekajcie, bo nie bardzo mogę się zorientować, o co wam chodzi. O ile zrozumiałem, niczego przy was nie znaleziono?

— Przy mnie? Ja nigdy... ja nigdy nawet tego, co pod paznokciem.

— No to czego chcecie?

– Czego ja chcę? Ja chcę wyświetlić całą sprawę.

– Jaką znowu sprawę?

– Tę, że mnie ktoś podał do kontroli.

– Wantuła! Zastanówcie się!

– Na pewno ktoś mnie podał! Nie wmówicie we mnie, że to przypadek.

– Nie może być nic innego. Strażnicy zatrzymują każdego, kto im podpadnie.

– Więc uważacie, że ja mogłem im podpaść? Mój wygląd, prawda?

– Ależ, Wantuła, co się z wami dzieje? Dlaczego tak to was obeszło? Setki ludzi spotyka to samo i nikt nie robi z tego tragedii. No, niestety, nie możemy jeszcze zrezygnować z kontroli. Może dojrzejemy do tego, ale na razie – smutna prawda: ludzie kradną. I nie wymyśliliśmy jeszcze na to lepszej rady poza tym, że trzeba po prostu łapać ich za rękę. Przecież musicie wiedzieć, że i u was na zbiornikowcu zdarzają się kradzieże.

– Stąd cała bieda.

– Jak to?

– Właśnie dlatego tak mnie to obeszło. Bo na tankowcu, i w dodatku ginie armatura. A kto ma z armaturą do czynienia? Rurarze! A więc nic, tylko trzeba starego Wantułę na bramce zrewidować.

– No, wiecie, Wantuła, aleście wymyślili!

Wantuła jest coraz bardziej zdenerwowany.

– Nie, nie przerywajcie mi, wiem, co mówię. Wantułę trzeba zrewidować, bo on domek sobie buduje.

– Słyszałem, ale co to ma do rzeczy?

– O, to ma wiele do rzeczy. Nie powinno mieć, ale ma. Widzicie, ja o tym domku marzyłem przez całe życie. Jeszcze przed wojną zacząłem na niego składać, ale wszystko przepadło. Po wojnie przez długi czas nie myślałem o tym, ale zacząłem lepiej zarabiać, pieniądze były – bo powiedzcie, na co niby ja mam wydać – więc myślę sobie, może by tak jednak, może jednak ten domek postawić? I widzicie, jak to jest z ludzkimi marzeniami... Niby teraz jak nigdy ma się do nich wreszcie pełne prawo i jest tak, że można by do czegoś dojść, ale co z tego? Ludzie, ludzie potrafią wszystko zepsuć i obrzydzić.

– Co też wy mówicie, Wantuła!

– Jak to co ja mówię? Popatrzcie tylko: działkę dostałem od państwa, pożyczkę też pewnie dostanę, miałem się nie starać, ale myślę sobie, jak inni dostają, dlaczego ja mam nie dostać, po co mam czekać z wykończeniem do przyszłego roku. Przydział na materiały też mi dali – wszystko szło jak najlepiej – no i co? Na co się obróciło? Muszę wam powiedzieć, że mi się już wszystkiego odechciało. Gdzie się tylko obrócę, wszędzie mi ten domek wytykają. Wyście o nim też słyszeli...

– Słyszałem.

– O, widzicie! Na pewno wam nie powiedzieli, jak ja na tankowcu robię i ile serca w to wkładam, ale że buduję domek, to wiecie.

– To prosty przypadek.

– Coś za dużo tych przypadków. Nie, panie Zieliński, wiem, co mówię. Znamy się tyle lat, nie przychodziłem do was nigdy z głupstwami. Odechciało mi się wszystkiego! Ot, co się robi z ludzkimi marzeniami! Żeby się tylko człowiek czymś za długo nie cieszył. Ja bym takich ludzi pod sąd oddawał za to, że psują wszystko to, co państwo dla człowieka dobrego robi.

– Niech się pan uspokoi, panie Wantuła. Musimy porozmawiać spokojnie.

– Ale ja spokojny jestem. Całkiem spokojny. Tylko mnie gryzie, rozumiecie? A tego już nic nie naprawi.

– Jak się zastanowicie, to sami dojdziecie do wniosku, że nie macie racji.

– Ja nie mam racji?

– A nie macie. Nic na to nie poradzę. Wyście się obrazili na stocznię, że was poddano kontroli, ale wiecie, że ktoś u was kradnie i nic was to nie obchodzi. Czy nie przeszło wam przez myśl, że powinno was to obchodzić?

– Mnie?

– A was! Was! Wszystkich! Dopóki będziecie kryli złodziei, dopóty uczciwi ludzie będą posądzani o złodziejstwo.

– A kto kryje złodziei? O czym wy mówicie?

– Jakby jeden drugiego nie krył, to by to wszystko inaczej wyglądało, nie przekonacie mnie, Wantuła. Wy wiecie swoje, a my swoje. Wskażcie złodzieja, co pod waszym bokiem kradnie, a nie będziecie się musieli obrażać, że was rewidują.

– Wskażcie! Wy tak mówicie, jakbyśmy wiedzieli kto i nie chcieli go palcem wytknąć. Ja bym go sam, łobuza, do prokuratora oddał, ale powiedzcie, jak tu kogo podejrzewać? Pracują sami swoi, znamy się od tylu lat, nawet człowiekowi wstyd, jak się tylko w myśli nad tym zastanowi.

– Nie bądźcie tacy delikatni, Wantuła, bo się obudzicie kiedyś w bardzo nieprzyjemnym momencie. To przykre, że wciąż musimy być nieufni. Wolelibyśmy już tę broń zamknąć w muzeum, ale na razie oddaje nam wielkie usługi.

– Muszę wam powiedzieć, że ja jej nigdy nie noszę, tej broni – mówi cicho Wantuła.

– Wy możecie sobie na to pozwolić, jesteście prywatną osobą i nikt wam tego nie weźmie za złe ani nie oskarży o brak nadzoru. To musicie zrozumieć. I jeszcze jedno – choć to czasem niezręcznie brzmi, ale muszę wam to powiedzieć: pilnujemy wspólnego dobra. No, nic nie mówicie, chyba dogadaliśmy się, panie Wantuła?

Wantuła długo milczy i obraca czapkę w rękach.

– Żeby tak całkiem, to nie powiem.

– O co wam jeszcze chodzi?

– Ech, już o nic. Wy tego i tak nie zrozumiecie.

– I w dodatku chcecie wyjść ode mnie z tym uczuciem, że nie starałem się was zrozumieć. Nie puszczę was tak. Gadajcie, o co chodzi?

– O nic wielkiego. O jedną małą rzecz, która dla was pewnie nie ma znaczenia. Ale chyba tak długo tylko, dopóki sami nie poczujecie czegoś pod paznokciem. Widzicie, jak człowiek pracuje w jednym miejscu tyle lat, to chciałby się czegoś dosłużyć. Awansu – tak, uznania w pracy, ale przede wszystkim – szacunku. Są ludzie, co im więcej na tym szacunku zależy niż na pieniądzach. I wcale bym się nie obraził, jakbym na Dzień Stoczniowca zamiast motocykla czy innej nagrody chociaż list dostał, a w nim jedno zdanie: Panie Wantuła, dziękujemy wam za waszą pracę na stoczni. Tylko tyle! Tylko tyle!

– A więc i to jeszcze was gryzie.

– To jest wciąż to samo, panie Zieliński. Jedno się drugiego trzyma. Więc nie dziwcie się, że mi się czasem jakieś gorzkie słowo na usta nawinie. Mam za wielki żal.

– Ale cóż ja wam, panie Wantuła, mogę pomóc? Naprawdę jest mi przykro, ale nie widzę innej rady poza tą jedną: jak długo nie znajdzie się tego, kto kradnie, tak długo uczciwi ludzie będą posądzani o złodziejstwo.

– I gdzieś ty się znowu tak zgrzał? Cały mokry! W piłkę grałeś? Ile razy mam ci mówić, że ci nie wolno grać w piłkę?

– Nie grałem.

– No więc dlaczego jesteś mokry? Koszulę można wykręcać. Wytrzyj się ręcznikiem!

– Bawiliśmy się w strażników i złodziei.

– W co?

– W strażników i złodziei. To bardzo fajne!

– Widzę, jakie fajne – nawet włosy masz mokre.

– Bo ja właśnie byłem złodziejem i musiałem uciekać, a oni mnie gonili. Ale mnie nie złapali!

– Kto? Okryj się ręcznikiem, nie stój goły.

– No, Zenek, Grzesiek, Andrzej i Jacek.

– I nie złapali cię? We czwórkę?

– No! Bo ja byłem bardzo mądry złodziej. Taki, co się nie daje złapać! Są tacy. Zenek opowiadał, że jego tatuś mówił, że mądry złodziej to się nie da złapać. I my się teraz tak bawimy.

– Powiedz Zenkowi, że ja mówię co innego: że każdy złodziej wpadnie. Prędzej czy później, ale wpadnie.

– E, niania to by nam całą zabawę zepsuła...

– Włóż koszulę! Po południu będziesz leżał. Dosyć tego latania.

– Co, już nie wyjdę?

– Wyjdziesz, jak ci tatuś pozwoli.

– A jak tatuś przyjdzie tak późno, jak wczoraj?

– No to mamusia. Mamusia ci powie, czy masz wyjść.

– Mamusia! Tak! A mamy wczoraj też nie było.

– Bo miała... bo miała dyżur.

– Wciąż ma dyżur, a ja muszę leżeć.

– Cicho bądź! Ja ci mówię: nie podskakuj, bo nastąpisz Panu Bogu na odciski!

– A co ja złego robię? Czego niania na mnie? Niania zawsze od razu na mnie.

– Już cicho, cicho! Chodź tu! Chodź tu do niani. Niania pokrzyczy, pokrzyczy, ale jak co, to niania zawsze jest, prawda? No, cóż to takiego? Kto to widział? Na kolana? Taki stary chłop na kolana? Może jeszcze pohuśtać? Pewnie już zapomniałeś, jak to było... – i ni stąd, ni zowąd niania podśpiewuje:

Jedzie, jedzie pan
na koniku sam...

– Jeszcze! – woła Krzysztof zachwycony.
– No wiesz? Dobre sobie! Ja tu będę takiego dużego chłopaka na kolanach huśtać, a ziemniaki mi się rozgotują.
– Jeszcze pokrywka nie lata.
– Nie lata, bo mały gaz, ale się gotują.
– Nianiu, a dlaczego u nas jest teraz jakoś tak...
– Jak?
– Tak... tak jakoś dziwnie... Nie tak jak przedtem.
– Co ty mówisz? Co ci się tam znowu roi w tej głowinie?
– Bo dawniej to tatuś się ze mną bawił. I mama. A teraz... Przecież ja nic nie zrobiłem?
– No, cicho, cicho. Przytul się do niani.
– Ja nic nie zrobiłem. Naprawdę, nianiu! Od tej szyby w korytarzu na dole to naprawdę nic. Ale to było dawno. Tatuś zapłacił i nic nie mówił. Myślałem, że już zapomniał.
– Na pewno zapomniał.
– To dlaczego się ze mną nie bawi? Nawet kolejkę muszę puszczać sam. Wczoraj mi stanęła i nikogo nie było w domu. Pan Antoni był, ale się zamknął w swoim pokoju i bałem się zapukać. Nianiu, dlaczego pan Antoni jest teraz wciąż zły?
– Nie zły, tylko smutny. Smutny.
– A dlaczego smutny?
– Bo mu tam ktoś dokuczył. Co ci będę opowiadać, to nie dla ciebie.
– O, Zenek też mi dokucza! Powiedziałem mu, że jak będzie jeszcze raz, to poskarżę niani.
Paulina mruczy więcej do siebie niż do dziecka:
– Ba, ale komu ma się poskarżyć pan Antoni? No, dosyć tego dobrego! Złaź z kolan, bo muszę ziemniaki odcedzić.

— A może pójdziemy dziś z panem Antonim na działkę?

— Też wymyśliłeś! A w domu co kto porobi? Zresztą nie wiadomo, kiedy tatuś przyjdzie na obiad.

— Uhm, pan Antoni by się ucieszył!

— Mówię ci, że muszę czekać z obiadem... Zaraz! Ktoś idzie.

Krzysztof biegnie do drzwi.

— Tatuś! Tatuś!

— A to co w lesie zdechnie, że pan doktór przyszedł punktualnie?

— Nianiu, proszę szybko obiad, bo się śpieszę.

— Aha! Już podaję!

— Tatuś mi naprawi kolejkę?

— Naprawię, naprawię – mówi Danielewicz z roztargnieniem.

— Ale dzisiaj?

— Nie, dzisiaj nie. Słyszałeś, że się śpieszę.

— Zawsze się teraz tatuś śpieszy.

— No, tak się składa... Bądź grzeczny i nie grymaś!

— A czy ja jestem niegrzeczny? Niech niania powie! Ja jestem całkiem grzeczny! A ty się na mnie gniewasz.

— Co ty wygadujesz? Skąd ci przyszło do głowy, że się na ciebie gniewam?

— To dlaczego nie ma cię nigdy w domu? Ja wiem, że jak ty się gniewasz, to sobie idziesz.

— Krzysztof! – krzyczy Paulina.

— No co? Co ja takiego powiedziałem?

— Dlaczego właściwie niania krzyknęła na niego? – pyta Danielewicz cicho.

— Bo... bo nie lubię, jak mówi do pana doktora przez ty. Tatuś – trzeba mówić. Proszę, jest obiad.

— Dziękuję. A Krzysztof już jadł?

— Nie. Zaraz dostaje. Chodź, Krzysztof! A może wolisz zjeść z tatusiem w pokoju?

Krzysztof aż wstrzymuje oddech z zachwytu.

– Tak.

– Ale ja się śpieszę, a on będzie jadł godzinę. Nie warto niani przynosić.

Paulina wzrusza ramionami i mówi szorstko:

– No, jak pan doktór uważa. Dzieciak miałby przyjemność. O, jest pan Antoni! Chodź, zjesz w kuchni z panem Antonim.

– Dzień dobry!

Paulinie wystarczy rzucić jedno spojrzenie na pana Antoniego, żeby wiedzieć, w jakim jest humorze. Ale udaje, że niczego nie widzi.

– Akurat się ziemniaki zagotowały, dobrze że pan przyszedł. No, chodź, Krzysztof, pan Antoni się ucieszy, jak zjesz razem z nim obiad.

– Ale ja jeszcze trochę z tatusiem pobędę.

– Dobrze. Zupę ci przestudzę, pobądź trochę z tatusiem. Biedne dziecko!

– Moja Paulino!

– A cóż to? Dzieciaka pożałować mi nie wolno? – Paulina trzaska drzwiami i przenosi się do kuchni.

– Dzisiaj zupa kalafiorowa. Pan Antoni lubi, zdaje się, kalafiorową zupę?

– Owszem.

– A na drugie – pierogi z jagodami. Pan Antoni coś wspominał, że zjadłby pierogów z jagodami.

– Wszystko jedno, panno Paulino.

– Jak to wszystko jedno? To ja robię ciasto i lepię pierogi przez dwie godziny albo i więcej, a pan Antoni mówi „wszystko jedno"? To dla kogo ja gotuję?

– Och, panno Paulino! Żebym ja go dostał! Żebym ja go dostał w swoje ręce!

– Jezus Maria! Kogo?

– Tego złodzieja! Tego łotra! Tego łobuza!

– Boże święty! Panie Antoni!

– Żebym ja go dostał w swoje ręce! Pasy bym darł! Muchy nie skrzywdzę, ale z tego drania żywcem pasy bym darł! Żebym ja na stare lata tego się doczekał.

– Ale o kim?! O kim pan mówi, panie Antoni? Dlaczego się tak pan złości? Przecież pan sercowy, nie daj Boże, zaszkodzi panu.

– Bo już nie mogę, panno Paulino, już nie mogę! Ktoś na tankowcu armaturę kradnie, to oni rewidują na bramce Wantułę. A w radzie zakładowej mi mówią, że dopóki się złodzieja nie złapie, to uczciwi ludzie będą posądzani o złodziejstwo.

– Niby racja.

– Co racja? Jaka racja? – Wantuła krzyczy nie panując nad sobą. – A czy ja soli na ogon temu złodziejowi nasypię? Panna Paulina to też!

– Proszę, zupa nalana – mówi Paulina oschle.

– Dziękuję. Panna Paulina to mówi tak, jak ten z rady zakładowej. A ja wcale tak nie myślę, że k a ż d e g o człowieka można podejrzewać o każde świństwo.

– Ja nic takiego nie powiedziałam. Ja tylko uważam, że prędzej czy później złodziej sam się złodziejem okaże, nie trzeba wcale palca do niego przykładać.

– Tak, prędzej czy później. A jak później? To przez ten czas mam ludziom w oczy nie patrzyć?

– Niech pan nie przesadza, panie Antoni. Może pan spokojnie patrzyć. Pan wie, że kto pana zna, to nigdy nie uwierzy, żeby się do pana jakieś świństwo przyczepiło. A że tam sobie ktoś coś powiedział...

– Ale przecież o to właśnie idzie, o to, że każdy może byle co o mnie powiedzieć, a ja się nie mogę bronić.

– Oj, panie Antoni, naprawdę pan się jeszcze rozchoruje z tego żalu. Uczciwość pana broni, rozumie pan? Ona zawsze człowieka obroni, żeby nie wiem ilu się na niego uwzięło. Oliwa zawsze sprawiedliwa i na wierzch wyjdzie.

– Nie obrażając panny Pauliny, czekaj tatka latka. Z tą sprawiedliwością to różnie bywa, ale to, że nierychliwa, sprawdza się najczęściej. W takich sprawach to się lepiej ani na los, ani na Pana Boga nie spuszczać, bo jeden i drugi bardzo tego nie lubią. Od tego jest człowiek, żeby godność człowieka szanował.

– No, niechże pan je, zupa zupełnie wystygnie.

– A bezpiecznym można się czuć dopiero wtedy, kiedy się ma pewność, że nikt nas nie może okraść nie tylko z pieniędzy, ale i z dobrego imienia.

– Panie Antoni, jak pan nie przestanie, to, jak Boga kocham, z kuchni wyjdę i będzie pan sam do siebie gadał. Pan się naprawdę jeszcze rozchoruje z tego rozpamiętywania. Kto to widział? Dzieciak pan jest czy co! Niech się pan zajmie czym innym...

– Ba, żebym mógł... żebym mógł...

– Co to za pomysł z tymi jagodami? – woła Danielewicz wstając od stołu. – Czym ja teraz zęby wyczyszczę? Niech mi Paulina da trochę ciepłej wody do łazienki.

– Wyczyści pan doktór pastą albo proszkiem, a jak nie, to same od jedzenia się wybielą. Do szklanki woda?

– Tak, ale jak ja się teraz ludziom pokażę?...

– Przecież ludzie wiedzą, że teraz sezon na jagody. Pan doktór wychodzi?

– Uhm.

– Co mam powiedzieć pani?

– A cóż ma niania mówić?

– Kiedy pan przyjdzie.

– Nie wiem. Nie wiem, kiedy przyjdę.

Ona czeka przy drzwiach. Zwykle tak czeka, kiedy on ma przyjść. Nie potrafi inaczej.

– Dziękuję ci, że przyszedłeś. Zawsze się boję, że nie będziesz mógł przyjść.

– Ewo, skąd te myśli?

– Zwykłe myśli w takiej sytuacji. Uważam cię za wypożyczonego przez los i boję się, że w każdej chwili trzeba będzie cię oddać. No, usiądź pod oknem na swoim miejscu i b ą d ź! Och, jak to wygodnie tyle znaczyć dla kogoś! Żadnego wysiłku, żadnej uczuciowej fatygi – wystarczy, że się jest.

– Mówisz tak, jakbym ja nie był gotów...

– Och, nie, nie, nic nie mów. Wcale nie chcę usłyszeć tego, co zamierzałeś powiedzieć. Potem się żałuje takich słów. W miłości najlepiej milczeć. A ja wymagam dziś od ciebie tylko usmażenia jajecznicy. Uważam za swój największy sukces życiowy to, że oduczyłam cię sypania do jajecznicy ćwierć kilograma soli.

– Twoja przesada jest złośliwa.

– Przesada jest przywilejem artysty. A ja, jak widzisz, znowu się nim poczułam. Nawet nie powiedziałeś nic, zastawszy obraz na sztalugach.

– Co miałem mówić? Cieszę się.

– O, ja sobie wyobrażam, jak się cieszysz! A żebyś wiedział, że to niespodzianka dla ciebie!

– Dla mnie?

– Jeszcze jaka! Ale na razie mogę ci powiedzieć tylko tyle, że ogłoszono konkurs na obraz o tematyce współczesnej i ja mam zamiar wziąć w nim udział. Więc ty będziesz smażył jajecznicę i dbał, żebym nie umarła z głodu, a ja będę malować. Trudno, tak wszedłeś do mego życia! Musisz się utrzymać w tej roli.

– Jajecznica z ilu jaj?

– Och, Boże, co za mina ponura! Nie, nie, nie musisz nic robić. Wiem, że tego nie lubisz. Pójdziemy sobie razem do kuchni i będziemy gospodarzyć.

– Ja jestem po obiedzie.

– Ale przynajmniej się czegoś napijesz. Mam sok pomidorowy, lubisz?

– Lubię wszystko z twoich rąk.

– O, la la! To znowu brzmi jak wyznanie. Uparłeś się, żeby mi się dzisiaj oświadczyć. Boże, pierwsze w życiu oświadczyny w kuchni przy zlewie pełnym niepozmywanych talerzy! Błagam cię, odłóż to na kiedy indziej.

– Dlaczego żartujesz? Dlaczego usiłujesz wciąż żartować...?

– Z ciebie? Nie, ja nie żartuję z ciebie. To jest tylko mój sposób bronienia się przed zupełną kapitulacją. Kiedy żartuję, wydaje mi się, że będę mogła się jeszcze wyratować. To tylko ty, kiedy kochasz, jesteś smutny.

– Bardzo smutny!

– Czy dziś smutniejszy niż zwykle?

– Chyba tak.

– Nie pytać cię o nic?

– Nie. Jeszcze nie.

– Dobrze – Ewa odwraca się i bardzo uważnie rozbija jaja nad patelnią. – Czy ja nie miałam przeczucia, że ta jajecznica będzie nam obojgu potrzebna? Tobie jeszcze bardziej niż mnie, ale ja ją zjem. Zajmijmy się jedzeniem, piciem... Funkcje, którymi obarcza nas życie, są z wielu względów pożyteczne. Otwórz wreszcie tę butelkę z sokiem.

– A masz czym?

– Nie, niestety. W tym domu tylko gospodyni jest kompletna. Reszta ma kolosalne braki w wyposażeniu, szczególnie kuchnia. Uderz trzonkiem noża w kapsel! Widzisz, jaki jesteś pojętny! Wiesz, co mnie najwięcej w tobie wzrusza? To, że się tak źle czujesz w niewłasnych sytuacjach. Popatrz, nawet takie głupstwo, jak otwarcie tej butelki. Pewnie w domu masz klucz do zdejmowania kapsli i nigdy nie przeszło ci nawet przez myśl, że mógłbyś to robić nożem. Jesteś przyzwyczajony do tego, żeby wszystko było jakieś uporządkowane, na swoim miejscu, bez zaskoczeń i niespodzianek. A tu nagle rewolucja!

Danielewicz pochyla głowę w przesadnie niskim ukłonie.

– Jestem tej rewolucji najgorętszym zwolennikiem!

– W to nie wątpię. Ale od czasu do czasu czujesz chyba coś w rodzaju zdziwienia. To dobrze. Nie chcę, żebyś się przyzwyczaił do mnie. Och, nie zniosłabym tego! Wiem, że przyzwyczajenie jest często bronią kobiet. Słabych kobiet... Nalej mi także soku!

– Proszę.

– A teraz ci powiem, dlaczego wzięłam się do obrazu. Nie myśl, że pociąga mnie nagroda, choć to jest wspaniała nagroda i na pewno warto się nad nią zastanowić. Ale ja przede wszystkim chcę zrobić coś dla ciebie. Coś, co by mnie naprawdę dużo kosztowało, ponieważ wiem, ile ciebie kosztuje to, co robisz dla mnie.

– Ewo!

– Już ci mówiłam, że wymawiasz moje imię, jakbyś wzywał pomocy. Nikt ci jej nie udzieli. Pozwól mi skończyć. Chcę jeszcze i tego, żebyś miał w tym wszystkim jakąś zasługę – to okropnie brzmi, prawda? Ale może się zdarzyć, że akurat będziesz cieszyć się z tego, może nawet będziesz dumny... Kiedy przyszedłeś tu po raz pierwszy i spojrzałeś na moje obrazy, powiedziałeś mi: nic nie rozumiem. Och, żebyś wiedział, jak mnie to wtedy zabolało! Chyba byłam niegrzeczna, nagadałam ci mnóstwo impertynencji, pamiętasz? Powiedziałam, że ja nie znam się na wycinaniu ślepych kiszek i dlatego nie zabieram głosu na ten temat. Wybaczyłeś mi, bo miałam zwichniętą nogę i bardzo cierpiałam. Ale teraz naprawdę chcę coś zrobić dla ciebie. Namaluję obraz zupełnie inny niż moje poprzednie. Wiesz, co na nim będzie?

– Co?

– Człowiek.

XI

– Pani wychodzi?

– Tak.

– Myślałam, że dziś przynajmniej będzie pani w domu.

– A co się stało?

– Nic się nie stało. Ale tak prawdę powiedziawszy, to ten dom się zrobił teraz jak hotel. Wszyscy przychodzą tu się tylko przespać. Pan doktór – ech, szkoda gadać – panią też co dnia gdzieś nosi. Krzysztof wciąż lata, bo nie czuje żadnej opieki nad sobą, a pan Antoni znów przez całe popołudnia na budowie. Tylko ja, jak ten portier w hotelu, cały dzień muszę być na posterunku.

– Przecież niania też może wyjść.

– A tam, wyjść, wyjść! Bo ja mam humor do wychodzenia? Jak ja patrzę na to, co się tu dzieje, to mi się wszystkiego odechciewa.

– Nianiu!

– A bo nieprawda? Co to się porobiło z naszym domem? Myślisz, że ja tego nie widzę, nie czuję?

Teresa wraca od drzwi i przysiada na brzegu krzesła.

– Och, nianiu! – szepcze, ukrywając twarz w dłoniach.

– Tylko mi tu nie płacz! Płaczem jeszcze nikt niczego nie zwojował. Dlaczego ty się z nim porządnie nie rozmówisz? Do czego to podobne? To udawanie, że wszystko jest w porządku. I dla kogo ta komedia? Dla mnie? Mnie nikt nie oszuka. Ja mam dobre oczy. I Krzysztof także.

– Krzysztof?

– A co ty myślisz, że dzieciak od razu nie czuje, co się święci? Dorosłego można zmylić, a dzieciaka nie. Przypatrz ty się dobrze, jak on teraz na was patrzy, jak stale coś podejrzewa, jaki się zrobił nieśmiały, kiedy jesteście w domu.

– Nianiu, niech niania przestanie!

– Nie krzycz! Ja wiem, że to przykre do słuchania, ale z kimś trzeba wreszcie na ten temat porozmawiać. Z panem...

– Nianiu, na litość boską, niech się niania nie waży!

– A czego ja się mam bać? Ja się mam czegoś bać?

– Nie, nie, niech niania z nim nie mówi.

– Chciałabym wiedzieć dlaczego? Przecież musi wreszcie swoje usłyszeć. Na co ty liczysz? Że się sam opamięta?

– Nie wiem. Nic nie wiem.

– Nie opamięta się. Chłop się nigdy sam nie opamięta. Chłopa trzeba otrzeźwić – o, dla pijaków wynaleźli już izby wytrzeźwień. Teraz trzeba by coś takiego wymyślić i na tych, co z innego powodu rozum tracą.

– Moja nianiu, ja sobie naprawdę wypraszam!

– Nie krzycz! Powiedziałam ci już raz, nie krzycz! Przecież ja to i do ciebie mówię! Myślałam, że sama zrozumiesz. To wszystko i do ciebie się odnosi! Co wy sobie myślicie? Że wszystko wam wolno, bo nie macie żadnych obowiązków? Jedno w lewo, drugie w prawo, a w domu Paulina siedzi i dzieciakowi za matkę i ojca wystarczy. Otóż dowiedz się, że Paulina nie wieczna. Paulina też może mieć czegoś dość. Nie będę wam ułatwiać życia. Może kiedy mnie tu nie starczy, to się zastanowicie nad wszystkim.

– Nianiu, niania by mogła...?

– A dlaczego nie? Ciekawa jestem, dlaczego nie? Mało to innych domów? Spokojnych. Gdzie się ludzie kochają i szanują. Takie coś, jak teraz u nas się porobiło, to nie na moje nerwy. Jeszcze bym mogła głupstwo jakie zrobić. Po co mi to? I jak dzieciak się marnuje, patrzyć nie mogę...

– Ale przecież... przecież nic mu się złego nie dzieje...

– Bo ja tu jestem! Rozumiesz? Dlatego obydwoje macie spokój. Ale ja właśnie dla niego muszę stąd odejść. Dla jego dobra! Żebyście na oczy przejrzeli! Trzeba było przedtem się zastanowić, nim się miało dziecko, czy starczy cierpliwości, żeby je wychować. Teraz się ludzie nad tym nie zastanawiają. Gorzej jak koty albo psy — urodzą i niech idzie na cudze ręce. Tylko że nad małym kotkiem czy pieskiem prędzej się kto ulituje jak nad człowiekiem.

– Ale co ja mam robić, nianiu, co ja mam robić?

– Masz się z nim rozmówić. Masz mu powiedzieć, coś ode mnie usłyszała. Odejdę, jak Boga kocham, odejdę, jak się tu wszystko nie naprawi! Masz mu to powiedzieć, bo jak nie, to ja mu powiem.

– Ale ja... ja... ja nie mogę... Ja nie wiem, co usłyszę... Może to jest coś poważniejszego, niż sobie wyobrażamy? I wtedy... wtedy trzeba będzie... Nie, nianiu, niech niania tego ode mnie nie wymaga... Boję się! Ja się boję!

– A latać gdzieś po całych dniach to się nie boisz? Kiedy ty ostatni raz wieczorem byłaś w domu? Kiedy ty ostatni raz dziecko kładłaś?

– Och, nianiu, czy niania nie rozumie, że ja to muszę robić, że ja muszę się jakoś ratować, żeby nie oszaleć? Więc mam siedzieć w domu i czekać, i nadsłuchiwać kroków na schodach, a one zawsze będą szły wyżej, zawsze będą szły wyżej i nie zatrzymają się pod naszymi drzwiami aż do świtu... Czy niania chce, żebym oszalała? Czy niania nie rozumie, że ja to teraz muszę mieć, żeby mi ktoś mówił, że mu na mnie zależy, żeby na mnie patrzył, żeby czekał na mnie i pragnął mojej obecności. Czy niania tego nie rozumie...?

– Chodź tu do mnie! Moje biedne... moje biedne dziecko...

– Przecież ja to muszę robić! Muszę! Nie potrafię inaczej! Niech niania mnie zrozumie... Może potem się przyzwyczaję, może jakoś ochłonę... Może Adaś się zmieni i jakoś... jakoś mu to przejdzie...

– No, a tamten? – pyta Paulina cicho.

– Kto?

– Tamten człowiek. Cóż on zawinił?

— Ktoś dzwoni — woła Teresa zamiast odpowiedzi i dodaje zaraz z rozczarowaniem: — Ach, przecież Adaś ma klucze.

— Ja otworzę.

Paulina idzie do drzwi. Na progu stoi obca, dobrze ubrana kobieta.

— Dzień dobry! Ja do tego pana ze stoczni. Jest?

— Jeszcze nie ma. Ale niedługo powinien przyjść.

— Ach, szkoda! Nie będę mogła czekać, śpieszę się. Ale wpadnę drugi raz wieczorem. Powiedziano mi, że tu można dostać armaturę do łazienki.

— Co takiego?

— Armaturę do łazienki. Skierowała mnie znajoma, która także się buduje. Powiedziała, że ten pan zakłada instalacje z własnego materiału.

— Z własnego materiału?

— Chyba się nie pomyliłam? Rajska 2? Tak?

— Tak. Ale ja tam nic nie wiem.

— To ja przyjdę wieczorem.

— Proszę, ale coś mi się zdaje, że się pani pomyliła.

— No, przecież pani mówi, że Rajska 2.

— Nianiu! — woła Teresa z pokoju.

— Przepraszam, pani mnie woła.

— Do widzenia.

— Do widzenia — Paulina chciałaby jeszcze popatrzyć na nieznajomą schodzącą ze schodów, ale Teresa znów woła.

— Co sobie niania jakąś babą głowę zawraca, informacji udziela? A ja się śpieszę. I prawie prosząco: — Nianiu, ja muszę iść...

— To niech pani idzie. Pani przecież ma swój rozum.

— Niech się niania na mnie nie gniewa.

— A co tam ja, o mnie wcale nie chodzi...

— Ja zadzwonię...

— I po co to dzwonienie? Komu to potrzebne?

– Krzysia niech niania wcześnie położy.

– Dobrze, dobrze, już ja wiem, co mam robić.

– To do widzenia, nianiu.

– Do widzenia, do widzenia.

Teresa zostawia drzwi otwarte.

– Idzie pan Antoni, może niania obiad dawać.

– Dzień dobry, pani doktorowej! I od razu do widzenia.

Paulina już trzaska garnkami.

– I poszła.

– Kto?

– Jak to kto? Przecież pan mówił „do widzenia"?

– A, pani doktorowa. No, cóż? Lato, co będzie w domu siedzieć?

– To przecież nie o lato, pan Antoni dobrze wie, że nie o lato chodzi. Oj, trzeba będzie niedługo z tego domu uciekać.

– Uciekać? Z tego domu? Nie wierzę, żeby panna Paulina mogła to zrobić...

– A czy ja mam nerwy na to wszystko? Kto by to wytrzymał? Przecież sam pan widzi.

– Ano widzę – Wantuła kiwa ze smutkiem głową i nagle rozpromienia się. – Panno Paulino, więc pani naprawdę mogłaby... pani mogłaby stąd odejść...?

Paulina patrzy na niego zdumiona.

– A cóż to pana tak cieszy?

– Co mnie tak cieszy'? Właśnie to, to mnie tak cieszy! Bo ja nigdy, ja nigdy nawet... nawet pomyśleć się nie odważyłem, żeby panna Paulina miała zostawić państwa Danielewiczów... Bo jakby panna Paulina zdecydowała się ich zostawić... to przecież ja... ja... no, domek już będzie gotowy...

Paulina klasnąwszy w dłonie przerywa mu w pół słowa:

– Ach, Boże święty! Domek! Właśnie! Przecież ja panu zapomniałam powiedzieć. Nie spotkał pan nikogo na schodach?

— Nie, a bo co?

— Ach, bo właśnie była tu jedna w sprawie domku. Chciała coś do łazienki – a... ar... arma...

— Armaturę?

— O, o, coś takiego. Domek buduje i właśnie ktoś ją tutaj skierował...

— Do mnie?

— Że niby pan zakłada i ma tę a... ar...

— Że ja zakładam i mam swoją armaturę? Kto jej to powiedział?

— Jej znajoma, co właśnie też się budowała.

— I skierowała ją do mnie?

— Tak. Na Rajską 2. Mnie się też to dziwne wydawało... Jezus Maria! Co panu, panie Antoni?

— Rajska 2... Ktoś ją przysłał... I nie spotkałem jej na schodach. Pewnie gdzieś weszła po drodze.

Paulinie braknie tchu.

— Panie Antoni! Pan myśli... pan myśli... że to... Drążek?

— Drążek! – szepcze Wantuła i krzyczy: – Drążek! On! On! To przez niego mnie... Sąsiad! Przyjaciel!

— Niech się pan uspokoi, panie Antoni! Niech się pan uspokoi.

— Ale ja do niego zaraz zejdę! Zaraz tam zejdę! Akurat nakryję łobuza na gorącym uczynku. Boże drogi! Drążek! Drążek! Przecież ja go...

Paulina zastępuje mu drogę.

— Nigdzie pan teraz nie pójdzie!

— Niech mnie pani puści, panno Paulino, ja muszę zaraz tam pójść. Muszę! Ja go...

— Ani mowy! Nie puszczę! Za nic nie puszczę! Żeby jakie nieszczęście się stało, tak? Najłatwiej to na gorąco głupstwo zrobić. Niech pan siada, daję obiad.

– Panno Paulino, niech mnie pani puści – nie chcę pani skrzywdzić – niech mnie pani puści! Ja muszę tam zaraz pójść. Ona tam akurat jest, złapię go... złapię go na gorącym uczynku. Nie będzie śmiał mi w oczy zaprzeczyć...

– Mówię panu, niech pan siada do obiadu. Wszystko pan jeszcze zdąży zrobić, tylko spokojnie. Nie mówiłam, że nie trzeba do złodzieja palca przykładać? Już go pan ma, nie musi się pan teraz śpieszyć.

– Ale ja przecież zaraz tego drania... Niech mnie pani nie zatrzymuje, panno Paulino.

Paulina wciąż stoi rozpostarta w drzwiach jak milicjant na skrzyżowaniu ulic.

– Właśnie, pozwolę panu pójść! Żebyście sobie do oczu skoczyli albo jeszcze, nie daj Boże, pan Antoni ze swoim sercem...

– Ale ulży mi... zupełnie mi ulży...

– Tak, ja wiem, jak by panu ulżyło, a potem do kryminału i jeszcze siedzieć za takiego łajdaka! Sąd się z nim rozliczy. Pan nie jest od tego, panie Antoni. Niech pan siada i je zupę.

– Ja teraz nic nie przełknę. Dziękuję, panno Paulino. Drążek! Kto by pomyślał, że to Drążek!

– Prawdę powiedziawszy, dawno się można było tego domyślić. Ja się nieraz zastanawiałam, skąd oni na wszystko mają. I lodówka, i pralka, i odkurzacz, a Emilka to, za przeproszeniem, na te swoje cztery litery już nie wiedziała co kłaść. Od dawna mi się to podejrzane wydawało, bo przecież wiem, ile uczciwy człowiek może zarobić, ale nic nie mówiłam, bo dopóki za rękę się nie złapie, to lepiej cicho siedzieć. No i masz nowinę!

– Właściwie to go baba w to nieszczęście wpakowała.

– A pan Antoni może go teraz zacznie żałować? Minutę przedtem chciał go pan zabić, a teraz będzie się pan nad nim litował. Dostanie to, na co zasłużył. Jeszcze ich za mało karzą, tych złodziei. Ja to bym ich... Ktoś dzwoni? A kogóż tam znowu niesie...? Ojej, a może to ta... ta, co tu była...?

— Tylko niech ja jej na oczy nie widzę. Bo jeszcze z babą co złego zrobię. Drogo mnie kosztuje jej łazienka! Bardzo drogo! Oni płacą, ale nigdy nie wiedzą, ile to naprawdę kosztuje. I kogo.

— Najlepiej w ogóle nie otworzę.

— Otworzyć trzeba, bo to może być Wacek — miał czekać na mnie przed dworcem, ale pewnie mu się sprzykrzyło. Jedziemy zaraz na budowę. Tylko przed nim na razie ani słowa.

— Wielkie mi co. A jak Drążek pójdzie siedzieć, to się wszyscy i tak dowiedzą.

— Ale jeszcze na razie... no, po co teraz...

— No, dobrze, dobrze, mogę nic nie mówić.

To naprawdę Wacek.

— No, co się z majstrem dzieje, jak Boga kocham — woła już od drzwi — stoję i stoję, już się mnie wycieczki o zwiedzanie Gdańska pytają, a majstra jak nie ma, tak nie ma.

— Obiadu jeszcze nie zjadł.

— I już nie będę jeść. Niech się panna Paulina nie gniewa, ale nie mam jakoś... zupełnie nie mam apetytu.

— No coś takiego! Apetytu pan nie ma! Przecież to grzech takiej zupy nie zjeść.

— Pewnie, że grzech — Wacek pociąga nosem. — Co to? Jarzynowa?

— Ma się rozumieć, że jarzynowa. I groszek w niej jest, i młode ziemniaczki.

— Ja bym dzisiaj na budowie pracować nie mógł, jakby się ta zupa miała zmarnować. A co na drugie?

— Na drugie pieczeń wołowa i mizeria.

— No, więc majster się nie decyduje?

— Nie, naprawdę nie mogę.

– Żebym chociaż usłyszał jedno słowo, że mnie ktoś zaprasza...

– Panie Wacku! – woła Paulina. – No, panie Wacku! Kiedy naprawdę będzie mi bardzo przyjemnie... Wciąż gotować dla takich, co grymaszą, też się sprzykrzy. Niech ja raz zobaczę, jak ktoś uczciwie je.

– Rąb, Wacek, rąb!

– O, to naprawdę będzie pani miała na co popatrzyć! Bo jak ja jem, to tylko wszystko w zębach trzeszczy! O rany! Co za zupa! Pan często nie ma apetytu, panie majster? Ja już zawsze byłem taki, od dzieciaka. Jeszcze podczas wojny to nad nami mieszkała jedna folksdojczka, miała chłopaka takiego jak ja. Tylko taki był nieżarty, że wyglądał, jakby chleba nigdy nie widział. To ona mnie zapraszała, żebym razem z nim jadł. Dopiero kiedy patrzył, jak ja jem, to się mu jeść zachciewało. No, panie majster, może pan jednak wsunie tę pieczeń?

– Jedz, jedz, nie zagadasz mnie, myślisz, że ja tak jak ten folksdojczak. Tylko pośpiesz się, bo i tak już dosyć czasu zmarnowałem. A może by tak... może by tak panna Paulina z nami pojechała...?

– A czy ja mogę? Przecież pan doktór nie był jeszcze na obiedzie.

– Kto wie, kiedy przyjdzie. Wczoraj też panna Paulina czekała, a przyszedł już po kolacji.

– Może pan ma i rację, panie Antoni. Wezmę Krzysztofa i pojedziemy. Niech przynajmniej dzieciak czystym powietrzem trochę pooddycha. O, proszę, w samą porę, telefon! – Paulina wzrusza ramionami i biegnie do pokoju. Jej głos brzmi niezachęcająco: – Tak, to ja.

– Tu Teresa.

– No i po co ty dzwonisz? Przecież ci mówiłam, żebyś nie dzwoniła.

– Pan jeszcze nie przyszedł?

– Ale gdzie tam!

– To ja... to ja jeszcze raz zadzwonię...

– Nie dzwoń, bo my wychodzimy.

– Kto? Gdzie wychodzicie?

– Ja z Krzysztofem. Jedziemy z panem Antonim na działkę.

– A kiedy wrócicie?

– Nie wiem, kiedy wrócimy, chyba późno...

Marcin jest cierpliwy. Patrzy z uśmiechem, jak Teresa wracając od telefonu przemierza całą kawiarnię.

– Czy można wiedzieć, ile razy zamierza pani jeszcze dziś telefonować?

– Nie będę już dziś telefonować.

– Czyżby niania miała ochotę udać się na drzemkę?

– Coś w tym guście.

– Będę musiał posłać niani czekoladki. Boże, przecież ja wcale nie znam pani adresu. Co tam adresu, nawet nie wiem, jak się pani nazywa.

– Kiedy pan dzwonił do mnie z morza, obiecywał mi pan, że nic nie będzie pan chciał o mnie wiedzieć.

– Okazuje się, że obiecywałem zbyt wiele. Za bardzo się już do pani przyzwyczaiłem, żebym nie pragnął myśląc o pani, otaczać jej coraz pełniejszym wyobrażeniem o jej życiu, o tym, co pani robi przez cały dzień, z kim się styka...

– Przecież pan wie, że pracuję w Gdyni-Radiu.

– Tak, ale to zaledwie osiem godzin dziennie, a reszta?

– O, zaczyna pan być ciekawy. To wielka wada!

– Pani by się także przydało trochę tej wady. Nawet pani nie zapytała, jak mi przeszedł dzisiejszy dzień, mój pierwszy dzień na stoczni. Pani sobie na pewno nawet nie wyobraża, co to za kolos! Prawie osobne miasto, pełne dziwnych, zawsze śpieszących się ludzi, zakochanych w swoich kanałach i dokach jak w najpiękniejszym pejzażu świata. Pani była kiedy na stoczni?

– Tak... Nie... Raz byłam... Z wycieczką...

– Muszę tam panią kiedyś zabrać. Pani powinna to zobaczyć! Mieszkać na Wybrzeżu i nie znać stoczni – to wstyd!

– Ale ja... ja...

– Niczym się pani nie wytłumaczy. Jeśli mi się tylko uda załatwić przepustkę, zabiorę tam panią jak najprędzej. W najgorszym, to znaczy najpóźniejszym razie, zaproszę panią na wodowanie mego dziesięciotysięcznika.

– Gdzie... w którym dziale pan pracuje?

– Na K2.

– Och, to dobrze!

– Dlaczego dobrze?

– Nie wiem, tak sobie powiedziałam. Cieszę się, że pan został.

– Nie należę do mężczyzn, którzy wierzą we wszystkie przyjemne słowa, które się dla nich na poczekaniu komponuje.

– Czy nie sądzi pan, że w każdej sytuacji życiowej lepiej jest wierzyć?

– Nie wiem. To chyba ucieczka. Dlaczego pani woli uciekać?

– Ponieważ nie mam... ponieważ nigdy nie miałam dość sił, aby walczyć.

– To znaczy... Właściwie nie miała pani nigdy dość siły, aby żyć.

– A jeśli... jeśli było się dotąd tak szczęśliwą, że nie potrzebowało się wcale walczyć...?

– To tylko zahamowanie normalnie funkcjonującego instynktu. Człowiek jest także zwierzęciem. Staje się kaleką, kiedy pozwoli na to, aby mu się stępiły pazury.

– Po co mi pan to mówi?

– A bo ja wiem, po co? Poczułem się jakiś sprowokowany. Sprowokowany pani niepokojem.

– Pan go czuje?

– Tak.

– Przepraszam pana, może nie powinnam... nie powinnam wnosić go w pana życie... Ktoś mnie dziś zapytał o pana.

– Ktoś, kto mnie zna?

– Nie, nie zna pana.

– Więc skąd?

– Zna pana przeze mnie. Wie, że pan istnieje.

– I dlatego...?

– ...i dlatego zatroszczył się o pana. Pan się nie zlęknie?

– Nie. Na ogół nie jestem lękliwy. Ale niech pani powie, potrzebuje mnie pani?

Teresa zaciska powieki i powtarza:

– Tak. Och, tak!

– Przeczuwałem to. Pamięta pani? Powiedziałem to pani z morza. Pani się śmiała, a ja wiedziałem, że będzie pani kiedyś szczęśliwa, że jestem przy niej. Czy jest tak?

– Tak.

– Zawsze chciałem być dla kogoś dobry. Nie miałem dla kogo. Czasem, gdy wychodziłem na ląd, mówiłem sobie: spotkam pierwszego lepszego człowieka i będę dla niego dobry. Nakarmię go, jeśli zechce jeść, zaprowadzę w ciepłe miejsce, jeśli będzie mu zimno, będę go słuchał, jeśli to będzie ktoś, kogo nikt nie chciał wysłuchać, jakiemuś dziecku kupię lalkę, ślepego przeprowadzę przez ulicę, kwiaciarce pozwolę, żeby mi sprzedała wszystkie więdnące kwiaty... Ktoś się pani kłania.

– Mnie?

– Tak, pani. Młoda, ładna niewiasta przy stoliku pod oknem. Widzi pani, ta, która siedzi z tym łysawym jegomościem. Kłania się jeszcze raz, niechże się pani odkłoni. I po co ten rumieniec? Powiedziałem pani, że pragnę dla kogoś być dobry. O nic nie będę pytał.

– Ależ o co... o co ma mnie pan pytać? To sąsiadka z dołu. Mieszkamy w jednym domu.

– Ona, zdaje się, tu idzie?

– Och, naprawdę?

– Ależ dlaczego pani wstaje? Ja odejdę, jeśli pani sobie życzy.

– Nie, ależ skąd! Niech pan zostanie.

Teresa wybiega prawie naprzeciw Drążkowej, która promienieje uśmiechem.

– Dzień dobry! Co za spotkanie!

– Może przejdziemy do hallu – proponuje Teresa gorączkowo.

– Ja tylko na chwileczkę chciałam panią doktorową przeprosić... Mała prośba.

– Słucham.

Taka mała prośba, jak to między kobietami. Wie pani, jeden dom, zaraz wszystko się rozniesie. A mój stary zazdrosny jak piorun! Miałabym ciężki los...

– Nie rozumiem. O czym pani mówi?

– Zwyczajnie. Żeby pani doktorowa to dla siebie schowała, że niby ja tu z tym facetem. Znajomy, porządny gość, nie jakiś tam, to zaraz widać. Ale po co ma ktoś wiedzieć, a jeszcze w dodatku panna Paulina albo Wantuła. On mego starego i tak buntuje na mnie...

Teresa przełyka ślinę.

– Dobrze, nic nie powiem.

– Bo niby co człowiek z tego życia ma? Tyle że się ubierze i ludziom trochę pokaże.

– Dobrze, nie powiem.

– O mnie pani doktorowa też może być spokojna. Nie pisnę ani słówka. Ale to chłopak, ten pani doktorowej! Od razu go spostrzegłam, jak tylko weszłam.

Teresa czuje, że cała krew napływa jej do twarzy.

– To znajomy.

– A znajomy, znajomy – śmieje się Drążkowa cichutkim śmieszkiem. – Z nieznajomym by nikt nie siedział. Więc – sztama? Nikomu ani słowa.

– Tak. Przepraszam, bo się śpieszę.

– Do widzenia.

– Albo telefonowanie do niani, albo rozmowy z sąsiadką z dołu! – woła Marcin, gdy Teresa zbliża się do stolika. – Mam już dosyć tego lokalu. Może byśmy stąd wyszli?

– Och, tak, bardzo proszę!

– Ale dokąd pójdziemy?

– Wszystko jedno... Zupełnie wszystko jedno...

– Pani ma łzy w oczach, co się stało?

– Nic się nie stało.

– Może, przepraszam, może odwieźć panią do domu?

– Nie – szepcze Teresa. – Nie! Niech mnie pan zabierze dokądkolwiek. U mnie w domu tak samo jak u pana – nie ma nikogo. I telefon także nie odpowiada.

XII

Są młodzi, biedni, zakochani. Czy można nie czuć do nich sympatii, czy można się o nich nie bać? Rankiem, kiedy nikogo jeszcze nie ma na zbiornikowcu, oni szepczą już gdzieś w kącie i nie istnieje dla nich nic poza tą bezustanną myślą: jak to będzie i kiedy to będzie, kiedy będą mogli być już naprawdę razem.

Są młodzi, biedni, zakochani. Czy trzeba im zazdrościć, czy jednak bać się o nich?

– Mizerna jesteś, Stefka.

– Wiem, nie potrzebujesz mi mówić. Jakoś w nocy spać nie mogę.

– Już ci mówiłem dlaczego. Jakbyś miała się do kogo przytulić...

– Ty zawsze swoje, a ja chyba na nerwy jestem chora, czy co? W nocy się budzę i nie mogę z powrotem zasnąć. Wciąż myślę, czy damy temu wszystkiemu radę, a ty jeszcze masz zamiar zaczynać się teraz uczyć.

– Inaczej będziesz śpiewać, jak kurs skończę, a potem, jak ci maturę pokażę. Zobaczysz, jeszcze inżynierową zostaniesz. No, Stefka, uśmiechnij się! Nie chcesz inżynicrową zostać?

– Osiwieję do tej pory. Jakbyś się czym innym zajął, prędzej byś do czego doszedł. A tak będziesz się tylko zakuwał po całych wieczorach. Wesoło będzie, nie ma co!

– Nie bój się, jeszcze dla ciebie czas znajdę. Przecież trzeba w życiu czegoś chcieć, do czegoś dążyć. Co by człowiek był wart, jakby stał na miejscu?

– A czy ja mówię, żeby na miejscu stać? Tylko że mnie się spieszy.

– Do czego ci się spieszy?

– Do życia! Rozumiesz? Do życia. Czyś ty się zastanowił, że jeśli nawet Wantuła da nam pokój u siebie, to co my tam wstawimy? Wiesz, że on też w meble niebogaty i nic nam nie pożyczy. Ja na matkę liczyć nie mogę, ty też posagu z domu nie dostaniesz. A przynajmniej tapczan musimy mieć, szafę, stół, ze cztery krzesła i jakieś graty do kuchni. Czy ty wiesz, ile to wszystko kosztuje? Majątek!

– Słuchaj, Stefka, przecież nie my pierwsi tak się pobieramy – goło, boso i tylko z miłością. A jak inni dochodzą jakoś powoli i do mebli, i do mieszkania? Jakoś damy sobie radę.

– Dużo ty tam wiesz, w jaki sposób ludzie do czego dochodzą. Mówisz tak, jakbyś wczoraj na świat przyszedł. Kombinują, rozumiesz?

– Ze mnie to już nawet ty kombinatora nie zrobisz. Niech ja będę do końca życia ten głupi! To mi się jednak mimo wszystko lepiej opłaca. Portki mi się na tyłku wprawdzie świecą, ale mnie jeszcze stać, ażebym się niejednemu kombinatorowi kazał w nich przejrzeć. Przynajmniej mogę spać spokojnie.

– Dużo ci z tego przyjdzie.

– A ty co? Niezadowolona ze mnie jesteś? Jakbym pił, grał w karty, to bym się lepiej na męża nadawał? A ty mi tylko to możesz zarzucić, że pieniędzy nie mam. Że nie mam więcej, niż mogę zarobić. No, Stefka, popatrz na mnie!

– Po co ci to patrzenie?

– Jak to po co? Będę wesoły cały dzień. A kiedy jesteś nadąsana, to mi się wszystkiego odechciewa. Prasnąłbym palnikiem o ziemię i poszedł nie wiadomo dokąd.

– Coraz głupszy się robisz.

– To z miłości! Nie wiesz, że z miłości się głupieje? Jak jeszcze dłużej będziesz mi się opierać, to zgłupieję tak, że cię przy ludziach całować będę.

– Wacek! No, co ty robisz, wariacie jeden!

– Przecież widzisz, że głupieję!

– Ktoś idzie! Daj spokój, Wacek, ktoś naprawdę idzie.

– To na pewno Wantuła i Drążek.

– Ale dlaczego tak krzyczą? Jezus Maria! Wacek! Dlaczego tak krzyczą?

Krzyczy tylko Wantuła. Drążek jeszcze udaje, że nie wie, o co chodzi, ale cofa się przed Wantułą, który blady, ze zmienioną twarzą, coraz bardziej naciera na niego. Jest już przy burcie, dalej nie ma się gdzie cofać, dalej jest przepaść, wielopiętrowa ściana zbiornikowca. Drążek nie pozwala przyprzeć się do burty, odwraca się i wciąż udając, że nie wie, o co chodzi, szepcze:

– Co wy, Wantuła? Co się stało?

Wantuła drży cały z hamowanej pasji.

– To ty nie wiesz, sukinsynu, co się stało? Myślałeś, że ze mnie złodzieja zrobisz, że to się nie wykryje? Wykryło się. Rozumiesz?

– Co się wykryło? Czego chcecie ode mnie?

– Czego ja chcę? Ty nie wiesz, czego ja chcę? To ja ci zaraz w głowie rozjaśnię. Tak ci rozjaśnię, że ci się światłość wiekuista przywidzi. Och, jak ja bym cię... Przed Pauliną na kolana! Na kolana przed Pauliną za to, że jeszcze żyjesz.

Drążek zasłania się rękami – i żeby tylko od burty, jak najdalej od burty.

– Panie majster, co pan?

– Wykryło się, rozumiesz? Ty złodzieju! Ty łobuzie! To ty dla babskich kiecek zaprzepaściłeś cały swój robociarski honor? I mój chciałeś zaprzepaścić? Nie wstyd ci było? Sumienie cię nie gryzło?

– Panic majster, naprawdę...

– Milcz, sukinsynu! Będziesz mi tu jeszcze zdziwionego udawał? A kto ludziom łazienki z kradzionego materiału zakładał? Ja? Znają cię z tego! Z całego Gdańska się do ciebie schodzą! Firma, psiakrew! Rurarz ze stoczni – pewność i gwarancja!

– Skąd pan...? Skąd pan takie rzeczy...?

– Ty dobrze wiesz, skąd. Znalazłeś sobie źródło, tak? Złote źródełko dla Emilki. Zobaczymy, czym ci ta Emilka odpłaci, jak pójdziesz za kratki.

– To wy... wy myślicie mnie?

– Nie, do nagrody was podam! Sam będę w tyłek brał, ludzie będą mi się podejrzliwie przyglądać, na bramce mnie będą zatrzymywać do kontroli, a ty się będziesz w puchach wylegiwał z tą swoją...

– Panie majster!

– A na jakie inne nazwanie ona zasłużyła? Doprowadziła

cię! Jej za wszystko możesz podziękować! Ty babski pachoł-
ku! Ty szmato! Tak żeśmy się cieszyli, jak nas na tankowiec
dali! Rurarz na tankowcu najważniejszy! Człowiek miał
ambicje, że się tu czymś wykaże, że się czegoś dosłuży...
I wszystko zgnoiłeś! Wszędzie swój smród rozniosłeś. Muchy
bym nie skrzywdził, ale ciebie...

– Tylko wolnego, panie majster, bo ludzi zwołam!

– A zwołaj! Niech przyjdą! Niech się od razu wszystkiego dowiedzą!

– A wy myślicie, że oni inaczej? – pyta Drążek i uśmiecha
się krzywo.

– Milcz, ty ścierwo! Myślisz, że ze wszystkich zrobisz
złodziei, tak jak ze mnie zrobiłeś? Dosyć! Nie będzie jeden
śmierdziel psuł nam powietrza i mówił, że wszyscy śmierdzą.

– Wantuła, wy tego nie zrobicie... wy przecież nie zrobicie tego... żeby mnie... mnie...

– Nie zrobię? Dziś jeszcze dowiedzą się o tym, gdzie
trzeba.

– Nie zrobicie tego!

– Was się będę pytał, tak?

– Nie zrobicie tego! Albo ja was tu na miejscu... – Drążek
podnosi rękę, ale Wantuła się nie cofa.

– Rzuć ten klucz – mówi cicho. – Klucz rzuć, słyszałeś?
I gdy żelazo pada z hukiem na pokład, kładzie ręce na
ramionach Drążka i potrząsa nim z całej siły.

– Do burty mnie chciałeś, tak? Do burty przyprzeć,
kluczem w głowę – i po krzyku. A potem, że wypadek...
wypadek podczas pracy... Zdarzają się takie rzeczy. Drążek,
co się z wami stało? Drążek! Mało wam, żeście się na złodzieja wykierowali? A ja was zawsze za kolegę... za przyja-
ciela miałem...

– No, więc idźcie! – woła Drążek histerycznie. – Idźcie
i zameldujcie, że kradłem! Na co jeszcze czekacie? Kradłem!

170

Jestem złodziej! Niech mnie zamkną! Niech moje dzieciaki pozdychają z głodu, a żona zejdzie na psy. Tak będzie uczciwie i sprawiedliwie i wy to weźmiecie na swoje sumienie, i będziecie mogli spać spokojnie. No, idźcie! Idźcie, Wantuła! Zwołajcie ludzi! Zobaczymy, po czyjej będą stronie. Strażnicy po waszej, ale ludzie...

– Milcz! Mógłbym do ściany cię przyprzeć i zgnieść jak wesz, ale bym się sam siebie przez całe życie brzydził.

– No, idźcie, na co czekacie? – woła Drążek. – Każcie mnie zamknąć! Moje dzieciaki będą co dnia przychodzić do was po chleb. I będziecie musieli patrzyć im w oczy i odpowiadać im, gdy zapytają, coście zrobili z ich ojcem. Już ich Emilka tego nauczy.

– Do diabła z Emilką! Do diabła z wami!

– Idźcie! Zameldujcie, że jestem złodziej! Że powinienem zgnić w więzieniu, że uczciwi, sprawiedliwi ludzie chcą, żebym zgnił w więzieniu, a moje dzieci pozdychały z głodu. Doprowadzicie do tego, prawda? Zrujnowałem stocznię, więc muszę zgnić w więzieniu! A człowiek tylko chciał żyć po ludzku.

– A niech was! Niech was!

– Zrobicie to! Ja was znam. Wy jesteście uczciwy człowiek, który nie może patrzyć na złodziejstwo. Wy doniesiecie na każdego złodzieja, ponieważ brzydzicie się nieuczciwością. Niech złodzieje gniją w więzieniu, żeby porządni ludzie się o nich nie ocierali – wy to zrobicie i dopiero wtedy będziecie mogli spać spokojnie.

– Przestańcie, dobrze? Bo wam w gębę wtłoczę to całe gadanie.

– Nie przestanę! Muszę wam wszystko powiedzieć, bo się drugi raz nie zobaczymy. Przecież każecie mnie zamknąć. Jedno co dobre, to to, że mieszkacie nad nami, będziecie mogli co dnia zajrzeć do moich...

– Cicho! Cicho, do pioruna! – Wantuła nie może dłużej znieść tego gadania.

– Będziecie mogli co dnia zajrzeć do moich i zobaczyć, czy mają co do garnka włożyć. Bo tata złodziej, więc uczciwi ludzie wsadzili go do więzienia... Tak kazała im uczciwość i porządność, i ich robociarskie sumienie.

– Cicho! – woła Wantuła. – Cicho!

– Idźcie! Na co jeszcze czekacie! Ja tu będę stał. Nie ucieknę. Ja jestem złodziej i będę czekał, żeby mnie uczciwi ludzie kazali zamknąć. Będę czekał i patrzył uczciwym ludziom w oczy, będę patrzył im w oczy...

– A niech was wszyscy diabli! – Wantuła odwraca się i odchodzi, bo czuje, że w sercu zaczyna się coś dziać, coś niedobrego.

– Ja tu czekam! – woła za nim Drążek. – Ja tu czekam, żebyście mnie kazali zamknąć...

Wantuła wstydzi się doktora Danielewicza, nadrabia miną i usiłuje się uśmiechnąć.

– Ja tylko krople... jakieś krople na serce, panie doktorze.

Danielewicz przygląda mu się uważnie.

– Coś z wami ostatnio niedobrze, panie Antoni. Opowiadała mi Paulina.

– Ech, nic wielkiego. Panna Paulina... panna Paulina zawsze przesadza. Jak krople wezmę, to mi zaraz przechodzi.

– Może się pan jednak rozbierze?

– Naprawdę, panie doktorze, tyle subiekcji. I robota czeka. Ja to się tam z sobą ciaćkać nie lubię.

– A nie zaszkodzi, panie Antoni, przychodzi czas, że nie zaszkodzi trochę się z sobą pociaćkać. Silnik do remontu! Najmocniejsza maszyna bez przerwy nie chodzi. Od czasu do czasu trzeba ją naoliwić, wentyle przedmuchać. Pan wie, że człowiek nie ma części zamiennych. Proszę się rozebrać.

– Oj, to to, panie doktorze, części zamiennych nie ma! Ale jeszcze by się mogło jako tako funkcjonować, gdyby nie te ludzie cholerne, co krew człowiekowi psują.

– Bo po co się pan nimi zajmuje? Trzeba sobie znaleźć takich, co uprzyjemniają życie. – Danielewicz śmieje się cicho. – Panie Antoni, że też panu trzeba to tłumaczyć.

– A czy człowiek sobie ludzi wybiera? Gdyby nawet tak było, to czy wie, kogo wybrał? Jeden ma szczęście do dobrych, drugi do złych.

– Proszę nie oddychać! Tak, jeszcze chwileczkę. Niech pan odkaszlnie! Dobrze, proszę się odwrócić!

Lekarz słucha, pilnie nadsłuchuje, co się dzieje w sercu pana Antoniego, a potem podnosi twarz i przygląda mu się z troską.

– No, nie jest za dobrze, panie Wantuła. Naprawdę nie jest za dobrze. Pan się nie lubi ze sobą ciaćkać, ale wreszcie trzeba zacząć. Trzeba zacząć, bo będzie źle...

Wantuła oblizuje suche wargi.

– Co znaczy... co znaczy... źle...?

– Wszystko się może zdarzyć, panie Antoni. Nie chcę pana straszyć, ale lepiej postraszyć, żeby się pan zabrał do siebie, niż dopuścić do zawału czy... czy czegoś innego... Nie jest już pan pierwszej młodości, panie Wantuła. To możemy tak między sobą powiedzieć. Mężczyzna po pięćdziesiątce musi na siebie uważać. Przede wszystkim – dużo spokoju! Nerwy rzucić w kąt. Żeby się panu dach nad głową palił – spokój!

– A jak się pali coś ważniejszego niż dach...?

– Nie ma nic ważniejszego! Najważniejsze jest pana serce! Niech pan o tym pamięta! Zapisuję tu panu lekarstwa, będę musiał poprosić Paulinę, żeby pana przypilnowała, bo wiem, że pan będzie brał tylko przez pierwsze trzy dni. Ale lekarstwa to nie wszystko. Niech pan się szanuje, to będzie dobrze.

– Dziękuję panu doktorowi. Spokój – ba, skąd go wziąć?...

– Z siebie! Z siebie, panie Antoni! Niech pan trochę filozoficznie podchodzi do życia. Przed nami też żyli ludzie, którzy się czymś martwili, denerwowali... I czy to coś było warte, skoro ich i tak nie ma? Niech się pan nad tym zastanowi. Do widzenia panu! – Danielewicz odprowadza Wantułę do drzwi, otwiera je przed nim i aż cofa się ze zdumienia.

– Teresa?

– A i pani doktorowa tutaj? – cieszy się Wantuła.

Teresa wchodzi do gabinetu, ma na sobie jakąś nową sukienkę, której Danielewicz nie zna – i wita się z udaną swobodą.

– Dzień dobry!

– Czy tu przypadkiem nie ma się odbyć jakieś zebranie z Rajskiej 2? – próbuje żartować Danielewicz.

Teresa uśmiecha się, uśmiecha się głównie do pana Antoniego.

– Proszę sobie wyobrazić, że zwiedzam stocznię! Jestem tu z... z wycieczką... Nie mogłam sobie odmówić tej przyjemności, żeby nie odwiedzić... żeby nie odwiedzić przychodni...

– To ja przepraszam – wycofuje się Wantuła pośpiesznie. – Do widzenia.

Gdy zamykają się za nim drzwi, uśmiech na twarzy Teresy gaśnie.

– Naprawdę zwiedzam stocznię – to nie dowcip. Ale powiedziałam, że się źle czuję i przyszłam tu, żeby się z tobą rozmówić. W domu nie możemy tego zrobić, w domu stać nas było tylko na nasze dawne pogodne kłótnie... Teraz... teraz naprawdę ani Krzysztof, ani Paulina nie powinni...

– O czym chcesz ze mną rozmawiać?

– Ty nie wiesz?

– Nie wiem.

— Nie myślisz chyba jeszcze i w ten sposób mnie dręczyć? Czy masz zamiar twierdzić, że wszystko jest między nami tak jak dawniej?

— Nie, nie twierdzę tego.

— Adasiu, ty chyba chcesz, żebym oszalała!

— Przede wszystkim nie krzycz! W poczekalni są ludzie!

— Och, więc i tutaj nie można być swobodnym! A ja muszę gdzieś krzyczeć! Ja muszę się wreszcie gdzieś wykrzyczeć!

— Tylko proszę, nie tutaj!

— Zdumiewające, ile kultury się nabiera tylko dzięki temu, że się jest wciąż podsłuchiwanym. A więc nie masz zamiaru powiedzieć mi prawdy?

— Czy sądzisz, że prawda cię uspokoi?

— Więc jesteś... jesteś aż tak okrutny?

— Nie ja rozpocząłem tę rozmowę.

— Ale trzcba ją było wreszcie zacząć!

— Nie krzycz! Prosiłem cię, nie krzycz!

— Ach, co ludzie sobie pomyślą, tak? To naprawdę bardzo ważne. Ale co myśli bliski człowiek, co myślę ja, Krzysztof — to nieważne?

— Krzysztof?

— Tak, Krzysztof! Zapomniałeś, że masz dziecko.

— Nie zapomniałem. Ale dziecku... dziecku nie dzieje się chyba żadna krzywda...?

— Ja też tak myślałam — do niedawna. Dopóki Paulina mi nie powiedziała, że on się we wszystkim orientuje.

— Ach, więc toczysz na ten temat rozmowy z Pauliną.

— Dowiedz się, że nie ja z nią, tylko ona ze mną. Powiedziała mi, że odchodzi.

— Odchodzi? Paulina odchodzi?

— Tak. Powiedziała mi, że jeśli się u nas wszystko nie naprawi, ona odejdzie.

– A to dobre! Gosposia będzie mi dyktowała warunki.

– Ty wiesz, że to nie jest zwykła gosposia. Wychowała Krzysztofa... I mnie... mnie także... A teraz... teraz odchodzi, żeby nam pomóc, żeby pomóc Krzysztofowi...

– O czym ty mówisz? Cóż ci ta baba naopowiadała?

– Powiedziała mi wiele mądrych rzeczy. Że dzięki niej Krzysztofowi nie dzieje się żadna krzywda i dlatego my... dlatego ty... nie czujesz wobec niego żadnych obowiązków. Kiedy odejdzie, będziemy musieli... będziesz musiał sobie przypomnieć, że masz dziecko!

– A więc niech odchodzi do diabła! Nie pozwolę się szantażować! Krzysztofa odda się do przedszkola, będzie się wychowywał jak inne dzieci.

– Przecież już od przyszłego roku idzie do szkoły...

– To będzie zostawał w świetlicy, przyjmie się inną gosposię, czy ja wiem co? Co ja sobie będę teraz głowę tym zawracał.

– Więc to jest twoja jedyna odpowiedź?

Danielewicz opuszcza głowę i mówi cicho:

– Teresko, pozwól mi to przeżyć!

– Więc to jest... to jest aż tak silne?

– Nie wiem. Nie wiem... Pozwól, niech się to we mnie przepali, niech się wypali... Może minie, może zgaśnie...

– A ja? Ja? Czy pomyślałeś o mnie?

– Czy pomyślałem o tobie? Przecież ja wciąż o tobie myślę!

Teraz Teresa mówi z naciskiem:

– Nie krzycz! Ludzie słuchają! Wciąż myślisz o mnie? I wtedy kiedy mnie zabijasz każdą godziną oczekiwania, kiedy mnie dławisz każdym słowem, kiedy znęcasz się nade mną tak, jak nikt się dotąd nade mną nie znęcał...?

– Tereso, ale przecież co ja... co ja ci takiego robię...?

– Nie kochasz mnie! Nie kochasz mnie! Nie możesz mnie więcej skrzywdzić.

– Ale ja nie wiem... ja nie wiem, czy ja... cię nie kocham...

– Adasiu! – mówi Teresa miękko, ale Danielewicz tego nie słyszy.

– Pozwól mi to przeżyć! Błagam cię, pozwól mi to przeżyć! Bądź dobra, bądź cierpliwa...

– Och, to teraz ja ci coś powiem – głos Teresy się załamuje. – Nie, nie jestem dobra ani cierpliwa! Nie stać mnie na to. Żebyś wiedział, żebyś wiedział, jak ja cię w tej chwili nienawidzę! Nie będę czekać, to ponad moje siły! Czy ty myślisz, że ja pozwolę, żebyś mnie wpędził do domu wariatów? Że poza tobą nie ma życia? Nie ma życia, myślisz? Ty mi każesz czekać? Zobaczysz, jak ja będę czekać! Daj mi jakieś krople! Walerianowe! Walerianowe czuje się z daleka. Sama sobie naleję! Dziękuję. Czekać! I pies nie lubi czekać, tylko zaczyna wyć! Albo urywa się z łańcucha.

– Tereso!

– Cicho! Ludzie słuchają! To przecież dla ciebie najważniejsze. Zawsze byłeś cały z pozorów. Cała twoja porządność była z pozorów. Zachowaj je! One naprawdę mogą dać wiele szczęścia ludziom takim jak ty.

– Tereso, błagam cię, Tereso!

– Do widzenia! Nie będę ci przeszkadzać w tym... w tym wypalaniu, tak powiedziałeś? Tylko uważaj, byś się nie poparzył!

Teresa trzaska drzwiami, po raz pierwszy nie zwracając uwagi na to, że robi to przy obcych ludziach.

„Mały kwiat” – „Petit fleur”. Ewa cofa taśmę magnetofonu, żeby od początku, jeszcze i jeszcze raz usłyszeć tę melodię.

– Ach, cóż to za tango! – mruczy. – Zapomina się przy nim o wszystkim.

– O czym ty... o czym ty musisz zapomnieć? – pyta Danielewicz cicho.

– Och, każdy ma tam coś do zapomnienia. Mój Boże, przecież trudno się urodzić od początku dla każdego człowieka. Inni zawsze w nas zostają, choćby się głośno zatrzasnęło za nimi drzwi.

– Przecież mówiłaś, że nie było nikogo innego...

– Nie było nikogo takiego jak ty! Pocałuj, zaraz pocałuj! I nie zadawaj głupich pytań! Ach, mężczyźni specjalizują się w pytaniach, na które nie ma odpowiedzi. Wiesz, ona była dzisiaj na stoczni.

– Kto?

– Teresa. Twoja żona. Była u ciebie?

– Nie.

– Myślałam. Spotkałam ją, kiedy szłam do dyrekcji. Przydzielają mnie na nowy dziesięciotysięcznik, wiesz? To będzie moja pierwsza samodzielna praca.

– Winszuję – mówi Danielewicz bez entuzjazmu.

– No i wtedy ją spotkałam.

– Może zwiedzała stocznię... z wycieczką... Wspominała mi od dawna, że mają im w zakładzie pracy urządzić wycieczkę na stocznię... Ach, wyłącz wreszcie ten magnetofon!

– Z wycieczką? – Ewa parska śmiechem. – Owszem, ten młody człowiek, z którym była, mógłby od biedy wystarczyć za całą wycieczkę. Przynajmniej o głowę wyższy od ciebie.

– Ewo!

– Wspa-nia-ły! No, wspaniały! Och, przepraszam! Nie, wcale nie myślę, że jesteś za niski! Dla mnie jesteś w sam raz. W gruncie rzeczy nie cierpię tych dryblasów, do których trzeba wspinać się na palce.

– Nie zdawało ci się przypadkiem?

– Co takiego?

– To... że widziałaś ją?

– Ach, przecież otarłam się o nich! Tak byli sobą zajęci, że nie zwrócili nawet na mnie uwagi.

— Ale może...

— Mój drogi, malarze mają dobre oczy! A poza tym dlaczego właściwie miałabym to zmyślać? Od dawna jestem pewna, że ona ma kogoś.

— Ma kogoś...

— No, wszystko jedno, jak to nazwać. W przeciwnym razie nie znosiłaby tego tak spokojnie.

— A skąd wiesz, jak ona to znosi?

— Ojej, ojej, nie lubię ciebie takim! Zaczynam żałować, że ci to powiedziałam. Ale myślałam, że wiesz.

— Że ja wiem...?

— ...że może nawet dlatego... dlatego uciekasz do mnie...

— Ewo!

— Och, mów! Mów! Krzycz moje imię! Uwielbiam cię wtedy! Wiem. Wiem, że to nie dlatego. Nie mogłabym cię wziąć, gdybyś przyszedł dlatego. Brzydzę się rozpaczą, nienawidzę rozpaczy, której sama nie jestem powodem. A teraz chodź! Chodź! Pokażę ci obraz! Pokażę ci mego człowieka, którego stwarzam dla ciebie. Patrz, jakie ma oczy! Jakby wiele wiedział, a żyje dopiero kilka dni. Jakie ma usta! Jakby przeszły przez nie wszystkie słowa, słowa miłości i nienawiści, słowa wielkiej groźby, a on tylko milczy, milczy, ale za to wie, wie wszystko.

— Co wie, Ewo?

— Zna całą okrutną mądrość świata. Był we wszystkich klęskach i przy wszystkich zwycięstwach. Niósł w dłoniach popiół ze spalonych domów i siał zboże na polach, które miały urodzić chleb. Patrzył na pogodne niebo, ale i nie przymykał oczu, gdy z nieba na ziemię padała śmierć. Bał się wraz ze wszystkimi i razem z nimi walczył. Zna kolor własnej i cudzej krwi, własny i cudzy ból, ale właśnie dlatego potrafi śmiać się i śpiewać, i bardzo wierzyć, że jutro, że jutro będzie dniem nadziei. Mój człowiek ż y j e. Żyje w naszym czasie, w naszej przestrzeni, we wszystkim, co niesiemy, co ukrywamy, czego nienawidzimy w sobie. Mój człowiek będzie zły i dobry. Mój człowiek będzie bardzo współczesny.

XIII

– I co dalej?

– Już nie ma dalej – koniec.

– Taka krótka bajka? Nianiu, jeszcze! Niech niania jeszcze opowiada!

– Co ja ci mam opowiadać? Już mnie głowa boli od tego zmyślania. A przyznaj ty się tatusiowi, że ja ci bajki opowiadam.

– A nie wolno?

– Może i wolno, tylko pan doktór bajek nie lubi. Że się dzieci nimi straszy i potem boją się zostawać same w ciemnym pokoju.

Krzysztof zamyśla się i pyta po chwili:

– Nianiu, może to naprawdę od tych bajek? Bo ja się teraz zawsze boję, jak jestem w nocy sam. Tatusia nie ma i mamy także nie ma...

– Cicho... cicho... Chodź tu do niani. Nie masz się czego bać. Przecież wiesz, że ja jestem niedaleko.

– Daleko. Trzeba przejść przez ciemny korytarz oraz kuchnię.

– I co tutaj masz strasznego? Stołu się boisz? Albo kredensu? Wstydziłbyś się – taki duży chłopiec!

– A jak się będę wstydził, to przestanę się bać?

Paulina tłumi śmiech.

– Na pewno przestaniesz się bać. A jak i to nie pomoże, to mnie zawołaj.

– Pan Antoni się obudzi w swoim pokoju i będzie zły.

– Nie będzie zły. Zawołasz mnie po cichutku, to nie usłyszy.

– A dlaczego pan Antoni tyle śpi? Teraz też śpi.

– Zażył krople i położył się. Zawsze po kroplach musi leżeć.

– Kto powiedział?

– Tatuś powiedział. Zapisał krople i powiedział, że po nich trzeba leżeć. A może tak tylko zmyślił, żeby pan Antoni trochę odpoczął. Bo przecież pan doktór wie, że inaczej pan Antoni pięciu minut spokojnie by nie usiedział.

– Ale teraz już by mógł wstać.

– Proszę! A po cóż to? Bo tobie się przykrzy, tak?

– No pewnie, że mi się przykrzy. Na podwórze niania iść nie pozwala.

– Już się dosyć dzisiaj nabiegałeś.

– Tak, dosyć! A Edek to był dzisiaj cały dzień na plaży. Pojechał z mamą do Brzeźna. Kiedy my pojedziemy do Brzeźna?

– W niedzielę.

– W niedzielę nigdy nie ma pogody.

– A czy to moja wina? Tak na mnie patrzysz, jakbym to ja co niedziela psuła pogodę. Mnie tam nic po tej plaży, tylko się człowiek umęczy, ale zawsze przykro, że tyle ludzi czeka na ten dzień jak na zmiłowanie boskie, a tu masz – w niedzielę deszcz!

– Ktoś dzwoni. Otworzyć?

– Poczekaj! Kto to może być? Najlepiej by było nie otwierać, ale akurat może się zdarzyć, że to coś ważnego. Idź otwórz. Tylko jakby to była Drążkowa, to powiedz, że mnie nie ma, rozumiesz?

– Rozumiem.

A to naprawdę jest Drążkowa. I od razu mówi:

– Dlaczego tak długo nie otwierałeś? Boisz się? Nie masz się czego bać.

– Niani nie ma – szepcze Krzysztof.

– Ja wcale nie do niani. Ja do pana Antoniego. Jest pan Antoni?

– Jest. Ale śpi.

– To musisz go obudzić i powiedzieć, że mam do niego bardzo ważny interes.

– Ale pan Antoni musi spać. Zażył krople i musi spać.

– Kiedy indziej się wyśpi. Powiedz, że przyszła pani Drążkowa i ma ważny interes.

Paulina ukazuje się w przedpokoju.

– Nie ma żadnych ważnych interesów. Pan doktór przepisał panu Antoniemu leżenie i spokój i to jest najważniejsze ze wszystkich interesów.

– A, to panna Paulina jest w domu! Bo Krzysztof powiedział, że pani nie ma.

– Jak potrzeba, to jestem!

– Ładnie to dzieciaka kłamstwa uczyć! Pani doktorowa byłaby bardzo zadowolona, jakby się dowiedziała.

– Już ja wiem najlepiej, co mu się w życiu przyda. A pan Antoni śpi i nie pozwolę go budzić.

– Od kiedy to panna Paulina tak o wszystkim za pana Antoniego decyduje?

– Od dzisiaj! Jak człowiek chory, to mu się należy odpoczynek.

– E, tam, zaraz chory. Skąd od razu chory?

– Pan doktór chyba wie najlepiej. A jak już w ogóle o tym mówimy, że i pani, pani Drążkowa, i pani mąż dobrze wiecie, że miał się po czym rozchorować.

– Właśnie dlatego przyszłam, bo kto to widział, żeby o takie głupstwo tyle hałasu robić.

– O takie głupstwo?

– Oj, panna Paulina to już tak w pana Antoniego patrzy, że nawet myśli to samo co i on. A dla mnie to jest głupstwo i dla każdego normalnego człowieka głupstwo! Tylko pośmiać się można, nic więcej. Wszyscy ludzie dzisiaj kombinują.

– A my nie chcemy takiego kombinowania! I niech mi pani Drążkowa już stąd idzie! Czasu nie mam na takie rozmowy.

– A właśnie że nie pójdę! Nie pójdę, dopóki się nie dowiem, co myślicie zrobić. Żeby człowieka w takiej niepewności trzymać! A mój stary to nie może się z tego wszystkiego rozchorować? On nie ma serca? Pan Antoni to się przynajmniej nie potrzebuje o nikogo kłopotać. Ani żony, ani dzieci. To mu w głowie bajki się lęgną i świat chciałby zbawić. Zawsze mówiłam, że tacy są najgorsi – sami nie zeżrą i drugim nie dadzą.

– Niech już pani stąd idzie, pani Drążkowa!

– Nie pójdę! Nie wyrzuci mnie pani, bo narobię takiego wrzasku, że nie tylko pan Antoni, ale cała kamienica na nogi stanie. Ja muszę bronić swoich dzieciaków, ja z pazurami do oczu skoczę każdemu, kto im zechce zrobić krzywdę!

– A kto pani dzieciom chce zrobić krzywdę? Co za bzdury pani opowiada?

– Kto? Już ja dobrze wiem, do czego tacy ludzie są zdolni! Serce, kropelki, wzdychanie i leżenie, a potem od razu wyzdrowieje i poleci na milicję, żeby donos na człowieka złożyć.

– Pani Drążkowa, mówię pani, niech pani stąd idzie, pókim dobra!

– Nie pójdę! Jakby pani miała dzieci, to by pani to samo robiła na moim miejscu.

– Ja na pani miejscu to bym przede wszystkim nie namawiała męża do złodziejstwa.

– Tylko niech mi pani tu od złodziei nie wymyśla!

– To przecież pani sama najlepiej wie, jak siebie nazwać.

— Policjanci i złodzieje! — przypomina sobie Krzysztof nagle. — Policjanci i złodzieje! Fajna zabawa! Nianiu, ja wyjdę na podwórze!

— Cicho bądź! Masz zostać w domu!

— W domu i w domu!

Drążkowa zmienia ton.

— Panno Paulino! Niech mnie pani posłucha! Ja przecież wiem, że pan Antoni... że pan Antoni zrobi to, co pani zechce... A jak go pani poprosi...

— Ja bym go miała prosić...

— Jak go pani poprosi, to zapomni o wszystkim i będzie tak, jak było. Przecież to kolega.

— Drążek dla pana Antoniego to już teraz żaden kolega.

— Ale przynajmniej sąsiad. Tego nie da się już zmienić — mieszkamy pod jednym dachem i musimy spotykać się na schodach. Jakby, nie daj Boże, pan Antoni nie dał się ubłagać, to czy pani mogłaby mi w oczy spojrzeć, panno Paulino?

— Już o mnie niech się pani nie kłopocze, ja to wytrzymam.

— Nie wytrzyma pani — tak dzień w dzień patrzyć na człowieka, któremu się zrobiło krzywdę.

— Tylko niech mi pani już z tą krzywdą więcej nie wyjeżdża. Krzywda! Dobre sobie!

— Nianiu, ja wyjdę!

— Powiedziałam ci już, że masz siedzieć w domu!

— Po co ja tu mam siedzieć?

— Choć Krzysztof nie pani dziecko, ale też by panią serce zabolało na myśl, że może mu czego brakować. A kiedy ojca dzieciakom nie stanie...

— Jak kto ma dzieci, to powinien przez cały czas o nich myśleć. Nie dopiero wtedy, kiedy nóż na gardle. Taka miłość to do niczego.

– To może pani nie tylko mnie powiedzieć. Ma pani bliżej kogoś, komu by się te pani nauki przydały.

– Ja pani mówię po dobroci, pani Drążkowa, niech pani sobie stąd idzie. Pani dobrze wie, że nic nie wyjdzie z tego gadania.

– Nie poprosi pani pana Antoniego?

– O nic go nie będę prosić. Ma swój rozum. A jakby o mój chodziło, to by pani na pewno z tego proszenia nie była zadowolona.

– Taka pani zawzięta! Niedobrze być tak zawziętym!

– Już ja sama wiem, co dobrze, a co źle. Już mnie pani Drążkowa niczego nie nauczy. A na pana Antoniego niech pani na schodach nie czeka.

– Jeszcze los pani za to zapłaci, panno Paulino.

– A niech płaci, ja od niego niczego za darmo nie chcę.

– Dobranoc!

– Dobranoc. Krzysztof, zamknij drzwi za panią Drążkową, tylko nie trzaskaj.

Krzysztof wraca do kuchni i pyta cicho:

– Dlaczego pani Drążkowa była taka zła? Na nas?

– Myślę, że na siebie. Najgorzej jest właśnie wtedy, kiedy człowiek jest sam na siebie zły, a udaje, że na kogoś innego. Kto to chodzi? Zamknąłeś dobrze drzwi?

– Zamknąłem.

– A, to pan Antoni! Zbudziliśmy pana.

– Nie spałem.

– I słyszał pan wszystko?

– Musiałem słyszeć.

– Chciała koniecznie z panem rozmawiać, ale do tego to już nie dopuściłam.

– Dziękuję, panno Paulino. Dobrze pani zrobiła.

– Czy mogę wziąć pana śrubokręt?

– Weź, tylko uważaj na palce.

– Ona myśli, że teraz proszenie coś pomoże, że ktoś się będzie nad złodziejami litował. Dlaczego pan nic nie mówi, panie Antoni!

– Słucham, jak woda w czajniku piszczy. Pani wie, że ja to lubię.

– Ona myśli, że jak będzie teraz bez przerwy o dzieciakach gadać, to człowieka wzruszy. A ja się jej zapytałam, dlaczego ona przedtem o dzieciakach nie pomyślała, kiedy namawiała Drążka do kradzieży. Dlaczego ona wtedy o nich nie pomyślała, tylko wszystkiego jej było mało, i tego co na stoczni zarobił, i co z popołudniówki prywatnie miał. Najgorsze to takie baby nienasycone! Te ślipska to im tylko latają – wszystko by chciały mieć! A ty, mężu, kradnij, żeby babie nastarczyć. A potem dzieci! Niech ludzie litują się nad dziećmi! Dlaczego pan nic nie mówi, panie Antoni?

– Przecież słucham.

– Dlatego tyle złodziejstwa na świecie, że się chłopy z takimi babami żenią. Porządne to sobie nikogo nie mogą znaleźć, a takie coś od razu amatora znajdzie. Ją! Ją bym zamknęła, a nie jego. Dlaczego pan nic nie mówi?

– A co mam mówić? Co tu jest do gadania?

– Jezus Maria! Ja już widzę, że pan im to wszystko daruje!

Pan Antoni chrząka i jakoś dziwnie nie patrzy w oczy.

– O darowaniu nie ma mowy. Ale przecież... przecież może być większa kara niż więzienie...

– O czym pan mówi, panie Antoni?

– Taka, która bardziej zaboli, której się trzeba będzie więcej wstydzić niż więzienia, choć dzieci nie będą głodne i żonie niczego nie zabraknie.

– Panie Antoni, ja się boję, że pan coś takiego wymyśli...

– Jest tylko jedno wyjście, panno Paulino. Jedno wyjście dla mnie – inni na pewno załatwiliby to inaczej. Ale ja... No, cóż, człowiek się w innej skórze nie zmieści.

– Krzysztof? Co ty robisz? Boże święty, stół zupełnie podziurawił!

– A co mam robić? Na podwórze wyjść nie mogę.

– To stół masz dziurawić? Poczekaj, powiem mamie!

– Mama i tak wróci, jak będę spał.

– Krzysztof ja ci mówię, ty nie podskakuj! Nie podskakuj, bo nastąpisz Panu Bogu na odciski!

– I po co to pani dzieciakowi mówi, panno Paulino? Dorosłym trzeba mówić! Im trzeba to powtarzać rano i wieczorem. A dzieciak? Co on wie? Kogo on może skrzywdzić swoim podskakiwaniem? Najwyżej muchę.

– Pan Antoni puści mi tego bąka na sprężynie!

– Przecież zepsuty.

– No, właśnie! Trzeba naprawić!

– Ach, to o to ci chodzi? Ty, spryciarzu! No, przynieś, przynieś, naprawię! Co taki dzieciak wie? Tylko cierpi przez dorosłych. Czy oni kradną, czy tam mają jakie inne winy na swoim sumieniu – na jedno wychodzi. Więc kiedy człowiek ma okazję ulitować się nad takim drobiazgiem, to powinien... powinien to zrobić, panno Paulino...

– A czy ja mówię, że nie, czy ja mówię, że nie, panie Antoni.

– No, widzi pani. I tak mi jest przyjemnie, że panna Paulina tak samo myśli jak i ja. Od razu mi jakoś weselej, bo wiem, że pani mnie zawsze zrozumie... Cokolwiek bym zrobił, pani mnie zawsze zrozumie.

– Ja pana zawsze... zawsze, panie Antoni. Ale co... co pan chce zrobić... na litość boską, co pan chce zrobić?

– To, co muszę zrobić, żeby ratować swój honor i nie mieć już wreszcie z tym do czynienia. Pani mnie zrozumie, panno Paulino, prawda? Pani mnie zrozumie?

– Kiedy ja nie wiem o czym... o czym pan Antoni... Boję się, ja się boję...

– Nie trzeba się niczego bać. Żeby tylko człowiek mógł ludziom w oczy spojrzeć – to najważniejsze. Telefon? Czy mi się zdaje?

– Telefon. To pewnie Tereska dzwoni. Jej się zdaje, że jak do domu zadzwoni, to już rozgrzeszenie dostała. Boże, Boże, co to się porobiło z naszym domem! – Paulina podchodzi do telefonu i gwałtownie podnosi słuchawkę.

– Niania?

– A kto? Kto w tym domu stale siedzi? I po co ty dzwonisz? Już ci tyle razy mówiłam, że masz nie dzwonić. Jak cię w domu nie ma, to się i bez twoich telefonów obejdzie.

– Kiedy ja wcale do niani nie dzwonię.

– A do kogo?

– Do Krzysztofa.

– Proszę! Przypomniałaś sobie!

– Ja poproszę Krzysztofa.

– Tylko dzieciakowi w głowie nie mąć. Już i tak ma dosyć.

– Proszę, żeby niania zawołała Krzysztofa!

– No, dobrze, dobrze, jak sobie pani doktorowa życzy. Tylko dzieciak ma zaraz iść spać, więc proszę, żeby mu w głowie nie mącić.

– Przecież ja mu właśnie chcę powiedzieć dobranoc.

– Co takiego?

– Dobranoc. Chcę mu powiedzieć dobranoc.

– No, dobrze, zaraz go zawołam. Krzysztof! Telefon.

– Do mnie? – dziwi się Krzysztof.

– Do ciebie.

– To pewnie Zenek. Jego ciotka ma telefon!

– Nie, to mamusia.

Krzysztof staje i nie rusza się z miejsca.

– Czy coś się stało?

– Nic się nie stało. Mamusia chce z tobą porozmawiać. Weź słuchawkę i powiedz: tu Krzysztof?

– Przecież wiem, co niania! Tu Krzysztof!

– Dobry wieczór! Jak się masz? No, co u ciebie słychać?

Po długiej chwili Krzysztof szepcze:

– Nic.

– Jak to nic? Kolację zjadłeś?

– Zjadłem.

– Wszystko?

– Wszystko.

– No to teraz idź grzecznie spać.

– Jeszcze nie.

– Dlaczego jeszcze nie?

– Bo pan Antoni ma mi naprawić tego bąka, co się zepsuł. Wiesz, tego, co dostałem na gwiazdkę – sprężyna w nim pękła. To ja już muszę iść do pana Antoniego...

– Jak to? Nie chcesz z mamusią porozmawiać?

– Chcę, ale dlaczego ty nie jesteś tutaj?

– Widocznie nie mogę być, jestem zajęta.

– Zawsze teraz jesteś zajęta. Skąd dzwonisz?

– Z biura.

– Masz dyżur?

– Tak, mam dyżur!

– Dlaczego tak krzyczysz?

– Myślałam, że nie rozumiesz.

– Ja wszystko rozumiem.

– Co powiedziałeś?

– Że ja wszystko rozumiem. Ale ja już teraz naprawdę muszę iść do pana Antoniego...

– Tak ci spieszno! A ja ci chciałam powiedzieć dobranoc.

– Dobranoc – rzuca Krzysztof skwapliwie.

– Poczekaj, powiedz niani, żeby zamknęła okno w twoim pokoju, bo zbiera się na burzę.

– Ja się nie boję burzy. A jakbym się w ogóle w nocy bał, to niania powiedziała, że mogę ją zawołać.

– To ty się boisz w nocy? Krzysztof? Boisz się?

– Tak trochę.

– Mamusia zaraz do ciebie jedzie! Zaraz!

– Ale ja jeszcze popatrzę, jak pan Antoni naprawia bąka.

– Idź spać! I nie bój się niczego! Mamusia już jedzie! Mamusia będzie przy tobie!

– Dobrze – mruczy Krzysztof. – Ale ja już teraz naprawdę muszę do pana Antoniego...

Teresa wciąż trzyma słuchawkę i krzyczy:

– Krzysztof! Krzysztof? Słyszysz mnie? Krzysztof! – a gdy głos Krzysztofa się nie odzywa, woła w głąb mieszkania:

– Marcin! Marcin!

Marcin zjawia się natychmiast.

– Wołałaś mnie?

– Tak. Posłuchaj, Marcin. Nie rób już kolacji. Ja dzisiaj nie mogę zostać. Ja muszę zaraz wracać do domu.

– Czy coś się stało?

– Nie, nic. Obiecuję ci, że jutro zostanę. Jutro, pojutrze, kiedy zechcesz. Ale dzisiaj, dzisiaj muszę być w domu.

– Dobrze, odwiozę cię do Gdańska.

– Nie gniewaj się na mnie, przepraszam! Myślisz pewnie, że straszna histeryczka ze mnie.

– Zupełnie nic nie myślę. Powiedziałem ci przecież, że wszystko będzie tak, jak zechcesz.

– Ale ja nie wiem, czy ja tego chcę. Och, ja tylko muszę! Muszę być tam dzisiejszej nocy.

– Nie możesz mi powiedzieć?

– On ma dopiero sześć lat – mówi Teresa cicho. – I boi się sam w nocy w pustym pokoju. Powiedział mi to przez telefon. Nie słyszałeś, że rozmawiałam?

– Słyszałem.

– Wszystko?

– Prawie.

– Dlaczego więc udajesz, że nie wiesz, o co chodzi?

– Czekałem, aż mi sama powiesz.

– No, więc powiedziałam ci. Teraz już wiesz... Bardzo... bardzo bym nie chciała zrobić mu krzywdy...

– Ani ja. Czy nie możesz sobie wyobrazić, że mógłby mnie pokochać?

– Marcin!

– Będę się bardzo starał, żeby mógł mnie pokochać. Mam talent zjednywania sobie zwierząt, dzieci, staruszków. To o wiele trudniejsze niż normalne stosunki z ludźmi. Tu wychodzi od razu na jaw każde kłamstwo, każdy fałsz, choćby się chciało go przemycić w jak najlepszej intencji. Będę się bardzo starał, żeby on mógł mnie pokochać. Przyprowadź go tutaj.

– Dziękuję ci.

– Ach, zobaczysz, jakimi potrafimy być kolegami! Właściwie zacząłem już odczuwać brak męskiego towarzystwa! W niedzielę idziemy na plażę. Nauczę go pływać. A może już go ktoś nauczył?

– Nikt go nie nauczył.

– To dobrze. Będzie miał coś ode mnie. Chłopcy bardzo sobie cenią takie rzeczy. Potem nauczę go grać w piłkę, jeździć na nartach, uprawiać boks i... i oglądać się za dziewczynkami.

– Ani się waż!

– Mama będzie nas pilnować. Nas obydwu. Biedna mama... Nie wiem, jak sobie da radę z takimi dwoma dryblasami.

– Cicho, Marcin, cicho... Przestań!

– Dlaczego mam przestać? Nie podoba ci się to, co mówię?

– Bardzo mi się podoba! Bardzo! I dlatego przestań! Nie wolno nic takiego mówić. Nie wolno o tym myśleć.

– A właśnie że będziemy mówić. Od dzisiaj będziemy mówić. Musisz się do tego przyzwyczaić. Nie wiem, co tam jeszcze ukrywasz przede mną i przy odrobinie ciekawości mógłbym się łatwo dowiedzieć, ale mnie o wiele bardziej interesuje twoja przyszłość, niż przeszłość. Wciąż się bronisz przede mną, a to niedobrze. To mężczyznę zachęca do walki.

– Marcin, ja muszę iść.

– W porządku. Nie chcesz teraz o tym rozmawiać – dobrze, ale to cię nie minie. Poczekaj, muszę się ubrać. Nie wiedziałem, że ty się tak szybko zbierzesz. Powiedz mi, czy on lubi zabawki?

– Bardzo.

– Mam tu coś dla niego. Spójrz tylko!

– Co tam chowasz w szafie?

– Zobacz!

– Samochód!

– I to jaki samochód! Jedzie jak prawdziwy, a poza tym można go rozebrać na drobne kawałki. To w chłopcach rozładowuje manię ciekawości, która doprowadza do psucia zabawek. Mój samochód daje się rozebrać i złożyć, i trzeba nie lada majstra, żeby go potrafił zepsuć.

– Ale skąd, skąd ty go masz?

– Ach, to cała historia! W Marsylii koledzy kupowali kiedyś zabawki. Poszedłem z nimi, bo co miałem robić – nie załatwiałem żadnych zakupów dla siebie. I kiedy tak łazili od sklepu do sklepu i przewracali w tych dziecinnych cudach, żal mi się zrobiło, że nie mam dla kogo kupować i ani się spostrzegłem, jak zostałem właścicielem tej limuzyny. Na statku obnosiłem się dumnie ze swoim sprawunkiem, a po powrocie do Gdyni od razu zgłosiłem go do oclenia, choć celnik spojrzał na mnie jak na wariata. Potem zaczął podejrzewać jakiś podstęp, rozkręcił samochodzik na drobne kawałki i był szczerze rozczarowany, gdy nic nie znalazł. W domu bawiłem się nim trochę. Usiłowałem wyobrazić sobie, że nie bawię się nim sam. Miałem zamiar w końcu zanieść go do jakiegoś domu dziecka, ale zanim to zrobiłem, trzeba było wracać już na statek. I tak został. Sprzątaczka wsadziła go wreszcie do szafy w oczekiwaniu na moje nierychłe ojcostwo. No i proszę! Kto by się spodziewał, że tak to szybko nastąpi.

— Marcin, Marcin, cóż ty wygadujesz!

— Powinnaś się cieszyć, że bez większego zamieszania obdarzyłaś mnie synem. Ach, zobaczysz, że on mnie pokocha! Zobaczysz!

— Chodźmy już, Marcin!

— Poczekaj, muszę zapakować samochód. Jak myślisz, ucieszy się?

— O, na pewno! Krzysztof będzie już teraz zupełnie zmotoryzowany. Ma łodzie podwodne, samolot i kolejkę elektryczną.

— Proszę! Nawet kolejkę. Ktoś go rozpieszcza!

— Ja! Ja go rozpieszczam. Nikt inny.

— Z tego wszystkiego widzę, że mój samochód nie zrobi na nim większego wrażenia.

— On zawsze się cieszy każdą nową zabawką.

— Powiedziałaś to bardzo uprzejmie. Czy on odziedziczył po tobie zdolności stylistyczne?

— Przecież nie umie jeszcze pisać.

— Nie o pisanie chodzi. Myślę o twojej znakomitej stylistyce w wyrażaniu uczuć. Świetnie ją opanowałaś. Ale ja, jak wiesz, jestem wytrawnym czytelnikiem.

— O czym ty mówisz, Marcin?

— Wreszcie jesteś czegoś ciekawa. Mówię, że będę się musiał jeszcze dobrze napracować, zanim cię do końca rozgryzę. Chciałbym, żebyś powiedziała kiedyś o mnie tak, jak o Krzysztofie.

– Co? Co takiego powiedziałam?

– Że bardzo... bardzo nie chciałabyś mnie skrzywdzić...

– Marcin!

– Cicho! Teraz już cicho! Idziemy! Samochód zapakowany i możemy już iść. On boi się, kiedy jest sam w nocy. Wszyscy chłopcy boją się sami w nocy. Ale tym małym trzeba ustąpić.

XIV

– Paulino! Śniadanie! Paulino!

– Myślałam, że pan doktór jeszcze śpi.

– Właśnie się obudziłem i jestem głodny jak wilk. Co tam Paulina ma dobrego?

– Są jajka, biały ser, rzodkiew, od wczoraj zostało trochę pieczonej cielęciny.

– Dawać, wszystko dawać! Krzysztof też zje razem ze mną!

– Krzysztof jadł już płatki.

– Ale jeszcze zjem! Z tatusiem zjem!

– No, widzi Paulina. Proszę śniadanie na dwóch mężczyzn.

– Tatuś dzisiaj nie idzie do pracy?

– Nie, tatuś miał w nocy dyżur w szpitalu. Wiesz, że zawsze po dyżurze ma przedpołudnie wolne.

– I zostanie tatuś ze mną? – pyta Krzysztof nieufnie.

– Oczywiście, że zostanę z tobą.

– Przez cały czas?

– Przez cały czas.

– To może... może poszlibyśmy na plażę?

– Jeśli się rozchmurzy i będzie słońce, pójdziemy na plażę.

– Hurra! Hurra! Nianiu! Idziemy na plażę!

– Nie zawracaj głowy, a kto obiad będzie gotował?

– Ale nie z nianią, z tatusiem! Z tatusiem idziemy na plażę!

– Ach, z tatusiem! A to co w lesie zdechnie – mruczy do siebie Paulina. – Pan doktór na plażę, proszę, proszę...

– No, trzeba się wybrać. Lato się niedługo skończy, a na palcach można policzyć, ile razy byliśmy na plaży. Tylko żeby się rozpogodziło.

– Rozpogodzi się, na pewno się rozpogodzi. U nas zawsze tak, z rana chmury, a potem słońce. Albo na odwrót.

– Zwłaszcza na odwrót, moja Paulino, zwłaszcza na odwrót.

– Oj, z tą pogodą to naprawdę! Krzysztof! Jajko zjesz?

– Zjem. Dwa!

– O, jak pan doktór jest w domu, to on od razu inaczej je. A co do picia?

– Mleko.

– Mleko? A od kiedy ty chcesz pić mleko?

– Dzisiaj wypiję.

– No, no. Pan doktór zawsze powinien z nim jeść, to by dzieciak inaczej wyglądał.

– Moja nianiu, trudno żebym z tego powodu miał cały dzień siedzieć w domu. Pracować też trzeba.

– Aha, pracować.

– Co tam niania mówi?

– Mówię, że ta cielęcina od wczoraj się przydała. Taka apetyczna z lodówki! A sos to aż na galaretę zastygł.

– Ja zjem galaretę!

– Masz! Ja tylko chcę zobaczyć, że ty to wszystko naprawdę pozjadasz. Bo wiesz – oczy by jadły, a buzia nie chce.

– Buzia chce! Wszystko dzisiaj zjem, niania zobaczy! Piłkę weźmiemy na plażę?

– Oczywiście.

– I składany leżak?

– I leżak także.

– I będzie mnie tatuś uczył pływać?

– Ma się rozumieć, że tak.

– No to dzisiaj... dzisiaj jest święto!

– Co takiego?

– Dzisiaj jest święto.

– Święto będzie dopiero wtedy, jak się rozpogodzi.

– Na pewno się rozpogodzi!

– Nianiu, a gdzie są moje spodenki kąpielowe?

– Wszystko będziesz miał. Tylko jedz, jeszcze masz jedno jajko.

– Ja zaraz zjem, zobaczy niania, że zjem. I czepek muszę mieć także.

– Dobrze, dam ci czepek.

– I olejek!

– A dla mnie niech niania wyszuka ten duży plecak. Bo przecież ja to wszystko będę musiał dźwigać.

– Wcale nie, wcale nie, ja poniosę! Tatuś też musi mieć dzisiaj święto!

Ojciec jest trochę wzruszony.

– Ach, to będziemy tak sobie nawzajem święta urządzać.

– A co do jedzenia zapakować?

– Dużo! Wszystkiego dużo!

– Nie, ten dzieciak dzisiaj oszalał!

– Oszalałem! Oszalałem! – podśpiewuje Krzysztof.

– Cicho, Krzysztof! Myślę, że mogłaby niania dać nam trochę owoców.

– Są morele i jabłka.

– Świetnie – i kilka pomidorów. I chyba ze dwie bułki dla Krzysztofa.

– Wszystko zjem!

– Na razie wciąż jeszcze widzę całe jajko.

– Ojej, co niania, zaraz zjem.

– To ja tymczasem się ogolę. Jest ciepła woda?

– Pewnie że jest, dlaczego ma nie być?

– Niech mi niania da do łazienki.

– Ja się będę z tatusiem golił.

– Słyszał pan doktór coś takiego? On się będzie z tatusiem golił!

– No, będę w łazience...

– Skończ najpierw śniadanie.

– Przecież już skończyłem – mówi Krzysztof z pełnymi ustami.

– Nie przeszkadzaj tatusiowi, bo się zatnie. Chodź lepiej do kuchni; zobaczysz, jak pakuję torbę na plażę.

– Ja wolę zostać z tatusiem.

– Boże drogi, jeszcze się nacieszysz tym tatusiem. Nie może się z panem doktorem rozstać.

– Niech mu niania pozwoli tu siedzieć.

– Ja będę zupełnie cicho.

– Nie musisz być cicho. Możemy sobie porozmawiać.

– O czym?

– O czym zechcesz.

– Kolejka znowu się zepsuła.

– Co się stało?

– Nie wiem. Nie jeździ.

– Pokazywałeś panu Antoniemu?

– Nie.

– Dlaczego?

– Bo pan Antoni mi wszystko naprawia...

– No to co z tego?

– A ja chcę... ja chcę... żeby tatuś...

– Ach, to o to chodzi! Dobrze, naprawię.

– Ja zaraz przyniosę.

– Tu? Do łazienki? Poczekaj, aż się ogolę. Co to? Telefon?

– Telefon.

– Idź, odbierz.

– Dobrze – Krzysztof biegnie do telefonu. – Jest! Dobrze, zaraz poproszę. Jakaś pani – obwieszcza po powrocie do łazienki.

– Do mnie?

– Do tatusia.

– Nawet się ogolić człowiekowi nie dadzą. A jakbym spał? Czy ja nie mam prawa spać po dyżurze? Słucham. Tu Danielewicz.

– Dzień dobry! Cóż tak oficjalnie?

– Ach, Ewa! Nie spodziewałem się, że zadzwonisz.

– Widzisz, nawet nie przeczuwasz, że o tobie myślę.

– Wiem, że rano jesteś bardzo zajęta.

– A właśnie że nie. Dzisiaj trafiła mi się gratka. Wiesz, skąd dzwonię?

– Skąd?

– Z „Marysieńki". Okazało się, że te obicia do mebli, które nam przysłano na statek, są do niczego i musiałam wybrać się na miasto, żeby poszukać czegoś lepszego. Czy nie uważasz, że to się świetnie składa?

– Co... co się świetnie składa?

– To, że ty jesteś akurat po dyżurze i masz wolne. Pomożesz mi, prawda?

– W czym mam... w czym mam ci pomóc?

– Jak to w czym? W szukaniu obić. Będziemy łazić od sklepu do sklepu i wybierać. Zupełnie jakbyśmy urządzali własne mieszkanie. Cieszysz się?

Danielewicz odwraca się, żeby Krzysztof nie widział jego twarzy.

– Tak, oczywiście.

– Wiesz, mam już nawet upatrzony jeden ryps – bardzo nowoczesny wzór. Tylko ciekawa jestem, co ty na to powiesz.

— Ja się zupełnie nie znam na tych rzeczach.

— Co ty opowiadasz? Masz świetny gust! A co najważniejsze, przynajmniej ja tak uważam. Przecież gdyby nie ty, nigdy bym nie namalowała mego obrazu. Aha, musimy się postarać o jakąś skrzynię, żeby go wreszcie wysłać, bo termin konkursu minie i cała praca na nic.

— Nie kłopocz się, ja ci to załatwię.

— Dziękuję. No więc czekam na ciebie. Jesteś już ubrany?

— Tak, nie, to jest...

— Ach, ty śpiochu! Widzę, że się komuś dobrze powodzi. Więc za ile minut możesz tu być?

— Ewo, ja... chciałem ci właśnie powiedzieć...

Przez chwilę cisza w słuchawce, a potem:

— Ona jest w domu? Odpowiedz!

— Nie, nie o to chodzi.

— Odpowiedz krótko: tak czy nie?

— Nie.

— No więc co? Kto cię zatrzymuje? Dlaczego nie możesz wyjść?

— Widzisz ja... ja miałem... ja miałem pójść... ach, później ci powiem...

— Dobrze, powiesz mi, jak przyjdziesz. No więc ja tu czekam w „Marysieńce". Za ile możesz być?

— Ewo!

— Co się stało?

— Nic się nie stało. Muszę ci coś wytłumaczyć.

— No, dobrze, wytłumaczysz mi. Za ile możesz być?

— Za piętnaście... za dwadzieścia minut.

— Wobec tego wypiję jeszcze jedną kawę. Całuję cię w nos. Do widzenia.

— Do widzenia.

Danielewicz odkłada słuchawkę i mówi cicho:

— Posłuchaj, Krzysztof!

– No, torba zapakowana! – woła Paulina wchodząc.
– Właśnie się wypogodziło. Czy coś jeszcze przygotować?

– Na razie dziękuję. Posłuchaj, Krzysztof... – powtarza Danielewicz i nagle wybucha: – No, dlaczego tak na mnie patrzysz? Dlaczego tak na mnie patrzysz?

– Ja wcale na tatusia nie patrzę.

– Jak to nie patrzysz? Przecież widzę! Tylko nie próbuj płakać.

– Ja wcale nie będę płakał.

– Więc co się takiego stało? Wyjdę na chwilę i wrócę. Jeszcze nie wiadomo, jak jest naprawdę z tą pogodą. Znowu się chmurzy.

– Ale gdzie tam się chmurzy – niebo jak brylant – wtrąca Paulina.

– Jaki znów brylant? Co za porównanie? A nie mogłaby Paulina pójść z nim raz na plażę?

– Ja? W imię Ojca i Syna! A obiad? A sprzątanie?

– Obiad i sprzątanie nie uciekną. Tak prawdę powiedziawszy, to kto tego obiadu pragnie na taki upał?

– O, teraz panu doktorowi upał, a przedtem to pan doktór mówił, że się chmurzy...

– Moja Paulino, tylko proszę nie łapać mnie za słowa.

– Ja tylko mówię, jak jest.

– A ja powtarzam, że Paulina powinna pójść z Krzysztofem na plażę.

Krzysztof spuszcza głowę.

– Ja wcale nie chcę iść na plażę.

– Cóż to znowu za grymasy? Pójdziesz z nianią, umówimy się, w którym będziecie miejscu, i ja tam po was przyjadę.

– Nie. Nie chcę!

– Co to znaczy? Jak ty mówisz?

– Nie chcę! Nie pójdę na plażę!

— Zobaczymy, czy nie pójdziesz. Ja ci te dąsy zaraz z głowy wybiję!

— Niech mu pan doktór niczego nie wybija, bo ja także na plażę nie pójdę. Nie mogę.

— Dlaczego Paulina nie może?

— Nie mogę, mam coś do załatwienia. I właśnie chciałam prosić, żeby się pan doktór Krzysztofem zajął, bo ja będę musiała wyjść.

— Przecież słyszy Paulina, że ja także wychodzę.

— Ano słyszę i dlatego właśnie mówię, żeby pan doktór wziął dziecko ze sobą.

— Jak ja mogę brać dziecko ze sobą? Co Paulina?

— A dlaczegóż to nie? Czy ojcowie z dziećmi nie chodzą? Wstyd czy co?

— Tylko niech Paulina mi nauk nie daje. Proszę o czystą koszulę.

— Jest w szafie. Niech pan doktór sobie weźmie. A Krzysztofa będę musiała na podwórzu zostawić. Tylko że pan doktór zawsze się boi, żeby na ulicę pod samochód nie wyleciał.

— Moja Paulino!

— Tylko niech pan doktór nie krzyczy! Tu nie ma czego krzyczeć. Ani na kogo! Ja także mam prawo raz wyjść, jak mi tak wypadnie. Wychodnego nawet w niedzielę nie biorę.

— To niech już Paulina z panią ustala.

— Z panią! A bo ja panią teraz widuję? Tyle co rano śniadanie podam. Pan dobrze wie, jak to teraz w naszym domu jest. I dlaczego.

— Niech tylko Paulina nie zaczyna teraz ze mną dyskusji.

— Ja niczego z panem doktorem nie zaczynam. To pan doktór sam zaczął. To – i wszystko inne. Źle nam było dotąd w naszym domu? Aż przyjemnie było rano wstawać. A teraz? Tfu! Czort się jakiś przypętał.

— Moja Paulino, ja wypraszam sobie...

– Nie ma pan doktór co sobie wypraszać. To ja sobie wypraszam. I tylko tyle mówię, że Krzysztofa zostawię dziś na ulicy. I w ogóle odejdę, jeśli się w naszym domu wszystko nie naprawi. Żeby pan i pani przypomnieli sobie, że mają dziecko. Bo jak długo ja tu jestem, dzieciakowi nie dzieje się żadna krzywda. A widać trzeba, żeby się działa krzywda, bo inaczej pan nie oprzytomnieje.

– Nie, no tego dłużej słuchać nie można! – woła Danielewicz już w przedpokoju.

– Oczywiście, pan doktór marynareczkę i już go nie ma. Tak najlepiej – co z oczu, to i z myśli. Ech, Boże drogi, co za świat! A to co znowu? Krzysztof? Płakać? I o co tu płakać?

– Ja wcale... wcale nie płaczę...

– Ach, oczywiście, wcale nie płaczesz, ale chodź tu, chodź do niani! Czy ty myślisz, że ja ciebie naprawdę zostawię? A gdzież ja bym serce miała? Gdzie ja bym serce miała, żeby ciebie zostawić? Tak tylko powiedziałam – naumyślnie. Pójdziesz ze mną! Najpierw ugotujemy obiadek, a później pójdziesz ze mną.

– Dokąd?

– Na bramkę do stoczni. Po pana Antoniego.

Krzysztof się rozpogadza.

– Znowu ma imieniny?

– Nie, nie ma imienin. Imieniny ma się raz do roku. Ale musimy po niego iść. Tak mi moje serce mówi, że musimy po niego iść.

– No cóż, panie Wantuła... Jeśli tak postanowiliście, nie będę was odwodził od waszego postanowienia. Od kiedy chcecie odejść?

– Od zaraz. Od zaraz, panie Zieliński.

– Od zaraz to chyba niemożliwe. Ostatecznie obowiązują was terminy takie jak wszystkich.

– Dlatego przyszedłem do was, żebyście się wstawili za mną w dyrekcji.

– Ale cóż ja mogę? Nie widzę powodu do robienia wyjątków. Musi upłynąć normalny okres wypowiedzenia.

Wantuła podrywa się z krzesła.

– Ale ja nie mogę, rozumiecie? Nie mogę już tu pracować! Ani dnia, ani godziny dłużej!

– Uspokójcie się, Wantuła. Co się z wami dzieje?

– Nic się ze mną nie dzieje, ale nie mogę, nie mogę tu zostać... Nie mam siły... nie mam siły patrzyć... na pewnych ludzi... rozmawiać z nimi... ja... ja nie potrafię. Jeszcze stanie się jakieś nieszczęście...

– Tylko nie róbcie z siebie histeryczki. Chcecie odejść – w porządku. Nikt was nie będzie zatrzymywał. Ale nie wprowadzajcie już więcej zamieszania. Ostatecznie ktoś musi wejść na wasze miejsce. Nie wiem, czy inżynier od razu kogoś znajdzie. Kogo mógłby tam dać... Bo ja wiem, może Drążka? Ale to już jego rzecz.

– Drą... Drążka?

– To przecież człowiek z waszej brygady?

– Z mojej.

– Chyba coś umie? Dobry fachowiec?

– Tak.

– No widzicie! To dobry pomysł z tym Drążkiem. Będę go musiał podsunąć inżynierowi. No, być może, że wobec tego uda mi się załatwić, żeby was wcześniej zwolnili, od zaraz. Jeśli Drążek wskoczy na wasze miejsce.

– Ale dlaczego... Drążek?

– A kto inny? Sami mówicie, że dobry fachowiec.

– Ale są inni.

– Kto?

– Strzelecki... Koźlarski...

– Wacek? Wacek za młody. A zresztą to już nie nasza

sprawa. No, dobrze. To byłoby wszystko, tak? A więc powodzenia na nowej drodze życia, panie Wantuła. Nie zapominajcie o stoczni.

– Nie zapomnę. Nie zapomnę...

– Zdajcie wszystkie narzędzia. I kombinezon. No i przepustkę. Chyba że musielibyście jeszcze te dwa tygodnie przepracować, to wtedy dam wam znać przed końcem pracy. Ale myślę, że się da zrobić, żebyście mogli zaraz odejść. Z tym Drążkiem to niezły pomysł! Do widzenia! – I gdy Wantuła nie odchodzi i stoi czegoś przy drzwiach ze spuszczoną głową: – Macie jeszcze coś do mnie?

– Nie... to jest... może...

– Co takiego?

– Nie, nic. Do widzenia!

Dobrze podpowiadało Paulinie serce – trzeba było wyjść na bramkę po pana Antoniego. Bo panu Antoniemu przydarzyło się nieszczęście, wielkie nieszczęście – to widać od razu po jego wyglądzie – i powinien ktoś teraz być przy nim.

– Panie Antoni! Panie Antoni!

Wantuła podnosi głowę, przystaje i uśmiecha się trochę smutno, ale jednak się uśmiecha.

– Panna Paulina? I Krzysztof? Cóż to? Czyżbym ja miał dzisiaj znowu imieniny?

– To samo, to samo Krzysztof powiedział! A my dzisiaj tak sobie... Mieliśmy trochę czasu... to pod bramkę... Myśleliśmy, że pan Antoni się ucieszy...

Pan Antoni jest naprawdę wzruszony.

– Panno Paulino, przecież pani wie, że ja zawsze..., że ja zawsze chętnie panią widzę, a jeszcze dziś... dziś to już doprawdy nie wiem, jak dziękować...

– No, widzisz, Krzysztof, jak to dobrze, żeśmy przyszli. Czy to nie lepiej niż na plażę?

204

– Ja wcale nie chciałem iść na plażę. Co tam plaża!

– Masz rację – potwierdza pan Antoni. – Co tam plaża! Na plaży na przykład ciastek nie ma ani wody z sokiem. Tej z syfonu, wiesz, co tak lubisz.

– Przed obiadem ciastka i woda? – niepokoi się Paulina.

– A jak inaczej uczcić takie święto, że panna Paulina i Krzysztof po mnie na bramkę przyszli.

– Tylko ja już nie chcę żadnego święta – odzywa się Krzysztof.

– A to co znowu?

– Bo to mu tam coś przypomina, nie ma o czym mówić, panie Antoni... Pan poważnie o tych ciastkach?

– Jak najpoważniej! Od rana myślałem, co ja zrobię ze sobą, kiedy wyjdę ze stoczni...

– Myślał pan tak...

– Ot, tak się myśli jakieś głupie przyplątały. A tu masz, jaka niespodzianka! No, Krzysztof, dokąd idziemy?

– Gdzie najbliżej.

– Tak ci śpieszno! Najbliżej jest do tej małej cukierni w „Orbisie".

– Oj, tam mają mazowsze – takie czarne ciastka z białym kremem w środku.

– Wobec tego idziemy na mazowsze. Krzysztof prowadzi! Trafisz?

– Pewnie, że trafię. Przecież byłem tam już kiedyś z tatu... No, byłem tu już kiedyś... – Krzysztof urywa i wysuwa się naprzód przed Paulinę i pana Antoniego.

– A więc, panno Paulino – zaczyna Wantuła cicho – pożegnałem się dziś ze stocznią.

– Jezus Maria! Byłam tego pewna! Byłam pewna, że coś się stanie. Jak pan rano śniadania nie zjadł, a potem... potem nie śpiewał na schodach, od razu byłam pewna, że coś się stanie.

– Musiało się stać, panno Paulino. Nie mogłem inaczej.

– Ale żeby aż odejść? Odejść ze stoczni?

– Muszę pani powiedzieć, że mnie za bardzo nie zatrzymywali. Piętnaście lat i ani jednego dobrego słowa!

– I czy to nie lepiej było powiedzieć prawdę o Drążku? Panie Antoni, przecież teraz dopiero wygląda, że pan wszystko na siebie bierze. I po co pan go kryje? Ja bym kryła takiego łobuza!

– Bo ja sobie wszędzie dam radę. Co mi tam – robotę inną dostanę i ani się obejrzę, jak zapomnę... jak zapomnę, że kiedyś pracowałem na stoczni... A Drążek co innego – żonaty, dzieciaty, co ja go tam będę brał na swoje sumienie.

– A ja takiego sumienia delikatnego nie mam. On sobie będzie spokojnie spał, a pan...

– Och, panno Paulino, pani jeszcze nie wie najgorszego. On pewnie po mnie majstrem zostanie.

– Kto?

– No, Drążek.

– Nie, to już świat się kończy! Drążek majstrem po panu!

– A kogo mają zrobić? On najstarszy i praktykę ma najdłuższą.

– Ech, panie Antoni, niedobrze pan zrobił. Niedobrze! Drążek majstrem! A Drążkowa, Drążkowa majstrową zostanie!

– Tak by wypadało.

– I po co pan mi to jeszcze mówi? Już lepiej było nie mówić! A nie myśli pan, że jak on majstrem zostanie, to dopiero będzie kradł!

– Prędzej wpadnie i wreszcie raz z tym będzie koniec.

– Zupełnie już teraz nie wiem, czy pan go żałuje, czy też nie ma pan tylko odwagi, żeby go wskazać palcem.

– A może i nie mam odwagi... Może nie mam... Słaby człowiek jestem, nie nadaję się do tego draństwa. Niech się robi, co chce, żebym tylko nie musiał o tym myśleć. Spokój!

Spokój, panno Paulino! Znajdę sobie jakąś inną pracę – w wodociągach albo gdzie prywatnie. Domek będę w górę popychał, ogród zakładał – zapomni się, zapomni o wszystkim...

– Pewnie, że się zapomni. Co tam do martwych rzeczy serce przywiązywać. Czy to stocznia jedna na świecie? Jakby już pan Antoni nie mógł naprawdę bez tego wytrzymać, to przecież jest i Stocznia Remontowa, i Gdyńska.

– Ale najgorzej to mi było – nie uwierzy panna Paulina – jak musiałem wszystko zdać i przepustkę zwrócić. Niby nic – kawałek papieru, a jakby coś żywego mi zabrali! Ot, głupi człowiek i tyle. Ale żeby nikt, żeby nie znalazł się nikt, kto by powiedział: Wantuła, zostańcie! Zastanówcie się! Nic! Przyjęli podanie i ani słowa.

– Po co to pan rozpamiętuje, panie Antoni?

– Bo mnie boli. Tyle lat człowiek pracował i niczego się nie dosłużył. Ani jednego dobrego słowa.

– Dosłużył się pan, dosłużył, ale jak pan całą winę Drążka na siebie bierze, to czego pan chce od ludzi? Sam mi pan powtarzał, jak ten z rady zakładowej powiedział: że dopóki kryje się złodziei, dopóty uczciwi ludzie będą posądzani o złodziejstwo! Ot, co! Szczera prawda! Jakim sposobem ma być u nas dobrze, kiedy jeden drugiego osłania? Czasem dlatego, że razem kradną. A czasem – nie przymierzając, jak pan Antoni – z dobrego serca.

– Nie mówmy już o tym, panno Paulino, nie mówmy! Co się stało, to się już nie odstanie.

– Ale! Może się jeszcze z dziesięć razy odstać. Ludzie się rozwodzą i schodzą z powrotem, dlaczego pan Antoni miałby do stoczni nie wrócić?

– O, co to, to nie. Już koniec! Spokojniejsza jakaś praca mi potrzebna. Spokój, panno Paulino, przede wszystkim spokój!

– No, ja zobaczę, jak długo pan w tym spokoju wytrzyma. Jak pan długo wytrzyma bez tych swoich statków, bez kanałów i doków, bez tego gadania o tym wszystkim, bez myślenia i czekania, kiedy statek wreszcie będzie gotów i w morze wyjdzie...

– Panno Paulino! Panno Paulino!

– Boże święty, po co ja to wszystko gadam? Czy ja po to wyszłam po pana Antoniego, żeby go jeszcze więcej truć swoim gadaniem? Babski jęzor niewyparzony! Niech pan już o tym nie myśli, panie Antoni. Co tam! Ma pan ludzi życzliwych koło siebie, to przecież najważniejsze! Jakoś to tam będzie!

– Jakoś to tam będzie! Tak, panno Paulino, ma pani rację. Jakoś to tam będzie.

– A gdzie Krzysztof? Jezus Maria, gdzie Krzysztof? Z oczu tego dzieciaka spuścić nie można! No, gdzież on się podział?

– Niech się panna Paulina uspokoi. On pewnie już w cukierni ciastka zajada. Chodźmy! Chodźmy szybko!

Krzysztof stoi na progu z ciastkiem w ręku.

– A nie mówiłem! Proszę, nawet na nas nie czekał.

– Ja tylko zająłem miejsce w kolejce, a pani od razu dała mi ciastko. Miałem nie wziąć?

– Ale oczywiście, dobrze, że wziąłeś. Smacznego! Grunt się nie przejmować, Krzysztof, prawda? Już jutro będziemy się mniej smucić, pojutrze jeszcze mniej – tak to jest ze wszystkimi zmartwieniami. Najgorszy jest pierwszy dzień, ale my przy pomocy panny Pauliny i jemu damy radę.

XV

– I ty mi to dopiero teraz mówisz? Przez cały czas opowiadasz mi jakieś banialuki o Wantule, a dopiero na końcu, że na jego miejsce majstrem zostajesz?

– Bo ja nie mogę! Zrozumże kobieto, nie mogę!

– Czego nie możesz? Co do ciebie znowu przystąpiło?

– Emilka, bądźże człowiekiem! Przecież Wantuła... Wantuła przeze mnie...

– No to co, że przez ciebie? Zawsze przez kogoś się odchodzi! Inaczej nikt by awansu nie dostał. Albo ktoś umiera, albo w jakiś inny sposób musi się wykończyć i dopiero wtedy można wskoczyć na jego miejsce. A tobie też się już wreszcie należało zostać majstrem.

– Należało mi się, ale czy akurat w taki sposób?

– W jaki sposób? No, w jaki sposób, do diabła? Nawet sprawiedliwie, że tak się stało. Wantuła chciał cię wykończyć, a tymczasem ty na jego miejsce zostajesz majstrem.

Chciał! Chciał, ale nie wykończył. Czy ty tego nie rozumiesz?

– Rozumiem tylko jedno: nareszcie będziesz majstrem. Ile teraz będziesz zarabiał?

– A daj mi spokój!

– Chcę wiedzieć, ile będziesz zarabiał! Nie myśl, że się nie dowiem, że mi będziesz dawał tyle co przedtem. Przecież i premię będziesz teraz miał.

– Premię miałem i przedtem.

– Ale teraz dostaniesz większą! Bo ja na zimę muszę mieć oceloty.

– Co takiego?

– Futro z ocelotów. Oceloty teraz najmodniejsze. A dla brunetki – fantazja! Przedwczoraj przechodziłam przez Szeroką i wstąpiłam do sklepu z futrami! Patrz, jak bym miała przeczucie! Przecież jeszcze nie wiedziałam, że majstrem zostaniesz, nawet się martwiłam, co to z tego wszystkiego będzie. A tu masz, taka niespodzianka! No i akurat nowe futra przyszły, nawet mi w głowie nie było, żebym mogła sobie kupić, ale myślę: co to szkodzi przymierzyć? No i wchodzę, a kierownik sklepu tylko na mnie spojrzał i mówi: Jest!

Jest coś wymarzonego dla pani! Nowy fason ocelotów! Do pani włosów oceloty jedyne! A leżały na mnie! Nawet kierownik powiedział, że takiej klientki jeszcze nie miał, żeby tak futro na niej leżało. I z paskiem, i bez paska. Bo to można nosić i tak, i tak. Ale cóż, musiałam zdjąć i przeprosić. Powiedziałam, że chcę się jeszcze namyślić, bo nie wiem, czy wezmę oceloty, czy kożuch bułgarski zamszem na wierzch. Na to on, że kożuchy bułgarskie także mają. Właśnie dostali transport, bo przecież teraz sezon na futra. Mówię ci, włożyłam! Jak ulał na mnie!

– Zamilknijże wreszcie! Co to mnie wszystko obchodzi?

– Jak to co cię to obchodzi? A co ja w zimie na siebie włożę? Pelisę, myślisz? Tak? To ty będziesz chodził w tej pelisie. Ja ci ją odstępuję. Kto teraz w ogóle chodzi w pelisie? Już nawet misie niemodne, a co dopiero pelisy! Jutro muszę pójść do tego sklepu i pogadać z kierownikiem, żeby mi odłożył któreś futro. Tylko jeszcze nie wiem – oceloty czy kożuch? Ostatecznie mogę wziąć na raty.

– Ani mi się waż!

– Ja się akurat będę ciebie pytała! Dużo bym miała, gdybym czekała na twoje pozwolenie!

– Musisz się pytać! Kto to będzie płacił – ja czy ty?

– Jak się będziesz tak stawiał, to jeszcze nie wiadomo, czy ty. Ty myślisz, że ładna kobieta musi długo szukać, żeby jej ktoś futro kupił? Nawet w dzisiejszych czasach zawsze się ktoś taki znajdzie.

– Emilka!

– Ty dobrze wiesz, że ja nie żartuję. Nie potrzebuję wcale czekać na ciebie, że grosz z siebie wydusisz. Coś przed ślubem obiecywał? Złote góry! Że wszystko będę miała, że co tylko zamarzę! A teraz co? Co teraz mam?

– Kobieto! Jeszcze ci mało? Skąd ja mam na wszystko brać?

– Inni skądś biorą! I żon się nie pytają. Jak chcesz, to ja się zapytam tego gościa, co mi da na futro, skąd wziął pieniądze. Może się czegoś od niego nauczysz.

– Emilka!

– Emilka i Emilka! Nic innego nie potrafisz wymyślić. Przychodzi z pracy z taką dobrą nowiną i zamiast, żeby się człowiek ucieszył, to on awanturę robi i piekło w domu. Och, ty! Z tobą to nawet jednego dnia wesołego nie ma.

– Skąd ma być wesoły, kiedy ja się dziś dowiedziałem, że Wantuła odszedł ze stoczni. Że przeze mnie odszedł ze stoczni!

– Ale ty majstrem zostajesz! To jedno mnie interesuje, rozumiesz?! I o niczym innym nie chcę słyszeć!

– Emilka! Ja chciałem ci powiedzieć, że ja chyba... że ja... nie przyjmę majstra.

– Co takiego?

– Nie mogę! Musisz mnie zrozumieć, że nie mogę. Wantuła odszedł, a ja miałbym...

– Posłuchaj, Drążek.

– Tylko nie Drążek! Tylko nie Drążek! Dlaczego nie mówisz do mnie po imieniu?

– Posłuchaj, Drążek, co ci powiem! Tobie różne pomysły mogą lęgnąć się w głowie. Możesz sobie myśleć tak czy siak – mnie nic do tego! Ale co masz z r o b i ć, ja decyduję, bo jak długo ja tu jestem, jak długo chcesz, żebym tu była – wszystko ma być według mojej woli. Jeśli nie przyjmiesz majstra, jeśli ważniejsze dla ciebie będzie to, co myśli Wantuła, a nie co ja myślę – to żebyś nie miał potem do mnie pretensji, że ja się także nie będę zastanawiać, co dla ciebie przyjemne, a co nie. Czy ty myślisz, że ja sobie życie przy tobie zmarnuję? I tak się wszyscy ze mnie śmieją.

– Śmie... śmieją się?

– A co sobie wyobrażasz? Że dobrana z nas para? Że jak ludzie widzą nas razem na ulicy, mnie z takim rudzielcem...

— Przestań! Przestań, bo...

— Bo co? Porzucisz mnie, tak? Ty byś wytrzymał jeden dzień beze mnie! Wciąż się za mną snujesz jak cień — tyle mam spokoju, co jesteś na stoczni. Więc spróbuj, spróbuj mnie porzucić — ja wytrzymam!

— Emilka!

— Masz być majstrem! Słyszysz? I żeby mi nie było więcej na ten temat gadania. Jak się zakłada rodzinę, to trzeba pamiętać, że to kosztuje. A z Wantułą to jakoś... jakoś pogadasz. Ostatecznie sam ze stoczni odszedł. Wiesz co, ja chyba jeszcze dzisiaj skoczę na Szeroką w sprawie tego futra. Ty dzieci dopilnujesz, a ja załatwię z kierownikiem, że mi odłoży. Jutro mogłoby być za późno. Baby teraz lecą na futra! No co? Dlaczego nic nie mówisz?

— Co będę mówił? Idź, idź gdzie chcesz!

Emilka trzaska drzwiami i podśpiewując zbiega ze schodów.

— Krzysztof! Nie mówisz dzień dobry?

— Dzień dobry!

— Dokąd idziesz?

— Po kartki do jantara. Niania mnie posłała.

— No to chodź ze mną. Wciąż gracie w jantara?

— Tylko niania i ja. Pan Antoni już przestał. Mówi, że nie ma szczęścia. A niania, jak wygra, to mi kupi rower.

— Akurat wygra!

— No, zobaczy pani! Raz to gdybyśmy tylko mieli siódemkę...

— Ano, właśnie, gdyby! O to „gdyby" zawsze wszystko się rozbija. Gdyby ciotka miała wąsy, to by była wujkiem. Ale dlaczego ty idziesz tak daleko? Mogłeś kupić kartki w tym kiosku na rogu.

— Nie, ja kupię w tym drugim.

— Będą szczęśliwsze, co? Pewnie niania woli kartki z tego kiosku?

– Nie, nic nie mówiła. Proszę pani, czy na ulicę Mariacką trzeba iść koło kościoła?

– Tak. Zależy, z której strony. Od nas trzeba iść koło kościoła. A ty idziesz na ulicę Mariacką?

– Nie, tak się pytam. Bo Zenek ma tam ciotkę i on tam chodzi.

– A ty przecież też chodziłeś z nianią na Mariacką. Wtedy z obiadami – nie pamiętasz?

– Pamiętam.

– To dlaczego się pytasz?

– Pamiętam, tylko zapomniałem, jak się tam idzie.

– Coś ty gadasz dzisiaj od rzeczy – albo pamiętasz, albo zapomniałeś?

– Pamiętam, wszystko pamiętam.

– Czy ty nie masz przypadkiem gorączki?

– Nie. Wszystko pamiętam...

– Kup tutaj kartki i zaraz wracaj do domu. Słyszysz?

– Słyszę. A koło kościoła na prawo czy na lewo?

– A gdzie ty chcesz iść?

– Nie chcę iść, tylko się pytam. Trzeba skręcić na lewo czy na prawo?

– Krzysztof?

– No, nic. Tak się pytam, bo Zenek to mówi, że na lewo.

– Na prawo.

– O, ja od razu wiedziałem!

– Jak wiedziałeś, to po co się pytasz? Ty mi coś kręcisz! Kup kartki i zaraz wracaj do domu! Że też dzieciaka samego tak daleko puszczają! – mruczy Emilka zostawiając Krzysztofa przed kioskiem. – Jak ja bym coś takiego zrobiła, to, ojej, cała ulica by wiedziała.

– Krzysztof? Krzysztof, to ty?

– Nie, to ja, panno Paulino. Dzień dobry!

– O Jezu! To pan Wacek? Przestraszyłam się. Zostawiłam drzwi otwarte, bo Krzysztof po kartki do jantara na róg skoczył – właśnie nie wiem, co to jest, że tak długo nie wraca.

– Pan Antoni w domu?

– Nie ma. W pracy.

– Już pracuje?

– A na co ma czekać? Co wart chłop bez pracy? Tyle że mu się na razie praca na popołudnie trafiła. Rano chodzi na swoją budowę, a po południu do pracy.

– Właśnie byłem na działce. Myślałem, że go tam zastanę.

– Proszę, niech pan Wacek siada.

– Dziękuję. Zaraz pójdę.

– Niech pan siada! Cały dzień jestem teraz sama. Jakby nie Krzysztof, to bym mówić zapomniała. Ale gdzie on się podział? Miał tylko na róg do kiosku skoczyć.

– Pewnie lata z chłopakami.

– Na minutę nie można go z oka spuścić.

– Niech sobie polata, panno Paulino – tyle tego! Podrośnie i skończą się przyjemności.

– Pan Wacek coś bez humoru.

– Cieszyć się, prawdę mówiąc, nie za bardzo mam z czego.

– Pan nie ma z czego? To kto ma? Młody! Zdrowy! Zakochany! Kiedy ślub?

– A właśnie to! Nie wiadomo.

– Nie wiadomo? Dlaczego? Chyba się Stefka nie rozmyśliła? Panie Wacku, bo jak ja z nią pogadam – cóż to jest, żeby chłopaka tak zwodzić.

– Nie zwodzi. To nie dlatego. Widzi panna Paulina... Ech, no nie składa się i koniec.

– To źle, że się nie składa. A tak się już pan Antoni cieszył, że u niego zamieszkacie. Nieraz mi mówił: panno Paulino, jak ja tam sam wytrzymam? Chciał mieć domek, a teraz go strach obleciał. Bo się jednak przyzwyczaił trochę do nas... Tyle lat... Więc kiedy postanowił, że wam odda jeden pokój...

– Bardzo wdzięczni jesteśmy panu Antoniemu... bardzo wdzięczni, ale...

– Najważniejsze, że nie będzie się czuł tak samotny. I ja będę spokojniejsza. Zawsze ktoś przy nim będzie... Bo pan Antoni z sercem... zwłaszcza ostatnio... Nadenerwował się biedak. To Krzysztof? Nie, zdawało mi się. Gdzież ten chłopak?

– Może ja po niego skoczę?

– Niech pan siedzi. Zawołam przez okno. Krzysztof? Krzysztof! Ani śladu.

– A może do Drążków poszedł?

– Skąd do Drążków? On nie chodzi do Drążków.

– Myślałem – zawsze to po sąsiedzku.

– Co z tego, że po sąsiedzku? Nie chodzi i koniec.

– Drążek teraz majstrem został.

– Słyszałam.

– Ja już chyba pójdę, panno Paulino.

– Nie poczeka pan na pana Antoniego?

– Nie.

– Przecież chciał się pan z nim zobaczyć.

– Ale myślę... myślę, że może lepiej, że go nie ma.

– Lepiej?

– Panna Paulina mu powtórzy.

– Co mam mu powtórzyć?

– Że ja rezygnuję z tego pokoju, co mi pan Wantuła miał dać w swoim domku.

– Jezus Maria! Rezygnuje pan z pokoju?

– Widzi pani, ja jestem prosty chłopak, ale swój honor mam... A na stoczni teraz ludzie tak gadają...

– Co gadają?

– Po co będę opowiadał? To nic przyjemnego. Nawet się powtarzać nie chce.

215

— Ale co? Co gadają?

— O panu majstrze gadają.

— Aha, i przez to pan woli ślub odłożyć i mieszkanie stracić.

— Po co i o mnie mają gadać?

— Pewnie, po co i o panu mają gadać. A gęby otworzyć w obronie człowieka to się nikomu nie chce!

— Panno Paulino. Przecież ja... Co pani?

— Napluć można na drugiego człowieka, a nikt się za nim nie ujmie! Każdy tylko myśli o sobie. Każdy tylko pilnuje swojej skóry, żeby mu się do niej nie dobrali.. Ano, dobrze, niech i tak będzie.

— Kiedy ja... naprawdę, mnie jest bardzo przykro... Musi mnie pani zrozumieć...

— Rozumiem pana, bardzo dobrze pana rozumiem. I wszystko powtórzę panu Antoniemu. Zaraz jak tylko wróci z pracy. Żeby nie miał żadnej wątpliwości, że chociaż jeden człowiek za nim się ujął, że chociaż jeden człowiek z tych najbliższych, z którymi pracował...

— Ale co też pani, panno Paulino...

— Niech się pan nie boi, wszystko mu powtórzę, tak jak pan chciał — wszystko! Bo pan przecież woli, że ja mu to powiem, niż żeby pan miał sam patrząc mu w oczy...

— Ale niech mnie pani posłucha...

— Nic już nie chcę więcej od pana usłyszeć. Dosyć mi pan powiedział. Dosyć! Bo widzi pan, mnie to, żeby nie wiem co na pana Antoniego gadali, to ja swoje wiem. Albo się człowiekowi wierzy, albo nie. Jak można żyć z ludźmi, kiedy się o nich dzisiaj co innego myśli, a jutro znowu co innego? W takim razie i dla siebie samego szacunku się żadnego nie ma. A pan się jeszcze przekona, jak prawda wygląda. I jeszcze będzie pan Wantułę w rękę całował, żeby chciał pana do siebie. Krzysztof? Gdzieś ty był tak długo? A! To pan Drążek.

– Dobry wieczór.

– Dobry wieczór.

– Pana Antoniego nie ma?

– Nie ma.

– Kiedy wróci?

– Nie wiem, kiedy wróci.

– To ja zaczekam.

– Lepiej niech pan nie czeka.

– Nie tutaj, nie będę pannie Paulinie przeszkadzał. U siebie zaczekam.

– U siebie niech pan też nie czeka. Już niech mu pan lepiej da spokój. Wszyscy dajcie mu spokój! Niech każdy myśli o swojej skórze, a jemu da spokój.

– Ale ja właśnie przyszedłem...

– Nie wiem, po co pan przyszedł, i nie chcę wiedzieć – i niech już wreszcie będzie z tym koniec. Krzysztofa pan gdzie nie widział?

– Nie.

– Chodźmy, panie Drążek – mówi Wacek. – Do widzenia.

– Do widzenia – odpowiada pochmurnie Paulina.

– Na piwo by majster nie wyskoczył? – pyta Wacek na schodach.

– A idźże z tym majstrem! Też się wybrał!

– A jak mam mówić?. Tak się należy!

– Uspokój się, dobrze? Jeszcze nic nie wiadomo. Po coś ty właściwie przyszedł do Wantuły?

– A majster po co?

– Skończ z tym majstrem, mówię ci! Jeszcze wcale nie takie pewne, czy się zgodzę.

– Co? A kto by się nie zgodził majstrem zostać.

– Czy to taki zaszczyt?

– Zaszczyt nie zaszczyt, ale zawsze i pensja większa, i stanowisko odpowiedzialne.

– O, o, właśnie! Po co mi ta odpowiedzialność? Źle mi dotąd było? Człowiek zrobił swoje i głowę miał spokojną. A majster musi o wszystkim myśleć. Nie, to nie dla mnie.

– A żonie pan o awansie powiedział?

– Powiedziałem, a bo co?

– No to spokojna głowa! Przyjmie pan majstra. Już Emilka pana namówi.

– Tylko bez poufałości.

– Przepraszam. O, właśnie jest pani majstrowa! Opłaciło się pod drzwiami postać, żeby się pani doczekać. Bo pan Drążek to się taki dumny zrobił, od kiedy majstrem został, że nawet człowieka do mieszkania nie zaprosi.

– Ależ proszę, panie Wacku, proszę – Emilka otwiera drzwi.

Z podwórza dochodzi głos Pauliny wołającej Krzysztofa.

– Co to? Krzysztof jeszcze nie wrócił? – pyta Emilka.

– Woła go Paulina, aż uszy puchną.

– Spotkałam go, kiedy wychodziłam. Szedł do kiosku po kartki na jantara. Ale coś mi się wydał podejrzany, pytał, jak się idzie na Mariacką. Może powiedzieć o tym Paulinie?

– Daj spokój, co się będziesz mieszać w nie swoje rzeczy!

– Niby racja, czy to mój dzieciak?

Paulina wciąż woła, chodzi od okna do okna, wygląda to na ulicę, to na podwórze, a Krzysztof naprawdę jest na Mariackiej.

– I sam tu trafiłeś?

– Sam.

– To bardzo pięknie, że sam przyszedłeś. Napijesz się wody z sokiem?

– Nie, dziękuję.

– Nie lubisz wody z sokiem?

– Lubię. Ale dziękuję.

– A może masz ochotę na czekoladkę?

– Także dziękuję.

– Nie powiem niani. I już wcale nie pamiętam, że to przez robaki nie wolno ci jeść czekoladek. Będziemy mieli razem jedną małą tajemnicę. Chcesz mieć ze mną tajemnicę?

– Nie.

– No to nie będę cię już na nic namawiać. Sam mi powiesz, na co będziesz miał ochotę, tak?

– Tak.

– Usiądź! Dlaczego stoisz?

– Ja zaraz pójdę.

– Dlaczego miałbyś zaraz iść? Przecież przyszedłeś mnie odwiedzić.

– Nie.

– Nie? Wobec tego wszystko jedno, jak się to będzie nazywać. Ale jesteś moim gościem, a goście zwyklc siedzą. Podoba ci się ten fotel pod oknem?

– Nie.

– Nie? Chciałam właśnie, żebyś w nim usiadł. To bardzo ładny fotel. Wszystkim się podoba. I wszyscy bardzo lubią w nim siedzieć. Patrz, jaki z tego okna ładny widok!

– Z naszego ładniejszy.

– Nie wątpię. Na pewno ładniejszy. Ale i tu jest na co popatrzyć. Nic masz ochoty wyjrzeć?

– Nie.

– O, jesteś w złym humorze, prawda? Zaraz będziemy musieli coś na to poradzić. Wiesz, ja bardzo lubię rysować chłopczyków, którzy są w złym humorze. Rysuję im takie okrągłe oczka, nosek na kwintę i buzię w podkówkę. Widzisz? Ten chłopczyk jest tak samo nie w humorze, jak ty. A teraz rozweselimy chłopczyka. Odwrócimy podkówkę do góry i chłopczyk się śmieje!

Krzysztof zerka na szkicownik.

– Naprawdę?

– No, przecież widzisz, że naprawdę! A teraz spróbuj sam narysować.

– Ja nie potrafię.

– Na pewno potrafisz. Najpierw kółko – to będzie głowa.

– Potem oczka.

– Oczko lewe, oczko prawe.

– Ja sam! Ja sam!

– Dobrze, ty sam. No, co teraz?

– Teraz nos.

– W porządku. Wspaniały nos! Jeden z najpiękniejszych nosów, jakie udało mi się widzieć. No i usta!

– Już są usta!

– Ale ty od razu narysowałeś wesołego chłopczyka. Nie chcesz, żeby chłopczyk był najpierw smutny?

– Nie. Niech będzie wesoły.

– Dobrze. Niech chłopczyk będzie wesoły... A może teraz narysujemy, jak wesoły chłopczyk siedzi w fotelu i patrzy przez okno? I wiesz, co widzi? Najpierw, kiedy patrzy wysoko, widzi dach dużego kościoła. A na tym dachu siedzą dwie wrony. Jedna biała, a druga czarna.

– Nie ma białej wrony. Wszystkie wrony są czarne.

– Ale my będziemy mieli jedną białą. Naumyślnie, żeby ten chłopczyk był wciąż wesoły. No bo kto może być smutny, kiedy patrzy na białą wronę?

– No i co ta biała wrona?

– Ta biała wrona przyszła raz do tej czarnej w odwiedziny.

– Przyleciała!

– Przyleciała. I ta czarna mówi do niej: Jak się pani ma? Bardzo się cieszę! Może się pani napije wody z sokiem?

– Wrony nie piją wody z sokiem.

– No to bez soku. Więc czarna się pyta: Może się pani czegoś napije? A biała na to: Nie, dziękuję. – A może zje pani czekoladkę?

– Wrony nie jedzą czekoladek.

– Ale czekoladowe ziarnko na pewno by zjadły. Może zje pani czekoladowe ziarnko? – pyta czarna wrona. A biała mówi: Nie, dziękuję. – Niech pani usiądzie! – prosi czarna wrona, a biała na to: Dziękuję, postoję. – A może pani powygląda sobie przez okienko w gniazdeczku? Proszę spojrzeć, jaki piękny widok! – Z mego gniazdka ładniejszy! – mówi biała wrona i odwraca się do okna ogonem. Żebyś wiedział, jak tej czarnej wronie było przykro!

– Ojej, no dlaczego ona nie chciała wyglądać?

– Bo nikt jej nie umiał opowiadać bajek. No, jak myślisz? Nie moglibyśmy zostać przyjaciółmi?

– Nie wiem.

– Nie wiesz? To już dobrze. To już prawie nadzieja. Zobacz, jaka tutaj stoi piękna skrzynia!

– Do czego ta skrzynia?

– Żeby zapakować w niej obraz. Jeszcze nigdy nie miałam takiej pięknej skrzyni do pakowania obrazu. Ktoś mi ją dał. Ktoś chciał, żeby mi się podobała. To bardzo dobrze, że patrzymy teraz razem na tę skrzynię. Możemy ją nawet pogłaskać – ja z tej, a ty z tamtej strony...

– To śmieszne.

– Co?

– Że my ją tak głaszczemy. Tę skrzynię. Co to znaczy?

– To nic nie znaczy. Ale jest dobrze. Wiesz, w tej skrzyni mój obraz pojedzie do Warszawy.

– Do Warszawy? Tak daleko?

– Tak. A jeśli się spodoba pewnym panom, to będziemy mieli dużo pieniędzy.

– Po co?

– Jak to po co? A po co są pieniądze? Kupimy dużo ładnych rzeczy.

– Komu?

– Może i tobie także.

– Mnie niania kupi rower. Jak wygra w jantara. Chodziłem po kartki do kiosku.

– Ach, to te kartki trzymasz w rączce. Pokaż! Może zagramy razem?

– Nie, ja gram z nianią.

– A ze mną nie chcesz? A może właśnie będziemy mieli razem szczęście? Dlaczego nic nie mówisz? Czy czarna wrona może ukręcić białej wronie kogel-mogel?

– Niania mi zrobi kogel-mogel.

– O, widzę, że pewien chłopczyk znowu zaczyna być w złym humorze. Czy mam go jeszcze raz namalować?

– Nie, już nie.

– Czy myślisz, że nie uda się już odwrócić podkówki do góry nogami?

– Nie.

– Chciałam ci tylko powiedzieć, że czarne wrony, kiedy chcą być specjalnie gościnne, dodają do kogla-mogla najpierw kakao, potem rodzynki...

– Nie chcę kogla-mogla! – krzyczy Krzysztof.

– Z rodzynkami także nie?

Krzysztof przymyka oczy i woła:

– Nie!

– W porządku. Nie będziemy więcej mówić na ten temat. Po co się mamy kłócić, prawda? Jest tyle innych ludzi na świecie, którzy chętnie jedzą kogel-mogel z rodzynkami. Ale na drugi raz, kiedy będziesz miał ochotę przyjść do mnie, musisz wybrać taki dzień, w którym chłopczyk będzie miał podkówkę do góry.

– Ja już tu nie przyjdę drugi raz.

– O, a to dlaczego?

– Bo nie.

– Ale dlaczego?

– Nie, ja już nie przyjdę.

– Wiesz, ja cię odprowadzę do domu. Niania się na pewno niepokoi.

– Nie, ja sam pójdę!

– A jeśli nie trafisz z powrotem?

– Trafię. Na pewno trafię!

– No to idź już, bo się ściemnia.

– Już idę. Ja tylko chciałem powiedzieć... ja przyszedłem, żeby powiedzieć... że ja... ja nie mam babci...

– Co takiego? Ty nie masz babci? Co to znaczy?

– Oni nie mogą się rozwieść! – szepcze dziecko. – Bo ja nie mam babci! Nie mam babci! Mnie nie będzie miał kto zabrać.

XVI

– Właściwie mamy dziś ostatnią niedzielę lata.

– Cóż znowu? Lato kończy się u nas dopiero 21 września, ale czasem coś się panu kalendarzowi myli. Tego roku na przykład mieliśmy w lipcu październik – kto wie, może wobec tego w październiku będzie choć trochę lipca. O czym myślisz?

Teresa czuje się przyłapana.

– Ach, o niczym.

– Refleksyjki, tak? Małe refleksyjki plażowe na temat mijającego lata.

– Minionego, Marcin.

– Jeszcze gorzej. Ja myślę o pogodzie i temperaturze, a ty – o wydarzeniach. Tymczasem wydaje mi się, że jedynym wydarzeniem godnym uwagi powinno być dzisiejsze słońce. Czujesz, jak piecze?

Marcin leży płasko rozciągnięty na kocu i ma nadzieję odrobić w ciągu jednego dnia wszystkie zaległości plażowe sezonu.

– Czuję. Zawsze tak grzeje u schyłku lata.

– Teresko! Skąd ci się to dzisiaj bierze? Schyłek lata! To prawie tytuł powieści.

– Powiedziałam tak sobie. To ty doszukujesz się we wszystkim jakiejś drugiej treści. A ja chciałam powiedzieć, że słońce zawsze tak grzeje o tej porze. Krzysztof! Chodź, mamusia zawiąże ci na głowie chusteczkę.

– Nie! – odpowiada Krzysztof z daleka. Buduje fortecę z piasku i nie ma zamiaru przerywać tej czynności.

– Chodź, mamusia prosi.

– Nie chcę żadnej chusteczki!

– Daj mu spokój, niech się bawi w piasku. Nic mu nie będzie, nie jest aż tak gorąco.

Teresa uśmiecha się smutno do Marcina.

– Po prostu boisz się, że mnie nie posłucha, tak? O to ci chodzi, prawda? Wolisz uniknąć awantury. Bardzo mi przykro, ale on się ostatnio zrobił naprawdę zupełnie niemożliwy.

– Nie przesadzaj, kochanie.

– Ale ja przecież nie mogę temu pobłażać. Do czego to doprowadzi? Jedyny autorytet dla niego to niania!

– Powiedziałaś mi kiedyś, że dla ciebie także.

– Widocznie dzieci, tak samo jak zwierzęta, przywiązują się najbardziej do tych osób, które je karmią. Niania jest z Krzysztofem przez cały dzień, a ja zajmuję się nim tak mało.

– Postaramy się to nadrobić.

– W jaki sposób?

– Będzie po prostu częściej z tobą. Z nami. Zobaczysz, wszystko się jakoś ułoży... I nie bądź już przez cały czas taka napięta, jakby stale groziło ci jakieś niebezpieczeństwo. Możesz sobie pozwolić na chwilę odpoczynku. To ci się należy, prawda?

– Och, tak, Marcin, tak!

– Przymknij oczy i nie myśl o niczym. Leżymy na plaży, słońce grzeje i ja jestem przy tobie. Czy to cię choć trochę uspokaja?

– Tak, Marcin, tak!

– Widzisz! Tak sobie zawsze myślałem, że to w miłości jest najważniejsze. A więc naprawdę nie potrzebujesz o niczym myśleć. Ja się wszystkim zajmę. – Marcin podnosi się i szuka wzrokiem Krzysztofa. – Tym małym człowieczkiem przede wszystkim. Może pójdziemy się kąpać?

– Nie, jeszcze nie.

– Mam na myśli siebie i Krzysztofa.

– Niech on jeszcze pogrzeje się trochę na słońcu. I – tak dobrze jest teraz, nie chcę, żebyś odchodził. Jeszcze chwilę niech tak będzie. Kiedy jestem sama, od razu...

– ...od razu co?

– ...od razu czuję się jakby zmuszona do odpowiedzialności, do decyzji – bo ja wiem, do wszystkiego, do czego nie jestem zdolna. Zostań, nie pozwolę ci nigdzie iść.

– Ależ dobrze. Rozciągam się na kocu i ruszę się stąd dopiero wtedy, kiedy zacznę się przypalać. Uważaj dobrze, czy poczujesz swąd.

Teresa także przymyka oczy. Jest dobrze, jest nad wszelki wyraz dobrzc! Szum morza usypia. Usypia gwar ludzkich głosów na plaży. Ale to nie trwa długo.

– Ja chcę pić! – odzywa się Krzysztof z pretensją w głosie.

– Masz w butelce kompot.

– Nie chcę kompotu.

– Przecież lubiłeś zawsze kompot z jabłek.

– Ale teraz nie chcę.

– No to nie ma nic innego do picia.

– Ja chcę lemoniady!

– Skąd ja ci tutaj wezmę lemoniadę? – denerwuje się Teresa.

– Z kiosku.

– Nie zawracaj głowy. Kto będzie chodził po lemoniadę? Masz, pij kompot.

– Nie chcę.

Teresa ścisza głos.

– Czy ty wiesz, że jesteś niegrzeczny?

Krzysztof odpowiada równie cicho, z mściwą satysfakcją:

– Wiem.

Marcin udaje, że nie zauważył incydentu.

– A dlaczego on właściwie nie miałby pójść do kiosku? Wszyscy mężczyźni załatwiają sami swoje sprawunki.

– Ale on się może zgubić na plaży – do kiosku jest daleko.

– Wcale niedaleko, stąd widać! – upiera się Krzysztof.

– Oczywiście, przecież stąd widać – potwierdza Marcin.

– Masz tu dziesięć złotych i kup lemoniady.

– Po co mu dajesz aż dziesięć złotych?

– Bo trzeba pewnie będzie zostawić zastaw za butelki. A ja bym się także napił lemoniady. Przyniesiesz i dla mnie?

– Mogę – odpowiada Krzysztof po niezbyt uprzejmym namyśle.

– Krzysztof? Jak ty mówisz?

– W porządku! Pryskaj po lemoniadę.

– Tylko nie wchodź do wody! – krzyczy Teresa. – Teraz nie będę miała spokoju, dopóki nie wróci.

– Przestań patrzyć za nim. Nic mu się tu nie może stać. A uciechę sprawiliśmy mu fantastyczną!

– Uciechę?

– Widzisz przecież, jak podskakuje! Bo po pierwsze, idzie sam do kiosku, a po drugie, postawił jednak na swoim i będzie pił lemoniadę, a nie kompot.

– Widzisz, jaki z ciebie pedagog! Ja nie ulegałabym tym grymasom.

– Ale ja musiałem go jakoś pozyskać. Wiesz, że nic tak skutecznie nie zawiązuje przyjaźni jak małe świństewka i przestępstwa. Zobaczysz, jakie kumple z nas będą!

– Ładnych metod się chwytasz! – Teresa udaje zgorszoną.

– Wypróbowanych! I przekonasz się, że skutecznych.

– Gdzie on się podział? Już go nie widzę.

– Trudno, żebyś go wciąż widziała z tej odległości, w dodatku na tak zatłoczonej plaży. Radzę ci, patrz lepiej tutaj! Leży koło ciebie taki wspaniały okaz urody męskiej, a ty nie poświęcasz mu żadnej uwagi. Zobacz tylko, jak ta pani z kosza tutaj zerka.

– Naprawdę zerka, czy ty mnie tylko tak straszysz?

– Zerka naprawdę, zobacz sama. A postraszyć chcę cię swoją drogą. Taka dydaktyczna lekcja nigdy nie zaszkodzi. Czy ty wiesz, ile jest kobiet bez przydziału?

– Bez przydziału czego? Mieszkania?

– Bez przydziału mężczyzny! W samej tylko Warszawie osiemdziesiąt tysięcy. A w Sopocie, jeśli mnie pamięć nie myli, trzy. Podczas sezonu oczywiście więcej. Czy ty to sobie możesz wyobrazić? Tysiące kobiet, stworzonych przez naturę ponad plan, dąży za wszelką cenę do upolowania zdobyczy. Jeśli zdobycz jest już w czyichś rękach, krążą wokół niej, mruczą i prężą grzbiet jak tygrys, który czai się do skoku. Musicie mieć się na baczności!

– Kto?

– Wy, szczęśliwe posiadaczki przytroczonej do pasa zwierzyny. W każdej chwili powinnyście być przygotowane na walkę.

Teresa spuszcza głowę i mówi nagle z dziwnie ostrą intonacją głosu:

– W takim razie może naprawdę najlepiej byłoby nosić przy sobie broń?

– Ależ, kochanie! – Marcin gładzi ją po plecach. – Ja

żartuję, a ty powiedziałaś to z taką zawziętością! Więc nie pozwolisz paniom nawet zerkać na mnie?

– Ach, Marcin!

– Chcę, żebyś była trochę o mnie zazdrosna. Ale tylko trochę.

– Gdzież ten Krzysztof? Naprawdę zaczynam się niepokoić.

– Przestań się niepokoić, na pewno przy kiosku jest kolejka. Co za dzień! Boże drogi, co za wspaniały dzień! I pomyśleć, że byłby o wiele mniej wspaniały, gdybym był tu sam. Właściwie człowiek może być szczęśliwy tylko we dwoje. Zwierzęta schodzą się ze sobą tylko dla zachowania gatunku. Żeby wydać na świat swoje małe i przygotować je do samodzielnego życia. Gdy małe ich już nie potrzebują, wtedy się rozchodzą.

– Ale dopiero wtedy...

– Co dopiero wtedy? O czym ty mówisz?

Teresa odwraca głowę.

– Przepraszam, mów dalej. Co chciałeś powiedzieć?

– Nic ważnego, tak sobie lubię czasem myśleć przy tobie na głos. Długo nie miałem przed kim się wygadać i teraz muszę jakoś nadrobić te zaległości. A zaczęło się od tego, że dzień jest wspaniały, że d z i ę k i t o b i e jest wspaniały i że jesteśmy najmądrzejszym gatunkiem ssaków. O, jest Krzysztof! Proszę, jak szybko się uwinąłeś! Kolejka była duża?

– No! Ale ja od razu byłem na przedzie.

– Pchałeś się? Krzysztof, jak nieładnie! Ile razy ci mówiłam, że trzeba przestrzegać kolejności?

– A niania zawsze mnie wypycha do przodu, że prędzej się dostanę! I zawsze mi się udaje.

– I co ja mam zrobić z tą Pauliną? – wzdycha Teresa.

– Dajże spokój, kochanie. Krzysztof, otworzyć ci butelkę?

– Ja sam!

– A może poczęstujemy mamę?

– Mama nie lubi lemoniady.

– O, jesteś tego pewny?

– To ma być kara dla mnie za to, że kazałam mu pić kompot. Zna się trochę własne dziecko! Nie pij od razu całej butelki.

– Ale ja chcę!

– To jeszcze mało, że ty chcesz – ja nie pozwalam!

– Ja chcę!

– Krzysztof, bo dostaniesz klapsa!

– Ależ, kochanie! – interweniuje Marcin. – Lemoniada nie może mu zaszkodzić.

– Pewnie, że nie.

– Może śmiało wypić całą butelkę.

– Widzi mama!

– I teraz wy obydwaj na mnie! To już będzie naprawdę trudne do wytrzymania!

– Przecież ci mówiłem, że będą z nas wspaniałe kumple! No, Krzysztof! Daj łapę! Mnie na imię Marcin. Możesz mi mówić po imieniu.

Ale Krzysztof nie przyjmuje wyciągniętej dłoni, cofa się i mówi ponuro:

– Wszyscy chcą, żeby im mówić po imieniu.

– Co? O czym ty mówisz?

– Wszyscy chcą, żebym im mówił po imieniu! – krzyczy Krzysztof.

Marcin usiłuje zażegnać nadciągającą awanturę.

– No więc jeśli nie chcesz, nie musisz mówić mi zaraz „Marcin". Ale przyjaźnić się możemy i tak, prawda?

– Wszyscy chcą, żeby się z nimi przyjaźnić.

– Krzysztof!

– A ja nie chcę się z n i k i m przyjaźnić!

– Nie, on chyba dzisiaj jest chory! Bardzo cię przepraszam, Marcin. Ogromnie mi przykro. Czy ty wiesz, że mamusia musi wstydzić się za ciebie?

– Tak – potwierdza Krzysztof.

– Jeśli nie będziesz grzeczny, zaraz pójdziemy do domu.

– Ja mogę zaraz iść do domu – mruczy dziecko.

– Ale jeszcze przedtem dostaniesz lanie.

– Lanie? – Marcin wciąż ma nadzieję, że uda mu się obrócić wszystko w żart. – Cóż znowu? Małe nieporozumienie, o którym nikt nie ma ochoty pamiętać. Prawda, Krzysztof, ty także?

Krzysztof milczy ze wzrokiem wbitym w ziemię.

– No, odezwij się, kiedy pan do ciebie mówi! – krzyczy Teresa, zupełnie już nie panując nad sobą.

Marcin jest wciąż pogodny.

– To jest rodzaj milczenia, które ogarnia mężczyzn, gdy za chwilę mają zamiar budować zamki obronne z piasku. Idź się bawić, Krzysztof? A my będziemy się opalać. Powiedziałaś przecież, że to ostatnia niedziela lata.

– Ach, zupełnie mi ją zepsuł. Naprawdę nie wiem, co do niego przystąpiło.

Marcin znów wyciąga się na kocu i dopiero po chwili mówi:

– A ja go rozumiem. Ja zachowywałem się tak samo.

– Ty?

– Kiedy ojciec zginął i matka została sama, zaczęli oczywiście kręcić się koło niej mężczyźni. Nienawidziłem każdego tak samo jak Krzysztof mnie. Ale w nim jest jeszcze coś innego.

– Co?

– Coś, czego nie mogę zrozumieć. To nie jest tylko zazdrość o matkę.

– Czy musimy o tym mówić? Tak się cieszyłam, że idziemy na plażę – no i oczywiście, przyjemności nie ma już z tego żadnej.

— Nie masz się czym denerwować. Ostatecznie nie możesz mieć pretensji do dziecka za to, że cię kocha. Ja także walczyłbym o ciebie, gdyby ktoś chciał mi ciebie odebrać.

— Nie potrzebujesz z nikim walczyć o mnie — mówi cicho Teresa.

— O, tego nie mówi się mężczyźnie! Nie masz za grosz kobiecej przezorności albo po prostu chcesz zmylić ślad... Taka jesteś chytra?

— Wcale nie jestem chytra. Ba! — żebym była. Na przykład teraz kazałabym ci się odwrócić od tej pani w koszu. Zdaje mi się, że to naprawdę jest jedna z tych aktualnie bez przydziału. Może byś tak popatrzył na tę przemiłą babcię z wnuczkiem?

— Tereska! Więc jednak jesteś o mnie troszeczkę zazdrosna? Nie potrzebujesz się bać! Zupełnie nie potrzebujesz się bać! Żadna nie jest taka jak ty. Nie należę do lękliwych, ale zginąłbym ze strachu, gdybym się dostał w drapieżne łapki którejś z tych pań. Nie wyobrażam sobie prowadzenia statku bez radaru, ale kobiety lubię zeszłowieczne. Ja muszę się wzruszać w miłości, muszę się roztkliwiać, rozumiesz? I ty mi na to pozwalasz, ty mnie do tego zmuszasz. Nawet dlatego, że masz taki piegowaty nosek. I że nie jesteś za bardzo mądra, wcale nie taka mądra jak inne panie. Cieszę się, że jesteś właśnie taka, nie chciałbym, żebyś była inna. Z tobą jest mi dobrze.

— Och, Marcin, dziękuję.

— Wszystko jakoś się ułoży, zobaczysz. I Krzysztof się do mnie przyzwyczai. I ty także pogodzisz się z myślą, że to ze mną właśnie spędzisz resztę życia. Nie z tamtym.

— Marcin!

— Sza! Nie wolno nic mówić! Połóż się, przymknij oczy. Słońce grzeje i ty jesteś przy mnie, a ja przy tobie. Na razie nie potrzeba nam nic więcej. Musimy tylko umieć mądrze i cierpliwie czekać.

– Ja chcę się kąpać! – odzywa się nagle Krzysztof tuż nad głową, głośno i z pełną buntu goryczą.

– Czy ty nie możesz usiedzieć chwili spokojnie?

– Nie mogę.

– Ja pójdę się z nim wykąpać – Marcin z gotowością podnosi się z koca.

– Dobrze, tylko nie siedźcie długo.

– Ja chcę się kąpać sam!

– Sam nie możesz!

– Chodź, będę cię uczył pływać.

– Ja nie chcę się uczyć pływać!

– Nie chcesz się uczyć pływać? Czy to możliwe? W takim razie nigdy nie zostaniesz marynarzem. Marynarze muszą umieć pływać. Nie słyszałeś o tym? Raz miałem kolegę, który nie umiał pływać i wiesz, co mu się przytrafiło?

– Co?

– Straszna historia! Płynęliśmy akurat wtedy przez jedno z południowych mórz, w którym było bardzo dużo rekinów.

– Czego?

– Rekinów. Rekin to taka duża ryba. Więc było w tym morzu pełno rekinów i przez cały czas płynęły za nami. Widocznie miały nadzieję, że spadnie im z naszego statku jakiś smaczny kąsek. A wyobraź sobie, że akurat mył pokład właśnie ten marynarz, który nie umiał pływać. Poślizgnął się na mokrych deskach i wpadł do morza!

– Zupełnie?

– Ma się rozumieć, że zupełnie.

– I co?

– Wszyscy byli pewni, że już po nim, a tu tymczasem wyobraź sobie, żaden rekin do niego się nie zbliża.

– Dlaczego?

– Bo takiej marynarskiej ofermy, która nie umie pływać, nawet rekiny nie chcą.

Zamiast Krzysztofa Teresa wybucha śmiechem.

– To w rezultacie dobrze, że nie umiał pływać. Coś ci się nie udała ta bajka, Marcin.

– To jest bajka? – woła Krzysztof rozczarowany.

– Ale skąd? To zdarzyło się naprawdę.

– Ja nie chcę, żeby mi opowiadać bajki! – Krzysztof pąsowieje z bezsilnej, dziecinnej złości; w oczach ma łzy.

– Wszyscy chcą mi opowiadać bajki!

– Krzysztof! Uspokój się! Naprawdę mamusia musi wciąż wstydzić się za ciebie. Kto wszyscy? Co ty wygadujesz?

– Wszyscy! Wszyscy!

– Ale mówię ci, że to wcale nie jest bajka. Naprawdę pływam na statku. Zabiorę cię kiedyś do stoczni i pokażę statek, na którym będę pływał.

– Ja na stocznię mogę pójść z tatusiem! – woła Krzysztof.

– Krzysztof! – Teresa jest bliska łez.

Patrzy pokornie na Marcina, ale Marcin jest wciąż uśmiechnięty.

– Nie denerwuj się! Przecież i tak musiałem kiedyś to usłyszeć. Czy to wciąż ma jakieś znaczenie?

– Nie. Już nie.

– Wcale z panem nie muszę iść na stocznię! Wcale! – wykrzykuje Krzysztof zachłystując się każdym słowem.

Teresa załamuje dłonie.

– Krzysiu, Krzysiu, co się z tobą dzieje? Jak możesz być taki niegrzeczny, taki niedobry dla pana? Pan jest dla ciebie taki miły. Dał ci samochodzik, pamiętasz?

– Od razu wiedziałem, że go nie kupiłaś! – wrzeszczy Krzysztof. – Nawet nie powiedziałaś, ile kosztuje! Nie chcę tego samochodzika. Nie chcę!

– No, tego już za dużo! – Teresa przerzuca się z rozpaczy w gniew.

– Nie chcę! Nie chcę! – wrzeszczy Krzysztof na całą plażę.

– Idziemy do domu! Natychmiast idziemy do domu! Zbieraj swoje manatki! Jesteś tak niegrzeczny, że już nigdzie z tobą nie pójdę.

– To nie. Będę chodził z nianią.

– Marcin, nie pozwól mi go zbić! Ja cię proszę, nie pozwól mi go zbić!

– Na pewno ci nie pozwolę – Marcin wciąż się uśmiecha, ale usta mu drżą. – Uspokój się, nie ma z czego robić afery.

– Nie wiem, naprawdę nie wiem, co się z nim stało.

– Ja wiem.

– Przepraszam cię za dzisiejszy dzień, to się już nigdy nie powtórzy.

– To się będzie musiało powtarzać – mówi Marcin łagodnie. – Dopóki on nie przestanie cierpieć...

Na Mariackiej słychać uderzenia młotka. To doktor Danielewicz kończy zamykanie skrzyni. Jeszcze jeden gwóźdź i jeszcze jeden – wreszcie dzieło gotowe.

– No, w tej skrzyni obraz może spokojnie jechać nie tylko do Warszawy, ale nawet do Włoch.

– Do Włoch to może ja pojadę – odzywa się Ewa.

– Ty?

– Nie mówiłam ci, jaka jest pierwsza nagroda w konkursie?

– Nie.

– Roczne stypendium we Włoszech. Och, nie myśl, że naprawdę wyobrażam sobie, abym akurat ja miała ją dostać... Jestem w tobie zakochana, ale to jeszcze nie dowód, że zupełnie straciłam głowę. Powiedziałam tak sobie, bo byłeś taki zadowolony ze swojej skrzyni.

– Skrzynia jest naprawdę wspaniała!

– Żeby tylko obraz okazał się jej godny.

– Tfu... tfu... bo zapeszysz.

– Temat jest na pewno dobry: człowiek! – Ewa śmieje się przez chwilę cicho, a potem dodaje: – Myślę, że niewielu na niego wpadło. Człowiek! – prawie odkrycie w sztuce współczesnej. Danielewicz wciąż jest zajęty swoją skrzynią.

– Myślę, że adres trzeba umieścić z tej strony. Napiszę tuszem wprost na desce, kartka mogłaby się odkleić.

– Rób, jak chcesz, skarbie. Och, jak ja lubię, kiedy ty się krzątasz po domu! Wszystko od razu nabiera innego sensu. Sprzęty i przedmioty stają się ładne i potrzebne. Patrz, taki młotek! Leżał sobie w szufladzie w kuchni zupełnie bezużyteczny. Aż przyszedłeś ty i mój młotek ożył! Ożyło lustro, bo się w nim przeglądasz, popielniczka, ponieważ strzepujesz do niej popiół, ja, bo na mnie patrzysz!

– Czy mam kończyć z tą skrzynią, czy przyjść cię pocałować?

– Oczywiście to drugie.

– Wprowadzasz dywersję w ustalony tok zajęć. Mieliśmy dziś nadać obraz na pocztę.

– Nadamy jutro. Chodź tu do mnie!

Nagle Adamowi coś się przypomina.

– Czy naprawdę pierwszą nagrodą jest roczny pobyt we Włoszech?

Ewa wybucha śmiechem i targa go za włosy.

– Boże! O czym ty myślisz?

– A z czego ty się śmiejesz?

– Z twojej miny. Wyglądasz na poważnie strapionego.

– Ty natomiast przyjmujesz to bardzo lekko.

Ewa wciąż nie przestaje się śmiać.

– Czy nie przyszło ci do głowy, że kiedyś trzeba się będzie rozstać?

– Ewo!

– Och, nie, nie, nie myślę o nagrodzie. Ale przecież... – Ewa odwraca głowę i dodaje dopiero po chwili: – ...mogą być inne, poważniejsze powody, dla których...

– Dlaczego to mówisz? – pyta Danielewicz blednąc.

– Bo czasem zdarza mi się o tym myśleć. Nawet ostatnio. Zwłaszcza ostatnio... – i znowu żartem, przysuwając się do jego twarzy: – Nie chciałbyś się rozstać ze mną?

– Wiesz, twoje żarty na ten temat...

– To nie są wcale żarty. Początek miłości zawsze zapowiada jej koniec. Czy chciałbyś, żebyśmy w pospolity sposób zakończyli naszą... naszą przygodę?

– Przygodę? Ty to nazywasz przygodą?

– Przecież wiesz, że – niezależnie od gatunku naszych uczuć – praktycznie rzecz biorąc nigdy nie miałam nadziei na nic więcej. Do niczego cię nie zmuszałam, do żadnych postanowień.

– O czym tym mówisz? Twoje zmiany nastroju są zupełnie zastanawiające.

– Nastrój naszej miłości jest wciąż ten sam. Chciałam zawsze tylko ciebie, nie liczyłam na nic ponadto. Więc czy to w końcu nie jest przygoda? Och, kochanie, nie miej od razu takiej miny! Małżeństwo także się kończy, mimo że przeważnie trwa dalej. Czy ludzie nie powinni dążyć do tego, żeby miłość miała tylko początek?

– Jak to rozumiesz?

– Zwyczajnie. Płowiejące z dnia na dzień uczucie – to bardzo smutny widok. I nieunikniony. Patrząc nań nie można nawet zachować wspomnień o jaskrawej barwie pierwszych dni miłości. Tak, właściwie to jest najgorsze, że giną również nasze wspomnienia.

– Ewo, zaczynam się niepokoić tym, co mówisz. Czy coś się stało?

– Nic się nie stało. To znaczy nic nowego. Wszystko było właśnie tak, kiedyśmy zaczynali naszą miłość, tylko nie chcieliśmy tego widzieć.

– Czy spotkała cię jakaś przykrość?

– Ach, nie, skądże?

– Może... może Teresa posunęła się do czegoś...?

– Wciąż jednak o niej myślisz. Źle, ale myślisz! Nie, ona nie posunie się do niczego.

– Skąd wiesz... skąd wiesz, że ona nie posunie się do niczego?

– Wiem. Muszę to tylko jeszcze sprawdzić. Ale to i tak nie ma żadnego znaczenia.

– Ty coś wiesz o niej i nie chcesz mi powiedzieć, zauważyłem to już od dawna.

– Oczywiście, że nie chcę ci powiedzieć. Kobiety muszą trzymać ze sobą nawet... nawet, jeśli wypadnie im na pewien czas być przeciwniczkami. Nie powiem ci, a to, co mam sprawdzić, muszę sprawdzić dla siebie. Jest mi to potrzebne... dla uspokojenia sumienia na przykład. Czy myślisz, że kobiety nie mają sumienia?

– Och, zaczynam wątpić, czy przede wszystkim mają rozsądek. Wybacz, kochanie, ale nasza dzisiejsza rozmowa... Zaczęła się tak uroczo.

– Nie zawsze może być uroczo. Widzisz, my, ofiarodawczynie miłości niezatwierdzonej formalnie, mamy tę przewagę nad prawowitymi małżonkami, że dysponujemy samą radością, samą uciechą. Zmartwienia i troski mężczyzna zostawia za progiem naszego mieszkania. I to jest dopiero nieuczciwe. Gra prowadzona nie fair. Gdybyśmy oprawili naszą miłość pospolitą ramą codziennych spraw, małostkowych kłopotów i drobiazgów, prawdopodobnie przygasłby jej płomienny blask, a wtedy może... Wtedy może okazałoby się, że są inne sprawy, ważniejsze niż miłość...

– Ewo!

– ...że są inne sprawy, ważniejsze niż miłość, że żyć to nie znaczy tylko cieszyć się, tylko brać dla siebie, ale przede wszystkim móc patrzeć ludziom w oczy, móc spokojnie patrzyć im w oczy i dawać im coś z siebie, choćby właśnie przez to, że się im niczego nie zabiera...

– Ewo, coś się stało, czego nie chcesz mi wyjawić. Od początku to czuję. Czy... czy powinienem stąd pójść?

– Pójść? – Ewa mruga powiekami. – Co to znaczy pójść?

– Pytam, czy mam stąd pójść i nie wrócić więcej? Chcesz tego? Ewo! Odpowiedz! Nie będę pytał o nic. Chcesz, żebyśmy się rozstali?

– Nie! Och, nie! – Ewa obejmuje go gwałtownie ramionami. – Boże! Ty miałbyś stąd pójść i już nie wrócić? Ty miałbyś to zrobić? Nie! Nie oddam cię! Nie oddam cię nikomu! To nieprawda, wszystko nieprawda! Nic nie jest ważniejsze niż miłość. Nie chcę patrzyć ludziom w oczy! Nie chcę! Nic nie obchodzą mnie ludzie. Nikt mnie nic nie obchodzi. Zostań! Błagam cię, zostań!

– Nie płacz! Przecież jestem tutaj. Jestem przy tobie.

– Zostań, och, zostań! Trzymaj mnie mocno, nie chcę o niczym myśleć, o niczym nie chcę myśleć. Wszystko nieprawda! Głupstwo i nieprawda. Jesteś tylko ty i ja i nikogo nie ma poza nami. Tylko ty i ja i nikogo, nikogo więcej.

XVII

– I cóżeś ty narobił najlepszego?

– A co innego miałem zrobić? Żeby mnie wszyscy podejrzewali, że byłem wspólnikiem Wantuły? Wiesz, co ludzie gadają.

– Gadają! Pogadają i przestaną. Co się taki delikatny zrobiłeś? O wszystkich teraz gadają, a jakby się każdy tak miał bać, jak ty, to by życia nie było. I co teraz zrobimy bez mieszkania?

– Trudno, poczekamy. Ja już widocznie mam takie szczęście, że nic mi łatwo nie przychodzi.

– Teraz okazuje się nagle, że ty masz czas, że ty możesz czekać.

– Stefka! Przecież wiesz, jak ja bym pragnął, żebyśmy już byli razem, jak ja na to czekam. Ale co robić, kiedy się nie składa. No, nie składa się, niech to diabli porwą, jakiś pech przeklęty, czy co.

– Łatwo na pech wszystko składać. A od czego człowiek ma swój rozum? Po co ci było do Wantuły chodzić i rezygnować z mieszkania? Gorliwy się znalazł! Może myślisz, że ci nagrodę za to dadzą?

– Stefka, przestań się ze mną kłócić! Taki ładny wieczór, a ty się wciąż ze mną kłócisz.

– Bo jestem wściekła!

– Na mnie?

– A na kogo? Już się musiał pośpieszyć i manifestację zrobić, że z Wantułą nie ma nic wspólnego. Co cię to wszystko obchodzi? A jakby nawet kradł, to twoje?

– Jak to – jakby kradł?

– Bo przecież nikt go na tym nie złapał... E, co tam dużo na ten temat gadać! Mielibyśmy mieszkanko, ja bym się z domu wyniosła i wreszcie moglibyśmy żyć jak ludzie. A tak i Wantule krzywdę się zrobiło, i z nami nie wiadomo co będzie.

– Kto Wantule zrobił krzywdę? Sam sobie zrobił krzywdę! Dobra jesteś.

– Już lepiej o tym nie mówmy. Ja tylko jestem ciekawa, co ty myślisz dalej robić. Czekać? Na co czekać? Mieszkanie z nieba nie spadnie.

– Jutro złożę podanie w kwaterunku.

– Poślij to do gazety jako wesoły kącik. A w ogóle to jakim prawem ty masz składać podanie? Ludzie z dzieciakami latami na mieszkanie czekają. A my nie jesteśmy nawet małżeństwem.

– Przecież możemy się pobrać. Chcesz? Choćby zaraz.

– Tylko na to mnie nie namówisz. I gdzie będziemy się gnieździć? Albo u mnie, albo u twojej matki? Nie, dziękuję. Po tygodniu zaczęlibyśmy skakać sobie do oczu.

– My? Stefka! My mielibyśmy skakać sobie do oczu? Zobaczysz, jak nam będzie dobrze!

– Przecież nie myślę o nas, ty głuptasie! Myślę o naszych rodzinkach. Jak nam zaczną ćwierkać nad głową, jak się zaczną wtrącać i życie umilać. Nie wiesz, jak to jest, jak młodzi mieszkają ze starymi? Żadna synowa nie jest dobra ani żaden zięć. Najlepiej jak się przychodzi raz na miesiąc z wizytą. Wtedy wszyscy są zachwyceni. Och, nie ma nic gorszego jak mieszkać z rodziną! Z cudzymi się zgodzisz, a ze swoimi nie. Widzisz, u Wantuły byłoby nam tak dobrze...

– Już mi tego Wantuły nie przypominaj. Wantuła i Wantuła! Słuchać tego nie można!

– Ale żeś głupstwo zrobił, to się przyznać nie chcesz! Ty jesteś honorowy, nie chcesz z Wantułą mieć nic wspólnego, uważasz, że stać cię na to. No i oczywiście resztę zostawiasz mnie, ja będę musiała głową kręcić, żeby z tego wszystkiego jakoś wybrnąć.

– Ty?

– A kto? Ktoś z nas dwojga musi myśleć. Jak ty się w honor bawisz! Widziałeś, żeby teraz ludzie o honor dbali?

– Stefka, już ci tyle razy mówiłem, żebyś z takimi historiami do mnie nie wyjeżdżała. Inni mogą nie dbać, a ja dbam. Ja się na innych nie oglądam. I proszę cię, żebyś więcej nic takiego mi nie mówiła. Ty myślisz, że już jak ja cię kocham...

– Ja nic nie myślę.

– A teraz będziesz się dąsać, Stefka! Taki piękny wieczór! Zobacz, na każdej ławce zakochana para. Przecież ludzie po to przychodzą do parku, żeby się kochać, żeby się całować, kiedy nikt nie widzi.

– Zostaw mnie! Akurat mi teraz całowanie w głowie! Dużo nam przyjdzie z tej miłości, kiedy nie mamy co z nią zrobić. Gdzie się będziemy kochać? Na schodach?

– Nie bądź od razu taka ordynarna.

– Kiedy muszę! Muszę, rozumiesz? Nawet każdy ptaszek ma gniazdko, a pies budę. Tylko człowiek...

– Zobaczysz, że i my będziemy mieli swoją budę, zobaczysz.

– Tak, czekaj, babciu, latka! Ty nic innego nie potrafisz powiedzieć. A tymczasem inni zgarniają wszystko dla siebie. Zobacz, jakie budują domy, jakie mają samochody, zobacz, jak żyją!

– Widocznie mają na to.

– Dobrze, że powiedziałeś m a j ą, a nie zarabiają, nic pracują. Może już coś do ciebie zaczęło docierać. Jakbyś tak przeszedł się wieczorem przed Grand Hotelem w Sopocie...

– Kiedy ty tam byłaś?

– Ojej, raz pojechałam z koleżanką. Od razu robisz wielkie oczy. Tam dopiero można zobaczyć, jak ludzie żyją. A w każdym samochodzie faceci wożą babki wydekoltowane do pasa.

– Ciebie też mógłby któryś zaprosić. Nic ci nie brakuje.

– Teraz to ty jesteś dla mnie niedobry. I niesprawiedliwy. Czy ja nie mam prawa przynajmniej popatrzyć, jak życie wygląda? No, powiedz, nie mam prawa?

Wacek nagle smutnieje.

– Masz! Ale ja się czegoś aż boję...

Stefka dotyka jego ramienia. Jej oczy stają się ciepłe i dobre.

– Czego ty się boisz, Wacek? Ty myślisz, że ja bym mogła...? Coś ty? Ja? Co oni mnie właściwie obchodzą – ci faceci w samochodach? Niech sobie jeżdżą, co mi do tego? Mnie tylko czasem jest tak żal, że my nic nie mamy: ani stołka, ani łóżka... Meble to by się wzięło na raty, wszyscy tak robią, ale ten dach, ten dach nad głową...

– Nie mów tak, bo mi serce pęknie.

– I mnie, Wacek. Tak by nam już było dobrze! Nie musielibyśmy się rozstawać. Och, żebyś wiedział, jak ja nie cierpię, kiedy mi co dzień mówisz „dobranoc". Nigdy nie będziemy sobie mówili „dobranoc". Po co nam to słowo, kiedy już zawsze będziemy razem...

– Nie mów, Stefka, nie mów, bo mi serce pęknie...

– Żebym miała spod ziemi pazurami to mieszkanie dla nas wydrzeć, to je zdobędę! Zobaczysz, że zdobędę!

– Tylko nie rób nic beze mnie!

– Ty się tam do tego nie nadajesz.

– To może ja... może przeproszę Wantułę...

– Żeby cię ze schodów zrzucił, tak? Przynajmniej ja bym na jego miejscu to zrobiła.

– Ale on nie jest taki zawzięty jak ty. On jest dobry... No, dobry jest ten stary Wantuła. Ale co ja miałem zrobić? Co ja miałem zrobić?

– Dlaczego tak krzyczysz? Ludzie się oglądają. Zresztą, kto wie, czy on ten domek tak szybko wybuduje...

– Właśnie, ja też tak myślę.

– Ty też tak myślisz?

– No, że pewnie teraz tak prędko nie wybuduje.

– Oj, Wacek, jacy my biedni jesteśmy! Jacy my biedni! Samiśmy sobie wszystko popsuli...

– Siadaj, najwyższy czas na kolację!

– Już idę!

– A gdzie ten list do pana Antoniego? Leżał tu na stole.

– Przecież niania sama wzięła i położyła na kredensie.

– To jakiś niedobry list, wcale nie mam do niego sympatii. Przeczucie, czy co?

– Z pieczątką!

– Z prezydium rady narodowej. Co to może być? A pana Antoniego wciąż nie ma. Człowiek taki ciekawy, a jego nie ma!

– To może zobaczymy, co tam jest w środku.

– Krzysztof? Cudze listy otwierać?

– A czy ja mówię, że otwierać? Tak tylko trochę zajrzymy.

– Ani mi się waż! Co by sobie pan Antoni o nas pomyślał? Chcesz zupy z obiadu?

– A jaka była?

– Już nie pamiętasz? Krupnik.

– Krupniku nie chcę.

– Ale zjedz chociaż trochę. Krupnik zdrowy!

– Niania o wszystkim tak mówi. I o kotletach mielonych, o marchewce, a najwięcej to o ziemniakach.

– No, no, ty tylko nie podskakuj, nie pod... No, jedz, mówię ci!

– Nie podskakuj, nie podskakuj – podśpiewuje Krzysztof – bo nastąpisz Panu Bogu na odciski! Widzi niania, ja też to umiem!

– Cicho bądź! Co ty wygadujesz.

– Przecież to niania stale tak mówi.

– Co ja tam mówię, jedz! Kilka łyżek krupniku, a ty się bawisz.

– Dla niani zjem.

– Co powiedziałeś?

– Dla niani zjem. Niech się niania ucieszy.

Paulina śmieje się ubawiona i wzruszona.

– A to dopiero dobre! Dla mnie! Przecież to do twego brzuszka idzie.

– Ale dla niani!

– Dobrze, niech będzie dla mnie! I dla mnie będziesz zdrowy po tym krupniczku... I dla mnie będziesz rósł...

– Wszystko dla niani!

— Moje złotko! Moje kochane! Moje biedne!

— A dla pana Antoniego mogę zjeść marchewkę i ziemniaki!

— Ach, dla pana Antoniego także! Ale jego jeszcze nie ma... On wcale nie będzie tego widział.

— To mu niania powie. Ja dużo dla niego zjem! Niania mu powie, że ja dużo dla niego zjadłem.

— Wszystko mu powiem. Na pewno się ucieszy. Tylko ten list! Ten list nie daje mi spokoju.

— A przecież już raz dostaliśmy taki list i był dobry.

— Ale wtedy... wtedy wszystko się nam lepiej układało... A teraz, widzisz, jakoś tak... No, nie mamy szczęścia.

— To tak, jak w jantara.

— Oj, tak samo!

— Ale wypełnimy w tym tygodniu kartki?

— Wypełnimy. Co mamy robić? A nuż by te nasze numery wyszły – i co wtedy? Do końca życia by sobie człowiek nie darował.

— A o rowerze niania pamięta?

— Pamiętam, pamiętam. No i gdzież ten pan Antoni?

— Cicho! Ktoś idzie po schodach!

— Ale gdzie tam idzie – cisza aż w uszach dzwoni! Rzadko kto teraz do nas zagląda. Jakby nie ty, to bym mówić zapomniała. Tyle co my sobie obydwoje porozmawiamy, nie?

— No! A pana Antoniego to teraz też nigdy w domu nie ma.

— Bo pan Antoni pracuje. Rano na swojej budowie, a po południu w firmie.

— Musi tyle pracować?

— Musi. Jakby budowy sam nie doglądał, to by nic z tego nie było. Ludzie teraz tacy, że im wciąż na ręce trzeba patrzyć. Albo ukradną, albo źle zrobią. Nikomu nie można dowierzać.

— To jak pan Antoni wybuduje domek, to się od nas wyprowadzi?

Paulina wzdycha.

– A wyprowadzi się. Co robić?

– Ojej, to źle! Ja nie chcę!

– Co z tego, że ty nie chcesz? Pan Antoni marzył zawsze o własnym domku, o ogródku. Przez tyle lat oszczędzał, żeby go mieć. A teraz dostanie pożyczkę, domek wykończy i tyle go będziemy tu oglądać.

– Ale co dnia pójdziemy do niego?

– Co dnia to pewnie nie. Może w niedzielę.

– Tylko w niedzielę? Ale jak tu będzie bez pana Antoniego? No, ja nie chcę! Ja nie chcę!

– Nie tylko ty nie chcesz... Nic nie poradzimy, taki los. Tylko człowiek serce do kogoś przywiąże i już gotowy smutek.

– A nie możemy powiedzieć panu Antoniemu, że nam będzie żal?

– Nic nie mów! Do czego to podobne? Jeszcze by się z nas śmiał.

– Pan Antoni by się śmiał! Niania myśli, że jemu bez nas też nie będzie smutno?

– Cicho! Do czego takie gadanie? Co ma być, to będzie i koniec. O, teraz to zdaje się pan Antoni idzie. Tylko, Krzysztof, ani słowa.

Pan Antoni już od progu wyciąga coś z kieszeni.

– Dobry wieczór! Masz, Krzysztof, przyniosłem ci kasztany. Będziesz miał z czego robić swoich ludzików na zapałkach.

– Ojej, tak dużo! Dziękuję. A u nas nie ma kasztanów.

– Za to w Oliwie pełno! Jak tylko zobaczyłem, że się już sypią z drzew, od razu pomyślałem o tobie.

– Pan Antoni to o wszystkim pamięta.

– A o kim mam pamiętać, jak nie o nim? Ale coś panna Paulina nie taka, jak zawsze... Nie woła mnie od razu do jedzenia...

— Bo list musi pan najpierw przeczytać.

— List?

— Tak, tam leży. Nie podoba mi się jakoś ten list.

— Hm, z prezydium miejskiej rady narodowej. Ano, zobaczymy, co nowego. — Wantuła rozdziera kopertę, przebiega szybko oczyma pismo. — Jeszcze i to! Jeszcze i to musiało mnie spotkać! — mówi zdławionym głosem.

— Jezus Maria! Panie Antoni! A nie mówiłam, że to coś złego? Przez cały czas miałam takie przeczucie.

— Odmówili mi pożyczki!

— Odmówili? Dlaczego? Przecież było pewne, że pan dostanie?

— Było pewne, jak pracowałem na stoczni. A teraz zaświadczenia z pracy nie mogłem przedstawić. Firma prywatna to nie to, co stocznia.

— Ale pan piętnaście lat był w stoczni, to się nie liczy?

— Dla nich to nie ma znaczenia. Nie pracuję i koniec. Może jak się do wodociągów dostanę, to się zacznę na nowo starać. Ale to już nie w tym roku. No, cóż, panno Paulino, tak czasem bywa z marzeniami. Pchasz i pchasz naprzód, aż się okazuje, że dalej nie dasz rady. Nic nie będzie z mojego domku, przynajmniej na razie...

— To pan Antoni z nami zostanie?

— Cicho bądź, Krzysztof! Nie wtrącaj się, jak starsi rozmawiają!

— Ja się wcale nie wtrącam, tylko się cieszę!

Wantuła nie może się nie uśmiechnąć.

— To ty taki niedobry jesteś? To ty się cieszysz, kiedy ja się martwię?

— Ale pan Antoni z nami zostanie!

— I gadaj z nim! — pan Antoni jest zupełnie rozbrojony. — No, chodź tu na kolana! Tak prawdę powiedziawszy, to nie wiem, jak ja bym przez zimę tam sam wytrzymał.

— Oj, tak, panie Antoni! – nie wytrzymuje Paulina. – Kto by tam panu w piecu napalił, coś ciepłego do jedzenia przygotował? Nieraz jak sobie o tym myślałam, to mnie aż coś... aż coś w sercu ściskało...

— To pani o tym myślała, pani o tym myślała, panno Paulino?

— A czasem... czasem się takie myśli skądś biorą. Siedzi człowiek i ni stąd, ni zowąd... ni stąd, ni zowąd... Taki żal...

— Ale dlaczego pani płacze? Dlaczego pani płacze, panno Paulino?

— To z radości! Z radości, że jeszcze trochę... jeszcze trochę będzie pan z nami...

— Ja też chciałem płakać – wtrąca Krzysztof. – Też chciałem płakać, jakby pan Antoni nas zostawił.

— Panno Paulino! Łzy? Łzy dlatego, że ja... No, ja przecież cały nie jestem wart, żeby pani... żeby pani chociaż jedną łzę przeze mnie...

— Co też pan mówi, panie Antoni? – szepcze Paulina pochlipując.

— Prawdę mówię. Cały nie jestem wart, żeby pani przeze mnie płakała. Więc pani... pani wolałaby, żebym tu został?

— Ja też! – woła Krzysztof, pewny, że jego zdanie jest najważniejsze.

— Pewnie, że tak. A jakie tu życie byłoby bez pana? Ani na kogo czekać? Ani dla kogo gotować?

Wantuła robi się cały czerwony i zaczyna się jąkać ze wzruszenia.

— No, to... no, to ja wcale nie żałuję, że nie dostałem tej pożyczki! Bo dzięki temu... dzięki temu wiem, że pani... że pani, panno Paulino, że pani mnie... No, stary jestem, zapomniałem, co się mówi w takich razach..., ale myślę, że jak już tak... że jak już tak między nami jest..., to na co czekać?

Na co czekać? Życie ucieka, panno Paulino. A jeszcze moglibyśmy razem trochę szczęścia w nim złapać...

— O czym pan mówi, panie Antoni?

— Jak to o czym? Przecież oświadczam się pani.

— Co to znaczy się oświadczać? — pyta Krzysztof.

— Jezus Maria! Pan mnie?...

— A komu? Przecież nawet Krzysztof to słyszał.

— Ale ja... ja...

— Bo chyba dobrze zrozumiałem... Panno Paulino! Ja bym
nie chciał się narzucać... Ja już bym dawno, dawno bym to
powiedział, ale zawsze się bałem, że pani... państwa Danielewiczów nie zostawi...

— Mówiłam panu kiedyś, że oni mnie już nie potrzebują.

— Ale jest Krzysztof.

— I jego nie potrzebują — mówi Paulina cicho. — Ale to
chyba nieważne... bo jak teraz... jak teraz pan Antoni tu
zostaje, to przecież... przecież on może być z nami...

— Pewnie że może być z nami!

— A z kim ja teraz jestem? — wtrąca Krzysztof przenosząc
wzrok z Pauliny na pana Antoniego.

— Ale pani mi nic nie odpowiedziała, panno Paulino. Ja
wiem, że ja mówić pięknie nie umiem i że to by trzeba było
jakoś inaczej, całkiem inaczej powiedzieć, ale pani chyba
czuje, co ja... co ja chciałbym powiedzieć... co ja myślę... Tyle
już lat, panno Paulino, tyle lat...

— Tyle lat, panie Antoni...

— Przecież, do diabła, można to było zrobić wcześniej!
Niech mi pani wybaczy, panno Paulino. Pani chyba najlepiej wie, że ja nigdy na żadną inną kobietę nawet oczu nie
podniosłem...

— Wiem, panie Antoni.

— A więc zgadza się pani?

— Ale ja już... ja już stara jestem...

– I ja też niemłody. Co tam lata, panno Paulino. Tylko koniowi zagląda się w zęby. A panna młoda ma tyle lat, na ile ją ktoś kocha.

– Jaka tam panna młoda ze mnie? Wstyd się przyznać – czterdzieści sześć lat!

– A ja pięćdziesiąt dwa! I wcale się nie dziwię, że pani sobie takiego starego dziada bierze.

– Pan stary? Panie Antoni! Przecież przy panu... przy panu to niejeden młody...

– Tylko w pani łaskawych oczach, panno Paulino. Tylko w pani łaskawych, dobrych oczach. Właśnie takie oczy drugiemu człowiekowi są potrzebne! Żeby się w nich przeglądał, żeby z nich czerpał chęć do życia, żeby się sam sobie w nich podobał. Więc co mi pani odpowie, panno Paulino?

– Ależ tak, panie Antoni – szepcze Paulina cała w rumieńcach. Tak!

– Którego to dzisiaj mamy? – woła Wantuła. – O rany, którego dzisiaj mamy? Żebym sobie dobrze zapamiętał ten dzień! Czwartego września! Kto by to pomyślał, że czwartego września ja się odważę... Nie, widocznie wcale nie jestem tak nieśmiały...

Paulina powtarza rozmarzonym głosem.

– Jak to ładnie brzmi: czwartego września! Niby zwyczajnie, a jednak... Czwartego września!

– I nawet nie mamy komu o tym powiedzieć.

– A komu by pan chciał powiedzieć?

– A mnie? – odzywa się Krzysztof.

– Proszę! Zapomnieliśmy, że tu, na moich kolanach, siedzi świadek moich oświadczyn. Już jest ktoś, kto się z nami cieszy.

– Jezus Maria, ale przecież pan nic nie jadł, panie Antoni. Ja z tego wszystkiego zupełnie głowę straciłam!

– To dobrze, panno Paulino, to dobrze! Raz w życiu – taka druga chwila już się nam nie przydarzy. Krzysztof!

Leć do delikatesów po wino! I po czekoladę dla siebie! Masz tu pieniądze, tylko prędko!

– Jakie wino?

– Jakie będzie, byle dobre! Powiedz, żeby było dobre, bo to dla panny Pauliny... Boże drogi, co ja gadam... Dobre, słodkie wino! Gronowe, masz powiedzieć!

– Gro-no-we!

– Tak, gronowe!

– A uważaj, jak będziesz przechodził przez ulicę.

– I zaraz wracaj! Żeby tylko nie było ogonka.

– Ja w ogonku i tak nie stoję! – woła Krzysztof już zza drzwi.

– Kiełbasę serdelową dzisiaj świeżą dostałam. Zaraz wrzucę na wrzątek i w minucie będzie. I sałatka jarzynowa do tego. Sama robiłam!

– O, moja ulubiona sałatka. Takiej, jak panna Paulina robi, to jeszcze nigdzie nie jadłem! Dziękuję, dziękuję, dosyć. Przecież tyle nie zjem.

– Zje pan Antoni. Jak kto tyle pracuje, to się musi odżywiać.

– Ja na odżywianie to dzięki pannie Paulinie nigdy narzekać nie mogłem.

– Bo ja już taka jestem: Jak kogoś lubię, to chcę, żeby przy mnie jadł. Wtedy lubię robić zakupy, przynosić z miasta, gotować, patrzyć, jak je. Tak z Tereską zawsze było, potem z Krzysztofem.

– A potem...

– Oj, panie Antoni!

– A może... jak już pani się zgodziła, jak już się pani zgodziła wyjść za mnie..., to może pani, panno Paulino... pozwoli... żebym panią... żebym panią pocałował?...

Paulina staje cała w ogniu.

– Jak to tak – bez ślubu, panie Antoni?

250

– A, że bez ślubu...? – cofa się Wantuła stropiony. – Dobrze, poczekamy do ślubu! Ale ślub musi być prędko! Już się dosyć naczekałem. Teraz już ani dnia dłużej! Tyle ile urzędowy okres przewiduje. I ani dnia więcej! Czy pani ma wszystkie papiery?

– Jakie papiery?

– Te do ślubu. Metrykę przede wszystkim.

– A gdzieś tam mam w szafie. Nigdy do tego nie zaglądałam, bo po co mi to było potrzebne.

– To niech pani zaraz szuka. Jutro z samego rana idę do urzędu stanu cywilnego. A jeśli i tam będzie kolejka...

– Do czego kolejka?

– Do żenienia. Ludzie przecież teraz z tymi ślubami szału dostają. Młodzikom dopiero co po dwudziestce już się żony zachciewa.

Ale Paulina nie jest skłonna przytaknąć panu Antoniemu.

– A czy to warto czekać, panie Antoni?

– A może pani ma rację, że nie warto... Człowiek ma to jedno życie, krótkie życie – powinien je spędzić jak najprzyjemniej.

– Żeby tylko komu drugiemu go nie zmarnował.

– O, to najważniejsze, panno Paulino. Jak się kogoś bierze, jak się chce być razem, to tylko w miłości i szacunku.

– Tak się zawsze mówi przedtem.

– Pani mi nie wierzy, panno Paulino?

– Panie Antoni, ja panu... ja panu bym nie wierzyła? Ale niech się pan po świecie rozejrzy, co się dzieje. Ot, choćby u nas.

– Co z nimi będzie?

– A bo ja wiem, co z nimi będzie. Niech sobie robią, co chcą. Dzieciaka tylko żal.

– Przecież mówiliśmy, że dzieciak będzie z nami. Jeśli tylko oni się zgodzą.

– Im to będzie nawet na rękę. Zobaczy pan, że się zgodzą. Najlepsze rozwiązanie! Mnie tylko przykro... trochę mi przykro przed panem... że pan może sobie myślał inaczej... a tu dziecko! Musi pan brać nie tylko mnie samą, ale i z dzieckiem.

– Ale ja się z tego właśnie cieszę, bardzo się cieszę, że biorę panią z dzieckiem! No, gdzież ten Krzysztof? Napilibyśmy się teraz, bo i kiełbasa pewnie już gotowa.

– Dobrze, że pan przypomniał! Pewnie pękła! – Paulina podnosi pokrywkę. – Całe szczęście – nie. A to bym się akurat dzisiaj popisała!

– A kogo my na świadka poprosimy?

– Ja to chyba jednak Tereskę.

– A ja naprawdę nie mam kogo. Zostałem sam jak palec. A zdawało mi się, że miałem kolegów i przyjaciół... No, nic, pomyślimy.

Krzysztof wbiega zdyszany i podniecony.

– Był tylko ba... ba...

– Pokaż! Bachus! Pierwszorzędnie! Dziękuję ci! Zaraz otworzymy.

– A sobie wziąłem mleczną. Bo ja najlepiej lubię mleczną.

– To dobrze, że wziąłeś to, co najlepiej lubisz. Bo dzisiaj jest wielka uroczystość, rozumiesz? Panna Paulina już nie będzie więcej panną Pauliną. Będzie się niedługo nazywać panią Pauliną Wantułową.

Krzysztof otwiera szeroko oczy.

– Ojej, czy to znaczy, że pan Antoni się z nianią żeni?

XVIII

– Och, nianiu! Co za nowina! Strasznie się cieszę! I życzę niani naprawdę wiele, wiele szczęścia!

– Dziękuję, serdecznie dziękuję.

– Ja właściwie nianię od dawna o to podejrzewałam.

– Mnie! O co?

– Nianię i pana Antoniego. Że się macie ku sobie – tak to się mówi, prawda? Niania zawsze o pana Antoniego tak dbała, a kiedy długo do domu nie wracał, to niania sobie miejsca znaleźć nie mogła...

– E, co też pani doktorowa.

– Ja to dobrze wszystko widziałam! A pan Antoni znowu jakby na nianię ktoś złe słowo powiedział, no, to nie daj Boże, żeby się dostał w jego ręce. Pamiętam, jak nieraz na mnie spojrzał, kiedy ja coś burczałam na nianię – odechciewało mi się wszystkiego! O, pan Antoni by za nianią w ogień skoczył.

– Ale doprawdy, pani doktorowa sobie żarty robi.

– Wcale nie żarty. Przecież mnie to przez cały czas bardzo cieszyło. Czy to nie przyjemnie, kiedy ludzie się kochają?

– Trochę tylko może za późno.

– Nianiu, muszę niani powiedzieć, że ja zawsze miałam wyrzuty sumienia, bo to właściwie przecież przeze mnie niania zmarnowała sobie życie...

– Cóż ty za głupstwa gadasz.

– Wiem, że miała niania konkurentów...

– Co tam wspominać, dawne dzieje.

– ...a zawsze wolała niania zostać z nami. Ze mną. A potem ja wyszłam za mąż...

– Już daj spokój.

– No, tak – urywa Teresa. – Ale przynajmniej cieszę się, że niecałe życie niani zabrałam. Jeszcze coś zostało dla pana Antoniego i myślę... myślę...

– Co myślisz?

– ...że może – kto wie – może to lepiej, kiedy dojrzali ludzie się pobierają... Uniknie niania wielu rozczarowań.

– Czy młody, czy stary, jak się żeni, rozum powinien mieć.

– Ba, ale czy to od razu widać ten rozum, o którym niania mówi? Och, co my tam o takich rzeczach... Nianiu, ja przecież niani wesele wyprawię!

– Po co nam wesele? Ślub weźmiemy po cichu.

– O, co to, to nie! Nigdy na to nie pozwolę! A jakie niania mnie wesele wyprawiła? Na całej ulicy było słychać!

– Tobie? Ty co innego!

– Jak to – co innego? Niania dopiero zasługuje na wesele jak się patrzy! Już ja się tym zajmę! Gości pospraszam.

– Ciekawam kogo?

– No, znajomych! Kolegów pana Antoniego...

– On teraz nie ma kolegów – mówi Paulina twardo. – Okazało się nagle, że nie ma kolegów. Ech, co tam, nic potrzeba żadnych gości.

– Ale przynajmniej dla nas, dla nas zrobimy wielkie przyjęcie! Młoda para, świadkowie... A kogo niania prosi na świadka?

– Myślałam ciebie... Myślałam panią doktorową, jeśli pani się zgodzi.

– Też pytanie, czy ja się zgodzę. Ślub byłby nieważny, gdybym ja nie była świadkiem. A kto drugi?

– Ano właśnie – drugiego świadka powinien poprosić pan Antoni. Ale on, no, już mówiłam... nie ma nikogo.

Oczy Teresy błyszczą.

– To ja niani coś zaproponuję, zgoda? Ale, moja nianiu, niech niania sobie nic nie myśli, tylko się zgodzi! Ach, i on się tak ucieszy! Bo ja mu o niani wciąż opowiadam!

– Komu?

– No, jemu! Nianiu! Przecież niania wie, że ja tu nic nie zawiniłam... A on to już wcale. Gdyby nie on... Gdyby nie on... to naprawdę nie wiem, co by się ze mną stało.

– Jeszcze może mam być mu wdzięczna, tak? Za to, że cię w domu wcale nie widać.

– A po co ja mam tu siedzieć, niech mi niania powie? Przecież ja bym tu wciąż płakała.

– Masz Krzysztofa.

– Czy niania myśli, że ja o nim zapomniałam? Ale on... on mnie teraz też nie lubi...

– Dziwisz się? Dzieci nawet jeśli czegoś nie rozumieją, to dobrze czują. Myśmy nawet wczoraj... tak właśnie przy tym wszystkim... i na ten temat rozmawiali z panem Antonim... Że może lepiej, żeby Krzysztof, zanim co... zanim u was się wyjaśni... był z nami.

– Nianiu, co to znaczy? – Teresa poważnieje.

– Przecież mówię wyraźnie. Dzieciakowi trzeba opieki, trochę uczucia, trzeba mieć czas, żeby o nim myśleć.

– Ale niania i tak się nim opiekuje. Czy niania się wyprowadza po ślubie? Nie. Wszystko zostaje po staremu. No więc skąd w ogóle ten temat? Naprawdę zrobiła mi niania wielką przykrość. Przecie ja tu jeszcze mieszkam.

– Sama powiedziałaś „jeszcze".

– Tak mi się powiedziało. Niania od razu łapie mnie za słówka.

– Nie oszukasz mnie. Dobrze widzę. Rzeczy pomału z domu wynosisz.

– Nianiu!

– A i pan doktór co dnia z pełną teczką wychodzi. Wczoraj zaglądam do bieliźniarki – prawie pusta.

– Niemożliwe!

– Niech pani sama zobaczy. Jak na to spojrzałam, to jakby mnie ktoś za gardło chwycił.

– Nianiu, nianiu.

– A ty mi się dziwisz, że ja o Krzysztofie myślę, co z nim będzie.

– Ale przecież to jakoś... jakoś musi zostać rozstrzygnięte... Tak nie będzie trwało...

— To wy sobie już róbcie, co chcecie. Dla mnie najważniejsze, żeby dzieciaka ochronić.

— Dziękuję niani, ale ja doprawdy...

— Tak będzie najlepiej, mówię ci, że tak będzie najlepiej. A jeśli o pana Antoniego chodzi, to wiesz, jaki on jest do Krzysztofa przywiązany. I Krzysztof do niego. On się teraz więcej o pana Antoniego pyta, jak o ojca.

— A o mnie?

— O cie... o ciebie... — plącze się Paulina. — O, nawet wczoraj mówił o tobie, jak była zupa pomidorowa na obiad, że mamusia tak lubi pomidorową.

— Niech go niania zawoła.

— I po co? Zostaw go, niech się bawi z dziećmi. Jeszcze zaczniesz przy nim płakać albo co. Nie trzeba dzieciakowi w głowie mącić.

— Dobrze, jak niania uważa — mówi Teresa potulnie.

— Już ja naprawdę wiem, co takiemu małemu człowiekowi potrzebne. Czy tobie, kiedy byłaś mała, działa się przy mnie jaka krzywda?

— Nie, nianiu, nie.

— No widzisz, możesz mi więc zaufać. I twemu dziecku nie zrobię krzywdy.

— Dziękuję. Bardzo dziękuję.

— A teraz pomówmy o czymś weselszym. No, otrzyj oczy, Tereska! Więc kogo to chcesz zaprosić na nasze wesele?

Teresa odpowiada nie od razu.

— Marcina! To on mógłby być drugim świadkiem. Zobaczy niania, niania się sama w nim zakocha!

— Jezus Maria! Co ty wygadujesz? Na moim weselu?

— Przepraszam, to się tylko tak mówi. Przecież wiem, że niania poza panem Antonim świata nie widzi. Ale Marcin jest wspaniały! I bardzo bym chciała... bardzo bym chciała, żeby on był na niani weselu..., żeby mógł być ze mną na niani weselu...

– Jeśli o mnie chodzi i o pana Antoniego – to w porządku. Ale co będzie, jeśli...

– Jeśli co?

– Jeśli, no, ty już dobrze wiesz... A co będzie, jak się pan doktór zjawi?

– On się nie zjawi, jego przecież teraz nigdy w domu nie ma. Niech niania będzie spokojna. A poza tym, poza tym to będzie w pokoju pana Antoniego. Czy pan Antoni nie ma prawa zaprosić kogo zcchce?

– Niby racja.

Teresa ściska i całuje Paulinę.

– Moja nianiu, moja złota!

– No, już dobrze, dobrze, przylepeczka to ty jesteś!

– Ja zrobię takie przyjęcie! Takie przyjęcie! Niania zobaczy! Będzie indyk z borówkami – dobrze, że niania nasmażyła – oczywiście przedtem zimne zakąski, a na deser tort! Tort orzechowy, kawa, wino, lody!

– I jeszcze co? Po cóż tyle wszystkiego? Kto to zje?

– My! Goście weselni! Niania nie ma pojęcia, jak ja się cieszę! Jak ja się cieszę! I suknię sobie kupię nową. Nic sobie tego roku nie sprawiałam, ale na niani wesele to się tak wystroję, tak się wystroję... A w czym niania będzie?

Paulina wstydzi się mówić o sobie.

– Pan Antoni chce, żebym była w kostiumie. W popielatym kostiumie.

– I dała niania szyć?

– Jeszcze nie.

– Nianiu, jeszcze nie? Przecież w przyszłą niedzielę ślub! Jezus Maria! To bardzo mało czasu! Kiedy niania to załatwi?

– Kiedy ja... ja zupełnie głowę straciłam z tego szczęścia...

– Widzi niania, jak to dobrze, że ja tu jestem! Biorę wszystko na siebie. Jutro jedziemy do Gdyni po kostium i suknię dla mnie.

— A dlaczego aż do Gdyni?

— Bo w Gdyni są teraz nowe sklepy, niania dawno nie była. W Warszawie takich nie ma. Kupimy wszystko do ubrania, a potem zabiorę nianię do fryzjera. Pojedziemy do Sopotu, do mego pana Kazimierza, a jak on z niani zrobi kociaka z kokiem, to nawet przyszły małżonek niani nie pozna...

— Ale on mnie lubi najlepiej po domowemu. W tym fartuchu, co w kuchni chodzę, w tych pantoflach...

— Prawdę powiedziawszy, to ja też. Ale to dlatego, że przyzwyczailiśmy się tak nianię zawsze widzieć. No to, nianiu, bo ja muszę lecieć, umawiamy się, że jutro jedziemy do Gdyni. Zaraz po obiedzie zabieram nianię na damskie zakupy.

— Poczekaj. A może... może mogłabym być w tej sukni, co ją kupiłam na Bal Stoczniowca? Raz miałam na sobie. Suknia jak nowa, po co wydawać pieniądze?

— Boże drogi, nianiu! Niech tylko niania nie wyjedzie z tym przed panem Antonim! Na pewno by się obraził. Do ślubu musi być wszystko nowe! A pieniądze są po to, żeby mieć z nich przyjemność.

— A co to za przyjemność z kiecek, tylko w szafie zawadzają.

— Przyjemność z tego, że się ładnie wygląda. Więc proszę nie rozmyślać już na ten temat, bo mi niania całą uciechę zepsuje. No to ja już idę. Która to godzina? Ojej, już tak późno!

— Zdążysz, zdążysz — gdera Paulina. — On poczeka.

— Muszę się bardzo spieszyć. No to pa, nianiu, do widzenia.

— A przyjdź trochę wcześniej niż zwykle!

— Dobrze, postaram się!

— Niestety, żałuję, ale może sprawę rozwiązania ściany w mesie oficerskiej omówimy jutro. Muszę panią przeprosić, bardzo się śpieszę.

Ewa przygląda się Marcinowi przez zmrużone powieki.

– Na mnie także ktoś czeka, ale ja wcale nie mam zamiaru rezygnować z tego powodu z rozmowy z panem.

Marcin jest wyraźnie zaskoczony jej tonem.

– Nie rozumiem.

– Mówię, że na mnie też ktoś w tej chwili niecierpliwie czeka i że ja z całą satysfakcją pozwalam mu na to. Czekanie wzmaga uczucie.

– Nie jestem skłonny do budowania teorii na ten temat – mówi Marcin sucho. – A więc stanęliśmy na tym, że zatrzymujemy ten rodzaj oświetlenia w mesie. Co zaś do lamp w kabinie kapitana...

– Najlepiej by jednak było, gdyby pan sam zdecydował. Nie znam, niestety, pana gustu, a chciałabym, żeby był pan zadowolony. Jest kilka sklepów w Gdańsku, do których moglibyśmy się wybrać.

– Tę sprawę zostawiam już do wyłącznego uznania pani.

– A jeśli wybiorę coś, co nie będzie panu odpowiadać?

– Na pewno to zaakceptuję – Marcin spogląda na zegarek. – A więc to byłoby wszystko.

– Ach, zapomnieliśmy o najważniejszym! – woła Ewa. – Obiecał pan obejrzeć dziś projekty baru i palarni dla pasażerów. Najwyższy czas, żeby postanowić, który z projektów będzie realizowany.

– Może jednak odłożymy to do jutra.

– Jak pan woli. Tylko pracownia stolarska i tapicerska przynaglają. Dziś rano dzwonił kierownik i powiedział, że jeśli jutro nie dostanie projektu, za nic nie odpowiada...

– Szkoda, że mi pani zaraz tego nie powiedziała.

– Był pan przez cały czas tak zajęty.

– No, tak – w głosie Marcina brzmi zniecierpliwienie – ale teraz jest już dosyć późno, wszyscy już wyszli i nie porozumiemy się z pracownią.

– Pracownię mogłabym załatwić jutro od samego rana. Proszę tylko zdecydować się co do projektu.

– No dobrze, niech pani pokaże rysunki.

– To nie są rysunki. To są makiety. Ponieważ chcę pana przekonać co do projektu, który mnie najbardziej odpowiada, zrobiłam model plastyczny, i to dość pokaźnych rozmiarów.

– Gdzież on jest?

– U mnie w pracowni.

– Jak to, u pani w pracowni?

– A w jaki sposób miałam go tu przetransportować?

– Mogła pani poprosić o samochód.

– Wie pan, jak to u nas jest z samochodami. Czy to nie prościej, żebyśmy wsiedli w taksówkę i pojechali do mnie? Mieszkam blisko, na Mariackiej.

– No, doprawdy, zaskakuje mnie pani.

– Widzę, że jedynie przypomnienie terminu ukończenia statku zdoła pana nakłonić do odwiedzenia mojej pracowni.

– Rzecz w tym, że naprawdę nie dysponuję dziś czasem.

– To nie potrwa długo. Jeśli będziemy mieli szczęście i złapiemy taksówkę.

Na Mariacką nie jest znów tak blisko, ale najkrótsza trasa nie poprawiłaby złego humoru Marcina.

– Któreż to piętro? Idziemy i idziemy. .

– Malarze i jaskółki mieszkają pod samym dachem. Zawsze to mówię każdemu, kto mnie odwiedza.

Marcin jest nieuprzejmie zdziwiony.

– Ach, to pani tutaj także mieszka?

– Oczywiście. Nie wyobrażam sobie, żebym mogła mieć pracownię osobno. Wtedy artysta zamienia się po trosze w urzędnika. „Idzie pracować". Wtedy albo musi brać ze sobą natchnienie, jak drugie śniadanie, do teczki, ale na ogół nie udaje się go przenieść w niezniszczalnym stanie, albo udawać się do pracowni w określonej porze i brać się do pracy niezależnie, czy to natchnienie dopisuje, czy nie.

— Nie sądziłem, że tak staroświeckie pojęcie jak natchnienie, nie straciło jeszcze prawa obywatelstwa.

— Proszę, niech pan wejdzie. Natchnienie? Natchnienie jest niezbędne nie tylko w sztuce. Jest motorem wszelkich wielkich uczuć, jeśli ktoś jest w ogóle do nich zdolny. Stąd wielcy artyści tworzyli nie tylko wspaniałe dzieła, kochali także na swoją miarę i na swoją miarę nienawidzili.

Marcin nie podejmuje tematu. Rozgląda się po pokoju.

— Przepraszam, gdzie jest makieta?

— Och, nie powie pan nawet, czy podoba się panu moje mieszkanie?

— Owszem, przyjemne.

— Starałam się zrobić z mego strychu przytulny kąt, w którym można by się było schronić przed gwarem, przed natarczywością spraw codziennych, przed ludźmi.

— Nie można posądzać panią o to, żeby starała się pani przed nimi uciekać.

— Nie przed wszystkimi oczywiście.

— No, tak, ale chciałbym zobaczyć wreszcie...

Ewa wpada w jego słowa.

— Najpierw widok z okna! No, niech pan spojrzy, jaki wspaniały widok! Czy Gdańsk nie był budowany dla malarzy? Kiedy rano wstaję, mam od razu całe miasto przed sobą. Wydaje mi się, że mieszkam w jakimś ogromnym pokoju, w którym wystarczy tylko wyciągnąć rękę, aby dotknąć wieży kościoła Marii Panny. Motława służy mi zamiast lusterka, a zielony stok Biskupiej Góry jest doskonałym tłem dla koloru moich włosów. Czy nie spyta pan, dlaczego ja tego wszystkiego nie maluję?

— Doprawdy, nie znam się na malarstwie.

– Na pewno nie ma pan racji tak mówiąc. Ach, nie wyobraża pan sobie, co znaczy dla malarza czyjeś zupełnie świeże spojrzenie. Krytycy nas zawsze krzywdzą – zarówno pochwałami, jak i potępieniem. Ale ktoś, kto nie wytarł sobie jeszcze oczu zawodowym patrzeniem na obrazy, jest dla nas bezcenny. Proszę, niech pan spojrzy na to płótno!

– Ależ proszę pani.

– Nie, nie, niech pan nie płoszy nastroju. Nie z każdym udaje mi się od razu osiągnąć ten kontakt, to jakieś zupełnie niespodziewane pobudzenie do widzenia rzeczy w najostrzejszym kształcie i najdoskonalszej barwie. Proszę, żeby pan zechciał zrozumieć, co dla mnie znaczy ta chwila. Czasem całe miesiące czeka się na takie objawienie. Niech pan usiądzie, tu, tu w tym fotelu... Ach, pan jest ostatecznym akcentem wykończenia tego wnętrza.

– Przepraszam, nie rozumiem.

– Odkryłam tę niezauważoną przeze mnie dotąd prawdę, że najwspanialszym elementem dekoracyjnym jest jednak człowiek!

– Bardzo mi przykro, ale... widzi pani, ja się śpieszę.

– Och, proszę, niech się pan nie rusza! Niech pan przez chwilę tak siedzi. Głowa na tle okna... lekkie pochylenie pleców, oczy bez wysiłku patrzenia na jakiś konkret... Spokój, odpoczynek. Czy dobrze odpoczywa się panu u mnie?

– Nie ma mowy o odpoczynku, skoro przyszliśmy pracować. Chciałbym wreszcie zobaczyć te makiety.

– Chwileczkę. Obiecał mi pan przecież spojrzeć na to płótno. Wydaje mi się teraz, kiedy pan na nie patrzy, że malowałam je z myślą o panu.

– Chyba mnie pani jeszcze nie znała.

– To nic nie szkodzi. Czasem przeczuwa się ludzi dokładniej, niż by ich się znało. Ja po prostu wiedziałam, że pan będzie patrzył na ten obraz myśląc, że...

– Kiedy ja naprawdę nic nie myślę.

– A czy pan nie sądzi, że to bardzo wiele? Że to o wiele więcej od kunsztownie wyrażonych spostrzeżeń, od komplementów czy słów krytyki? Nic nie myśleć patrząc na obraz! Przecież po to posadziłam pana w tym fotelu! Spokój i odpoczynek! Zaraz zrobię kawy!

– Wykluczone! Nigdy na to nie pozwolę!

– Chce mi pan pomóc? Proszę! Chodźmy do kuchni! Zobaczy pan, jaką mam uroczą kuchenkę.

– Błagam panią, niech pani nie robi sobie kłopotu. Kuchenka jest rzeczywiście urocza, ale ja nie piję kawy.

– To niemożliwe.

– ...zwłaszcza parzonej w domu. Proszę pokazać mi makiety i naprawdę muszę uciekać.

– Pan wciąż sądzi, że ten ktoś jeszcze czeka? – pyta Ewa cicho.

– Och, która to godzina?

– Piąta.

– Gdzie są te makiety?

– Więc nie napije się pan kawy?

– Nie, stanowczo dziękuję.

– Makiety stoją na oknie.

– Nie są znów wcale takie duże.

Ewa przez chwilę milczy.

– A czy pan nigdy w życiu nie uciekał się do pretekstu?

– Żadna sytuacja w moim życiu nie wymagała pretekstów.

– O, to pan szczęśliwy!

– Więc to ma być bar? – mówi Marcin sucho.

– Tak. Starałam się rozwiązać go jak najbardziej funkcjonalnie nie tracąc przy tym nic z założeń estetycznych.

– Owszem, nieźle to wypadło.

– Wreszcie coś się panu podoba albo...

— ...albo?

— ...to dlatego, że naprawdę się pan spieszy. Zgadza się pan na projekt nie zapytawszy nawet, jak rozwiązałam sprawę chłodni. Jeśli statek pójdzie w tropik...

— Od tego są specjaliści. Można zobaczyć palarnię?

— Proszę.

— Z czego pani zrobiła ten wystrój? Tworzywo sztuczne?

— Tak. W niklowych ramach. Lekkie i daje się doskonale czyścić. Fotele z opuszczanym oparciem, które można dowolnie regulować. Pasażer uzyskuje maksimum wygody, a w razie choroby morskiej...

— W porządku — przerywa Marcin. — Podpiszę projekty, ale proszę przedstawić je jutro rano jeszcze raz mnie i kierownikowi pracowni.

— Dobrze.

— Chyba obejdzie się bez... posyłania samochodu po makiety. Przyniesie je pani sama?

— Postaram się.

— Mam nadzieję, że się pani nie zmęczy. Doprawdy, nie są znów aż tak pokaźnych rozmiarów. Do widzenia.

Marcin żegna się i dopiero teraz — już przy drzwiach — uśmiecha się do dziewczyny. Ale ona nie odpowiada mu na uśmiech. Czeka przy drzwiach chwilę dość długą, aby mieć pewność, że zdążył zejść ze schodów, i wybiega z mieszkania.

— Ach, kochanie, jaki jesteś dobry, że jeszcze czekasz.

Danielewicz przygląda się jej zaniepokojony.

— Czy coś się stało?

— Nic się nie stało. Zatrzymano mnie na statku.

— Do tej pory?

— No, wyobraź sobie! Ten Jaś to taka piła!

— Jaki znowu Jaś?

– Ach, już ci o nim opowiadałam. Kierownik nadzoru z ramienia PLO. We wszystko musi wsadzić swoje trzy grosze. Dziś zachciało mu się oglądać projekty baru i palarni.

– Po godzinach pracy?

– No, właśnie! Jakby jutro nie było na to czasu.

– A może ty mu się po prostu podobasz?

– Chyba nie – ucina krótko Ewa. – Biedaku! A ty tu siedziałeś przez cały czas.

– A co miałem robić? Gdybyś wreszcie dorobiła drugi klucz do swego mieszkania, nie musiałbym wyczekiwać po kawiarniach.

– Do naszego – poprawia Ewa z naciskiem. – Do naszego! Tyle razy ci to mówię. A klucz damy dorobić jeszcze dziś. Zaraz pójdziemy do ślusarza. I będziesz mógł przychodzić, kiedy zechcesz. Już teraz będziesz mógł przychodzić, kiedy zechcesz.

– Już teraz... Co to znaczy?

– No, nareszcie! Po prostu nareszcie!

– Powiedziałaś to jakoś dziwnie.

– Jesteś przewrażliwiony. Czekałeś na mnie – przyznaj się, masz ochotę się pozłościć. Ale to dobrze! To doskonale wpływa na ożywienie uczuć.

– Uważasz, że trzeba je już ożywiać.

– Nie wiem. Nic mi nie mówisz, nawet czy się stęskniłeś za mną?

– Bo ja ci to muszę mówić. Żebyś wiedziała, co to dla mnie znaczy czekać na ciebie! Jakie dręczą mnie domysły, kiedy się spóźniasz, kiedy nie przychodzisz... Moja wyobraźnia, och, chyba naprawdę jestem przewrażliwiony, bo ja wiem, może chory... Chwilami nie wiem, co się ze mną dzieje.

– Mój biedaku, najwyższy czas, żebyś się uspokoił, żebyś wypoczął. Wydaje mi się, że niedługo... niedługo będzie można o tym pomyśleć.

— Co chcesz przez to powiedzieć?

— Nasze sprawy układają się pomyślnie, mój skarbie. Nawet nie wyobrażasz sobie, jak pomyślnie! Któregoś dnia będziemy mogli być naprawdę razem, od wieczora do poranka i od poranka do wieczora ze wspólnymi obiadami i sprowadzaniem ziemniaków na zimę. Nasza bielizna razem powędruje do pralni, a w spisie lokatorów przybędzie jeszcze jedna pozycja.

— Co wiesz o Teresie? — pyta nagle Danielewicz, nie patrząc na nią.

— Bardzo wiele. Właściwie wszystko. Jest przez kogoś kochana.

— Skąd o tym wiesz?

Ewa rzuca na niego uważne spojrzenie i zaczyna się śmiać.

— O, wymagasz ode mnie za dużo. Wiem. To powinno ci wystarczać. Wyobrażam sobie, że mężczyzna cierpi, kiedy nie jest opłakiwany, ale trudno, będziesz musiał pogodzić się z tym faktem.

— To nieprawda!

— Mój drogi, twoje oburzenie jest co najmniej nie na miejscu, czy zdajesz sobie z tego sprawę?

— Przepraszam.

— Nie masz mnie za co przepraszać, tylko bądź łaskaw taktowniej wyrażać swoje uczucia. I zdumiewające, że ja mam mimo wszystko do nich tyle sympatii...

— Do kogo?

— Do nich. Do niej i do niego. Oczywiście też uważałabym za słuszniejsze, gdyby cię dłużej opłakiwała, ale kiedy się spotyka takiego chłopca! Trudno się kobiecie dziwić. On jest naprawdę wspaniały! Wyższy od ciebie, co najmniej o głowę wyższy od ciebie!

— Już mi to kiedyś mówiłaś — wybucha Danielewicz — kiedy spotkałaś ją na stoczni z jakimś dryblasem. To jest na pewno ten sam!

– Oczywiście. Powinieneś mieć na tyle zaufania do własnej żony, żeby nie przypuszczać, że zmienia kochanków jak rękawiczki.

– Moja droga!

Ewa przykrywa dłonią rękę doktora, leżącą na stoliku. Jest poważna, bardzo poważna.

– A więc boli? Jednak aż tak boli? Dzisiejszy dzień przynosi mi same niespodzianki. Najsmutniejsze, że jedna komplikuje drugą.

– Powiedz mi, o co chodzi, natychmiast powiedz mi, o co chodzi!

– Nie, nie powiem ci. Może już o nic nie chodzi, a może chodzi o coś, czego oboje nie rozumiemy...

Danielewicz nie panuje nad sobą.

– O czym ty mówisz, do diabła?!

– Więc aż tak boli? Widzisz, czasem takich drobnostek nie bierze się pod uwagę... Zamów dla mnie kawę. Nawet nie pomyślałeś, że chciałabym się napić. Cóż to za dzień! I ty także nie chcesz się napić ze mną kawy, dlatego... dlatego, że myślisz o niej?

XIX

– W obecności przybyłych tu świadków, pani Teresy Danielewiczowej i pana Marcina Jasa, zapytuję pana Antoniego Wantułę, czy zamierza pan zawrzeć związek małżeński z panią Pauliną Bugajczyk?

– Tak.

– Podobnie zapytuję panią Paulinę Bugajczyk, czy zamierza pani zawrzeć związek małżeński z panem Antonim Wantułą?

– Tak! – mówi cicho Paulina z lekkim, zachwyconym westchnieniem.

— Wobec zgodnego oświadczenia złożonego przede mną, kierownikiem Urzędu Stanu Cywilnego w Gdańsku, stwierdzam, że związek małżeński między panem Antonim Wantułą a panią Pauliną Bugajczyk został ważnie zawarty, zgodnie z obowiązującymi przepisami prawa. Od tej chwili jesteście małżeństwem. Proszę o złożenie podpisów na akcie. Najpierw pan. Tak, dziękuję. Teraz pani.

Paulinie trzęsą się ręce.

— Gdzie? Gdzie się mam podpisać?

— Nie tu, wyżej.

— Bo to człowiek ma często do czynienia z pisaniem...

— Dziękuję. A teraz świadkowie.

Teresa i Jas pochylają się nad aktem.

— Tak, dziękuję.

— Stwierdzam, że osoby wymienione w rubryce 1 złożyły przede mną w dniu dzisiejszym zgodne oświadczenie o wstąpieniu w związek małżeński. Jako przedstawiciel prawa cywilnego składam Wam w imieniu Prezydium Miejskiej Rady Narodowej w Gdańsku i swoim własnym dużo serdecznych życzeń. Od dziś zaczniecie nowe życie, pójdziecie razem na dobrą i złą dolę. Niech towarzyszy wam zawsze miłość i wzajemny szacunek.

— Dziękujemy, bardzo dziękujemy — powtarza Wantuła wzruszony.

Tereska ściska Paulinę.

— Och, moi kochani, jak ja się cieszę! Jak ja się cieszę!

— Dajże spokój, bo mnie udusisz, ty wariatko!

— Uduszę, uduszę! I pana Antoniego uduszę! Prawda, że wolno mi w takim dniu pana ucałować? Paulina nie będzie zazdrosna?

— A niech będzie! Niech zobaczy, że mnie inne panie całują! Czy pani doktorowa uwierzy, że ona mnie jeszcze... ani razu...?

— Niech się pan nie martwi, panie Antoni, już ja to biorę na siebie.

— Jedziemy taksówką? — woła Krzysztof.

Marcin pochyla się nad ręką Pauliny.

— Pani Paulino, proszę i ode mnie przyjąć jak najserdeczniejsze życzenia. Zasługuje pani na wiele szczęścia, choćby za to, że wychowała pani Tereskę.

— Cicho, Marcin, co ty tam wygadujesz? Ucałuj pana Antoniego! Jaki z ciebie świadek?

— Wspaniały świadek! Anim się spodziewał, że takiego będę miał świadka.

— A komu trzeba za to dziękować? Komu?

— Jedziemy taksówką?

— Krzysztof! Przecież miałeś wręczyć niani kwiaty! No i co on zrobił z tego bukietu?

— Trzymam i trzymam...

— Piękne kwiaty, prześliczne! — szepcze Paulina.

— Ucałuj nianię i życz wszystkiego najlepszego.

— ...najlepszego — kończy Krzysztof w roztargnieniu.

— I panu Antoniemu też!

— Wszystkiego najlepszego.

— Och, ty szkrabie! Chodź tu, niech cię uściskam.

— A z kim ja pojadę?

— Ze mną — mówi Teresa.

— W pierwszej taksówce?

— Nie, w drugiej.

— Ja chcę w pierwszej!

— W pierwszej jedzie młoda para.

— To znaczy kto?

— Niania i pan Antoni.

— Dlaczego?

— Ojej, tak musi być, co ci będę tłumaczyć.

— Ale ja chcę jechać w pierwszej taksówce!

Matka chwyta Krzysztofa za rękę.

– Znowu jesteś niegrzeczny, trzeba było lepiej zostawić cię w domu.

– Niech pani doktorowa pozwoli mu jechać z nami – staje w jego obronie Wantuła. – Niech dzieciak ma trochę przyjemności.

– A czy to wypada?

– Co tam patrzyć na „wypada". Grunt, żeby było przyjemnie. Prawda, panno Paulino?

– Jeszcze „panno Paulino"? – gorszy się Teresa. – Czy to już tak na zawsze zostanie?

– Ano tak jakoś... trudno się odważyć...

– „Moja kochana Paulinko!" Tak teraz będzie pan mówił. I proszę mi tu zaraz się pocałować, bo ja wiem, że tygodnie miną, a wy się na to nie zdecydujecie.

– Tereska, uspokój się, dobrze?

– A co ja mówię złego? Namawiam nowo poślubionych małżonków, żeby po opuszczeniu urzędu stanu cywilnego się pocałowali.

– Ale jak to tak, na ulicy, przed radą narodową...

– A właśnie! Jaki będzie piękny widok! Prawda, Marcin? Ty byś się nie wstydził?

– Ja bym się nie wstydził! – potwierdza Marcin z zapałem.

– A jak już tak koniecznie chcecie, to możemy się odwrócić. Już?

– Już! Już! – odpowiada Wantuła zdyszany i bardzo wzruszony.

– I tak widziało to pół miasta. Obydwaj taksówkarze, przechodnie, a nawet jeden pan zrobił zdjęcie.

– Zdjęcie? – niepokoi się Paulina.

– I jeśli to był reporter z „Głosu Wybrzeża", to jutro szukajcie siebie w gazecie.

– No, jedziemy czy nie? – nie wytrzymuje Krzysztof.

– Jedziemy, jedziemy, wsiadaj!

– Ja z przodu!

– Oczywiście, że z przodu. Panno Pau... ach, znowu! Paulinko! Jedziemy! – woła pan Antoni.

– Uszczypnij mnie, Tereska – szepcze Paulina. – Uszczypnij mnie, bo mi się wciąż zdaje, że to mi się śni.

– Wcale się niani nie śni, wszystko jest naprawdę! I ślicznie niania wygląda w tym nowym kostiumie, i buty nie cisną jak na Balu Stoczniowca...

– No, trochę.

– Ale tylko trochę. A pan Antoni czeka przy samochodzie, ma na palcu obrączkę i wszystko jest naprawdę! A nie całujcie się w taksówce, bo mi się Krzysztof zgorszy.

– No, no, Tereska, takie żarty...

– Niechże już niania się nie wstydzi i wsiada. Musimy jechać.

– Rzeczywiście, co te taksówki będą kosztować...

– Nianiu, w takiej chwili!

Wreszcie taksówki ruszają, przez most nad torami, przez Targ Drzewny, na Rajską.

– Czy pani wygodnie, pan... Czy ci wygodnie, Paulinko?

– Wygodnie, Antoni.

– Może się o mnie oprzesz?

– Dobrze, Antoni.

– Uszczypnij mnie w rękę!

Paulina śmieje się cichutko.

– Nie, to nam się nie śni, Antoni, nie muszę cię wcale szczypać. To wszystko jest naprawdę. Zupełnie naprawdę. Ach, żeby tylko indyk się nie przesuszył w piecyku! Mówiłam Teresce, żeby wystawić.

– Na pewno się nie przesuszy. A zresztą ja dzisiaj to bym nawet podeszew zjadł z apetytem.

– Niech pan tak prędko nie jedzie – szepcze Krzysztof do kierowcy. – Szkoda!

– Czego szkoda?

– No, tego! Zaraz przyjedziemy i już się skończy.

A w drugiej taksówce jedzie Marcin z Teresą.

– Wiesz, o czym myślę?

– O czym?

– Że to był nasz ślub. Że to my jedziemy teraz do naszego mieszkania...

– Cicho, Marcin, cicho...

– Wciąż mi mówisz to samo, wciąż mnie tylko uciszasz, kiedy zaczynam...

– Cicho, Marcin, cicho...

– Dostałaś ode mnie kwiaty jak panna młoda, a urzędnik stanu cywilnego – zauważyłaś? – myślał, że to nam, że nam będzie dawał ślub...

– Och, mój drogi!

– Przysuń się, włóż mi rękę pod ramię. Moje biedactwo, moje małe biedactwo!

– Dlaczego mnie żałujesz?

– A ty? Ty siebie nie żałujesz?

– Bardzo, Marcin!

– Musimy to wszystko zmienić. Najwyższy czas! Chcesz?

– Chcę.

– Ja o wszystkim będę myślał. Ja wszystko załatwię. Ty nie potrzebujesz się niczym kłopotać. Ty tylko powiesz, kiedy będzie potrzeba: tak.

– Tak, Marcin, tak.

– Jak już panna Paulina – no ja się chyba nigdy nie przyzwyczaję – jak już miałaś powiedzieć to „tak", to myślałem, że się tego nigdy nie doczekam. Przyznaj się, jeszcze się namyślałaś?

– Przecież od razu powiedziałam, od razu! Ja bym się miała namyślać, Antoni?

– A mnie się wydawało, że to wieki.

– Proszę pana! Proszę pana! – woła Krzysztof. – Niech mi pan pozwoli zatrąbić! Jak przyjedziemy na Rajską, da mi pan zatrąbić?

– Na Rajskiej nie ma dużego ruchu.

– To nic, ale ja chcę, żeby Zenek wyjrzał oknem i zobaczył, że ja przyjechałem taksówką.

– Jutro trzeba będzie zaraz pójść na milicję – mówi pan Antoni.

– Jezus Maria! Na milicję? Po co?

– Złożyć podanie o nowy dowód osobisty. Niech już będzie wszystko w porządku.

– Tak, niech będzie wszystko w porządku – potakuje Paulina.

– Tyle że się przemeldować nie potrzebujemy. I z przeprowadzką też nie będzie kłopotu. Wstawi się łóżko panny Pauliny do mego pokoju i gotowe.

Paulina uśmiecha się prawie zalotnie.

– Jak panny Pauliny, to się nie zgadzam.

– Ach, znowu się pomyliłem! No, co to się ze mną dzieje? Chociaż właściwie trudno się dziwić, przez tyle lat mówiłem „Panno Paulino".

– A żebyś wiedział, jak ja to lubiłam! Nikt mnie tak nie nazywał, tylko ty. Wszyscy niania i niania. Właściwie to tylko dla ciebie miałam imię...

Przeciągły głos klaksonu głuszy słowa Pauliny.

– Co się stało Krzysztof, co ty robisz? Dlaczego pan mu na to pozwala?

– A niech się dzieciak zabawi przy weselu – kierowca ukazuje w uśmiechu wszystkie zęby.

– Już przyjechaliśmy! Przyjechaliśmy!

– I po coś ty to zrobił? Teraz wszyscy zlecą się do okien!

– No, właśnie! Zenek też! – woła Krzysztof i jeszcze raz naciska klakson. – O, widzi niania? Wyjrzał! Zenek! U nas jest wesele! Wesele jest u nas!

Teresa wyskakuje z drugiej taksówki.

– Krzysztof? Ty jeszcze tu? Zapomniałeś?

– Co zapomniałem?

– Przecież miałeś biec pierwszy na górę i w drzwiach powiedzieć niani wierszyk.

– Ojej, to potem powiem.

– Potem nieważne. Biegnij prędko! A wiesz, co masz powiedzieć?

– Wiem! – Krzysztof biegnie po schodach za parą młodych. – Nianiu! Nianiu! Niech niania poczeka! Niech niania poczeka!

– Co się stało?

– Nic się nie stało, ja muszę coś powiedzieć.

– Co musisz powiedzieć?

– Wierszyk! Wierszyk mam powiedzieć! Zaraz... jak to szło... no, przecież umiałem...

– Poczekaj, zaraz sobie przypomnisz – mówi dobrotliwie pan Antoni.

– Ojej, na pewno umiałem... zaraz... Aha! Już wiem!

> Niech na nowej drodze życia
> kwiaty wam się ścielą.
> Niech wam płyną dni i lata.
> w szczęściu i...
> w szczęściu i... szczęściu i...

– ...weselu – kończy pan Antoni.

– Weselu – powtarza Krzysztof ucieszony, ale nagle spogląda podejrzliwie na Wantułę. – Skąd pan wie?

– Bo tak jakoś do rymu.

– Myślałem, że pan podsłuchiwał, jak mnie mama uczyła.

– A gdzież bym śmiał!

– Ale to jeszcze nie koniec! Zaraz... – i weselu!

wiele szczęścia i słodyczy

słodyczy... słody...

– Aha! Już wiem!

Tego dziś wam...

– Krzysztof życzy! – dopowiada Paulina.

– Niania też to umie? – woła Krzysztof rozczarowany.

– Skądże znowu? Tylko się domyśliłam, bo kto by nam tak ładnie i dobrze życzył, jak nie ty? No, daj buzi!

– I mnie także.

Paulina od razu pędzi do kuchni.

– No, ten indyk na pewno wysuszył się na wióry. Chyba będę musiała go pokroić i podlać sosem.

– Tylko niech niania sobie nie wyobraża – woła za nią Teresa – że ja pozwolę dzisiaj niani tutaj urzędować. Ja się wszystkim zajmę.

– A gdzie ty dasz sobie radę?

– Niech niania będzie spokojna! Trzeba mieć trochę zaufania do własnej szkoły. Kto mnie uczył gotować? A zresztą Marcin mi pomoże! Prawda, Marcin?

– Już się melduję! Gdzie ten indyk?

– W piecyku. Niech niania idzie spokojnie do pokoju. Dzisiaj jest niani święto.

– Dajże spokój, czy ja tam wytrzymam?

– Pan Antoni będzie nianię zabawiał. Zresztą my zaraz przychodzimy. Przecież stół już nakryty i wszystko poza indykiem jest na stole. A zaczynamy od zakąsek. No, niech już niania idzie usiąść.

– Naprawdę, Tereska, po co ty jakieś komedie wyprawiasz?

– Cicho, sza! Panie Antoni! Niech się pan zajmie swoją małżonką!

– A czy ja też nie proszę, żeby usiadła w pokoju? Może pantofle ci przynieść?

– Nie, dziękuję, wytrzymam – Paulina trochę zachmurzona wychodzi z kuchni. – Co oni tam powyprawiają beze mnie?

Marcin wyciąga blachę z piecyka.

– Kto to mówił, że indyk się przesuszy? Soczysty, a pachnie! Palce lizać!

– Nie mógł się przesuszyć, bo prąd wyłączony. A teraz go pokroimy i podgrzejemy w piecyku.

– Ja pokroję.

– Właśnie, żebyś się pochlapał! Tak cię lubię w tym ciemnym ubraniu. Jesteś taki uroczysty!

– Przez cały czas myślałem, czy ci się podobam.

– Bardzo mi się podobasz! Bardzo! Chciałeś, żebym ci to powiedziała?

– Czekam na to od dwóch godzin. Jak myślisz, czy niania mnie akceptuje?

– Co to znaczy, czy cię akceptuje?

– Czy przypadłem jej do gustu. Bo powiedziałaś mi kiedyś, że niania to dla ciebie jedyny autorytet.

– W każdym razie jako świadek wydałeś się jej dosyć reprezentacyjny.

– To już jest coś! Nie pozostaje mi nic innego, jak w dalszym ciągu starać się o względy panny – o, przepraszam – pani Pauliny. Zobaczymy, jaką będzie miała minę, kiedy wystąpię z koniakiem i szampanem!

– Zacznie gderać, że szkoda było wydawać tyle pieniędzy. Już ja nianię znam! A przekonasz się, jaka będzie awantura, kiedy zobaczy mój prezent ślubny. Puchowa kołdra! Po co mi puchowa kołdra? Na wszelki wypadek, jeśli mnie przyprze do muru, podam połowę ceny. Ja z nianią zawsze tak – podaję przy wszystkim połowę ceny, niania się złości i tak, że drogo, ale jakoś w końcu godzi się z wydatkiem.

Na progu staje Krzysztof. Patrzy przez chwilę na matkę i Marcina i pyta z nutą oskarżenia w głosie.

– Co wy tu robicie w kuchni?

– Przecież widzisz. Kroimy indyka.

– Ty kroisz, a on?

– Jak ty mówisz, Krzysztof? Jaki on? Marcin! Marcin mi pomaga.

– Ja ci pomogę.

– Ależ oczywiście, ty także będziesz pomagał – mówi Marcin.

Teresa myje ręce.

– Tylko że już nie ma przy czym. Indyk pokrojony, idź do pokoju.

– Ja tu zostanę.

– Ale my też wychodzimy z kuchni. Będziesz tu sam siedział?

– Nie!

– No, widzisz. Idziemy do stołu.

– Trzeba jeszcze otworzyć trunki – zauważa Marcin. – Mam nadzieję, że jest tu jakiś korkociąg.

– Jest – odzywa się Krzysztof.

– To daj mi!

– Jest w szufladzie.

– Dobrze, sam sobie wezmę. Co? Tym mam otworzyć szampana?

– A co to szampan? – pyta Krzysztof.

– Takie wino, co strzela.

– Naprawdę strzela?

– Zobaczysz! Tylko przynieś mi coś, czym bym mógł otworzyć butelkę.

– Pan Antoni ma! Zaraz przyniosę od pana Antoniego!

Krzysztof wybiega, a Teresa kładzie dłoń na ramieniu Marcina.

– Przepraszam cię, Marcin.

– Kochanie, za co?

– Krzysztof znowu był niegrzeczny. Naprawdę nie wiem, co się z nim dzieje.

– Po prostu nie przestaje walczyć. Nie myśl o tym, to naturalne.

– Proszę! – Krzysztof z triumfem pokazuje ogromny korkociąg.

– Dziękuję. O, tym można otworzyć butelkę – mówi Marcin z aprobatą.

– No, dlaczego nie strzeliło?

– Bo to był koniak. Koniak nie strzela. A szampana otworzymy przy stole.

– Pan oszukuje! – woła Krzysztof.

– Krzysztof!

– Pan we wszystkim oszukuje! Po co chodziłem po korkociąg do pana Antoniego?

– Przeproś pana! W tej chwili przeproś pana!

– Czy wy wreszcie wyjdziecie z tej kuchni? – woła z pokoju Paulina.

– Już idziemy, proszę pani! Już idziemy! – odpowiada Marcin.

– Ja się z tobą jeszcze policzę! – szepcze Teresa do Krzysztofa.

– No, siadajcie wreszcie! Pan Antoni – oj, cóż ja... – Antoni to już chyba zgłodniał do tej pory.

– Nie przesadzaj, Paulino.

– Co niania najpierw proponuje?

– Na co kto ma ochotę. Wszystko świeżutkie, wszystko w domu przyrządzone. Antoni śledzika w śmietanie nie skosztuje? Cebulka z jabłkami, jak Antoni lubi.

– Ależ zjem, zjem, przez cały czas patrzę na tego śledzia.

– To ja tobie też nałożę, Marcin.

— A mnie? — Krzysztof już uważa się za skrzywdzonego.

— Ty dostaniesz także. A może przedtem kawałek szyneczki?

— Nie, ja chcę to, co wszyscy! — upiera się Krzysztof.

— Ale przedtem trzeba wypić zdrowie młodej pary! — Marcin napełnia kieliszki. — Tylko do dna!

— Zdrowie państwa Wantułów po raz pierwszy! Trąćmy się, nianiu! Z panem Antonim także!

Paulina nie może złapać tchu.

— Mocne!

— Dobry koniaczek. Jaki to?

— Chiński. Proponuję na drugą nóżkę, panie Antoni!

— Ano, można! Chiński koniak to podobno leczniczy.

— Tylko nie pij za dużo, Antoni.

— Proszę, jak to od pierwszej chwili moja Paulinka wchodzi w rolę żony.

Wszyscy śmieją się, trącają się kieliszkami, ale przez gwar głosów i szczęk szkła przebija się ostry dźwięk dzwonka. Marcin słyszy go pierwszy.

— Zdaje się, że ktoś dzwoni.

— Chyba nie — mówi Teresa, ale wszyscy uciszają się i nadsłuchują.

Dzwonek brzmi znowu.

Paulina podnosi się z miejsca.

— Kto to może być? Pójdę otworzyć.

— Ty? Zostań przy stole, ja otworzę — pan Antoni przytrzymuje ją za rękę.

— Niech pan siedzi, panie Antoni — zrywa się Marcin. — Jeszcze by tego brakowało, żeby pan młody otwierał drzwi podczas swego wesela.

Teresa robi się czerwona.

— Ty też, Marcin, ty też nie idź... Krzysztof! Krzysztof otworzy!

— Wszyscy w domu? — pyta Krzysztof.

– Co to znaczy?

– No, bo czasem się mówi, że nie ma.

– Idź i otwórz, dobrze?

– Pan Drążek! – woła Krzysztof z przedpokoju.

– Jego tylko dzisiaj brakowało. Tfu!

– Chyba nie do mnie – szepcze Wantuła.

– Któż to taki? – Marcin nie wie, o kogo chodzi.

– Sąsiad z dołu. Później ci powiem.

Drążek staje na progu, jest zmieszany, nie patrzy nikomu w oczy.

– Dzień dobry!

– Dzień dobry – odpowiada tylko Marcin, zdziwiony, że wszyscy milczą.

– Przepraszam, zdaje się nie w porę?

– Może pan później – odzywa się Teresa – później niech pan wpadnie, panie Drążek.

– Kiedy ja nie mogę później – zaczyna Drążek gwałtownie. – Mnie... mnie każda minuta droga... Ja muszę zaraz rozmawiać z panem Wantułą...

– Co się stało?

– Nic się nie stało, nic się nie stało, ale niech mnie pan ratuje, panie Wantuła! Tylko pan może mnie uratować!

– Co się stało? – krzyczy Wantuła.

– Chłodni nie mogę uruchomić. Diabeł jakiś w tych rurach siedzi. Trzy dni się męczę, inżynier po piętach depcze, terminy na karku, a ja... ja... no, nie mogę, nie dam rady.

– Nie tak łatwo Wantułę zastąpić – odzywa się Paulina z przekąsem.

– Cicho, cicho, Paulinko – ucisza ją Wantuła. – Czego chcecie ode mnie?

– Niech mnie pan ratuje! Panie Wantuła! Tylko pan... pan jeden. No, wiem, może pan mieć żal do mnie... Ale robota! Tankowiec! Wyście zawsze mówili, że robota najważniejsza.

— Zawsze tak mówiłem — to prawda. A czego wy teraz chcecie ode mnie?

— Ja... ja chciałem was prosić... no, błagam was, panie Wantuła, weźcie się za tę cholerną chłodnię, bo życie przez nią stracę.

— Ja miałbym... teraz... na stocznię...? Ja...? A wiecie, że dziś jest moje wesele...?

— Gra... gratuluję.

— I ja miałbym teraz zostawić wszystkich, wstać od stołu... A co mnie wasza chłodnia obchodzi? Szukajcie sami, coście naknocili! Ja już nie pracuję na stoczni i wy, Drążek, najlepiej wiecie dlaczego. I jeszcze wam powiem, że bardziej niż wasze złodziejstwo boli mnie to, że się nie znalazł ani jeden człowiek, który by się za mną ujął. Nie chcę mieć z wami nic wspólnego. Nic!

— Panie Wantuła!

— Teraz do Wantuły! Teraz przypomnieliście sobie Wantułę! Ale kiedy Wantuła odchodził, to nikt gęby nie otworzył, nikt! A, dajcie mi święty spokój! Nie chcę w ogóle o niczym słyszeć!

— Ale chłodnia, panie majster! Tankowiec!

— Co mnie obchodzi wasza chłodnia i wasz tan... tankowiec... — głos Wantuły załamuje się. — Co mnie obchodzi wasz tankowiec? No, jak to jest, że nikt z was nie umiał uruchomić chłodni?

— Przecież to wyście zawsze robili — mówi Drążek pokornie.

I nagle odzywa się Paulina:

— My tu poczekamy na ciebie, Antoni.

— Coś powiedziała? Co powiedziałaś, Paulinko?

— Mówię, że poczekamy na ciebie. W każdym razie... w każdym razie ja...

— Och, i my także! — szepcze Teresa.

— A kombinezon jest w szafce w przedpokoju.

— Paulinko! Moja droga!

— Czy... czy chcecie, żebym... żebym wam pomagał...? — pyta Drążek.

Wantuła wymija go w drzwiach.

— Nie. Ja sam. Sam pójdę!

XX

— Wacek, nie zatrzymuj mnie. Widzisz, że się spieszę.

— Majster ci głowy nie urwie. Powiesz, żeś dłużej czekała w magazynie. Daj, pomogę ci.

— Nie, nie. Sama dam radę. — Stefka obejmuje ramionami paczki szklanej waty i cofa się przed chłopcem.

— Daj, poniosę. Po co masz dźwigać?

— To przecież lekkie, sama... sama wata.

— Wata, nie wata, ale nie wypada, żeby dziewczyna szła obładowana jak wielbłąd, a chłopak paradował przy niej z pustymi rękami.

— Nie bądź nagle taki dżentelmen, w pracy nie ma dżentelmenów. Mów, co chciałeś powiedzieć, bo się spieszę.

— Popatrz, jak ty potrafisz wszystko zepsuć. Ja szukam cię od rana, miejsca sobie znaleźć nie mogę, mam taką dobrą nowinę, a ty ze mną gadać nie chcesz.

Stefka wzrusza ramionami.

— Co z tego, kiedy z tych twoich nowin i tak nic nie wychodzi.

— Z tej to już na pewno coś będzie, zobaczysz.

— Mówże wreszcie!

— Dlaczego jesteś taka niecierpliwa? Gadać z tobą nie można. Mieszkanie mam, rozumiesz?

— Mieszkanie? — dziewczyna aż stanęła.

— Widzisz, stale mówiłaś, że ja nic nie wymyślę, a ja wymyśliłem!

— Czy ty wreszcie zaczniesz mówić po ludzku? – krzyczy Stefka.

— Kiedy tak się cieszę, Stefka, tak się cieszę! Zupełnie głupieję ze szczęścia!

— Zanim zgłupiejesz, powiedz wreszcie, gdzie to mieszkanie, żebym przynajmniej znała adres.

— W Sopocie. Wyobraź sobie, dowiedziałem się, że jeden inżynier, który akurat się pobudował, dostał kontrakt dwuletni do Chin. Zabiera rodzinę i szuka kogoś, kto by mu przez te dwa lata domu pilnował.

— Jak to pilnował?

— Mieszkał tam, jak inaczej? Od razu się do niego zgłosiłem. Pokazałem mu legitymację ze stoczni i jeszcze powołałem się na naszego inżyniera z tankowca. Okazało się, że to koledzy, no i zgodził się! Stefka, zgodził się!

— Zostaw mnie! Co ty stale z tym obejmowaniem?

— W takiej chwili nawet nie pozwolisz się uścisnąć. Stefka, co z ciebie za dziewczyna? Ja szału dostaję z radości. Pomyśl tylko: domek w ogródku, nawet pies i kot, bo przecież zwierzaków ze sobą do Chin nie mogą zabrać.

— Od kiedy, od kiedy to?

— Od października! Zaraz ślub i przeprowadzka!

— To i mebli, mebli także nie musimy mieć swoich?

— Po co nam meble? I tak nie mielibyśmy gdzie ich wstawić. A przez dwa lata będzie dosyć czasu, żeby się o wszystko postarać – o mieszkanie i o graty. No, Stefka, powiedz, że się cieszysz!

Stefka opiera się o ścianę nadbudówki i przymyka oczy.

— Przecież to wszystko jest jak sen.

— Ja też tak myślałem, nie mogłem uwierzyć, że to prawda. Ni stąd, ni zowąd taka historia! A tak już z nami było źle.

— Och, to ja już nie będę potrzebowała... to ja już będę mogła sobie odpocząć.

– Od czego odpocząć?

– Od... od myślenia chociażby... Czy ty sądzisz, że mało sobie głowy nałamałam nad tym wszystkim? Mówiłam ci, po nocach spać nie mogłam.

– Moja kochana! – Wacek nie może opanować rozrzewnienia. – Teraz sobie odpoczniesz. Mamy dwa lata raju, dwa lata raju przed sobą. Ach, ty oszalejesz, kiedy zobaczysz ten domek, ogród i psa! Stefka, psa! Nie uwierzysz, ale on od razu nabrał do mnie sympatii, i chyba to zdecydowało, że inżynier wybrał właśnie mnie. Miał przecież wielu kandydatów. Że pies mnie polubił i po mnie widać, że nie zrobię mu krzywdy. Śmieszny taki, cały czarny jak diabeł, a kudłaty, że nie wiadomo gdzie przód, a gdzie tył. Będziesz wariować za nim.

– Jak się wabi?

– Kajtuś! Będziesz przez dwa lata panią Kajtusia.

– Co dnia będziemy chodzić z nim na spacer – mówi Stefka w rozmarzeniu. – Ty nawet nie wiesz, ale ja od kiedy siebie pamiętam, zawsze chciałam mieć psa. Ale gdzie tam u nas można było trzymać psa. Raz miałam przez trzy miesiące szczeniaka, to mi od razu wpadł pod samochód i po nim. Pies musi mieć ogród, żeby nie mógł wylecieć na ulicę. Och, Wacek, ja się chyba nie doczekam tego, kiedy się tam wprowadzimy!

– Zobaczysz, jak to szybko przyjdzie. Zwłaszcza że będziemy mieli teraz kupę roboty.

– Jakiej znowu roboty?

– A ożenić się – myślisz, że to takie proste? Och, Stefka, ja naprawdę zwariuję ze szczęścia!

– Co ty robisz? No, co ty robisz, wariacie jeden? – Stefka znowu musi się bronić przed ramionami chłopca, ale śmieje się teraz i chyba trochę sama tuli się do niego. – Zostaw! Zostaw mnie! – krzyczy nagle.

Ale jest już za późno: spośród paczek szklanej waty wypadają na pokład jakieś ciężkie przedmioty.

Wacek robi się blady.

– Co to? Co to jest? – pyta zmienionym głosem. – Skąd masz ten kran?

– To... to... nie wiem... – plącze się Stefka. – Widocznie razem z watą... razem z watą w magazynie... tak mi się jakoś wzięło...

– Kran razem z watą...? Pokaż! Pokaż, co tam jeszcze masz?!

– Nie dotykaj mnie!

– Pokaż, co tam jeszcze masz?

– Wacek, tyś naprawdę oszalał!

– Pokaż! Krany! Prysznice! To ty! Ty to wynosisz ze stoczni?

– Uspokój się! Pomóż mi to pozbierać! Jeszcze kto nadejdzie! Wacek!

– Niech nadejdzie! Niech zobaczy! Niech zobaczy, kto chce!

– Pomóż mi to schować! Słyszysz? Wacek, przecież ja to... dla nas, dla nas robiłam...

– Dla nas?

– A dla kogo? Żeby na mieszkanie zebrać. Wiedziałam, ze ty się do niczego nie weźmiesz...

– Dobrze wiedziałaś! Na mieszkanie! Dla nas na mieszkanie! I ty myślałaś, że ja wejdę do takiego domu, który ty... Zostaw to! Niech leży! Nie dotykaj!

– Wacek!

– Nie dotykaj! A ja cię tak kochałem! Tak cię kochałem. Gdyby mi kto kazał do kanału dla ciebie skoczyć...

– Ale przecież to trzeba schować, Wacek, opamiętaj się! Jeszcze kto nadejdzie.

– Niech nadejdzie! Zostaw to, mówię!

285

– Nie zostawię! Coś ty? Chory jesteś? Do więzienia chcesz mnie wpakować?

– Połóż to z powrotem! Połóż, bo cię zabiję! Ty to na mieszkanie! Na mieszkanie dla nas! Ty ścierwo!

– Wacek! Wacek! Nie bij! Za co bijesz?

– Za co? Ty się pytasz za co?

– Nie bij! Ja przecież nic złego... Na mieszkanie chciałam... Drążek mnie namówił. Nie bij!

– Drążek! To ty Drążka wolałaś słuchać, nie mnie! Kraść! Kraść! Nic innego nie potrafiłaś wymyślić. Och, ja bym cię...

Stefka zasłania się rękami.

– Wacek! Ludzie! Ludzie, ratujcie!

– Tak, wołaj ludzi! Niech zobaczą! – Wacek jest na wpół przytomny. Bije na oślep, wściekłość i łzy przysłoniły mu oczy. – Wołaj ludzi, niech zobaczą!

– Ludzie! – piszczy Stefka.

– Nie chowaj tego! Niech wszystko zobaczą! Wszystko!

Pierwszy nadbiega Drążek.

– Co to? Co się tu dzieje?

– Pan dobrze wie, co się tu dzieje, panie Drążek. Niech się pan dobrze przypatrzy!

– Zostaw ją! – mówi groźnie Drążek, ale już i inni ludzie są na pokładzie.

– Koźlarski! Wyście oszaleli, Koźlarski!

– Mogłem oszaleć, wcale bym się nie dziwił, gdybym oszalał.

Wacek nie pozwala nikomu zbliżyć się do siebie i wciąż bije Stefkę powtarzając zduszonym szeptem:

– A ja ją tak kochałem! Tak ją kochałem!

Zbiegowisko robi się coraz większe.

– Trzymać go! Trzymać!

– Za co ją bijesz, Wacek?

– Za co? Że ją tak kochałem! Że ją kochałem, tę ścierkę! Za to ją biję! Za nic innego. Za wszystko inne wy się z nią rozprawcie. Z nią i z Drążkiem. A ja tylko za to! Tylko za to! Ktoś przyskakuje do Wacka, chwyta go za rękę.

– Rozdzielić ich! Trzymać go! Koźlarski, opamiętajcie się, Koźlarski! Pogotowie! Pogotowie!

Wacek wyrywa się i wciąż powtarza:

– Tylko za to! Za nic więcej! Że ją tak kochałem! Tak kocha...

– Dzień dobry! Chcieliśmy rozmawiać z panem Wantułą.

– Nie ma męża – Paulina patrzy niechętnie na obcego przybysza. – A i pan Wacek tutaj?

– Dzień dobry pani – mówi Wacek pokornie.

– Pan pewnie też ze stoczni? – Paulina nie przestaje przyglądać się obcemu.

– To pan Zieliński – wtrąca Wacek.

– Tak, przychodzimy ze stoczni. Kiedy mąż wróci?

– Powinien być zaraz. Ale czasu będzie miał mało – tyle co obiad zje i do pracy idzie.

– Już pracuje?

– A na co miał czekać? Tylko jedna stocznia na świecie?

– Bo my właśnie przyszliśmy... – zaczyna Wacek, ale Paulina mu przerywa:

– A dalibyście mu już spokój! On niczego od was nie potrzebuje i wy też zapomnijcie, że Wantuła żyje na świecie.

– Nie, wcale nie mamy zamiaru o tym zapomnieć – mówi Zieliński z naciskiem.

W drzwiach ukazuje się zdyszany Krzysztof.

– Nianiu, jest gazeta!

– Dobrze, połóż na stole. A zresztą, niech panowie sami z nim rozmawiają. Proszę siadać. Przepraszam, ja tylko rzucę okiem na jantara. Wczoraj nie słuchałam przez radio,

287

bo siedzieliśmy do późna na działce, a człowiek zawsze się łudzi, że może wygra...

— Tu ma niania okulary — Krzysztof nie może się doczekać sprawdzenia numerów, lecz nim Paulina zdąży nałożyć okulary, rozlegają się w przedpokoju ciężkie kroki Wantuły.

— O, jest pan majster! — mówi niepewnie Wacek.

— Dzień dobry, panie Wantuła!

— Antoni, panowie do ciebie. Powiedziałam, że masz mało czasu, tyle co na obiad. Ja już zupę nabieram.

Zieliński chrząka. Nie przypuszczał, że tak trudno będzie mu zacząć.

— Przychodzimy do pana, panie Wantuła, bo dowiedzieliśmy się wszystkiego.

— O chłodni? Że chłodnię uruchomiłem? Ja nie robiłem tego po to, żebyście przychodzili mi dziękować. Ja nie potrzebuję żadnego podziękowania.

— My nie w sprawie chłodni.

— Zupa nalana, siadaj i jedz. I ty, Krzysztof, także.

— Niech niania zobaczy jantara!

— Poczekaj, nie teraz.

— Za chłodnię dostanie pan premię od dyrekcji. A my przychodzimy z innego powodu.

— Jedz zupę, Antoni.

— Z jakiego, z jakiego powodu?

— Chcieliśmy was przeprosić.

— Przeprosić? Za co?

— To ja, panie Wantuła, przede wszystkim ja! — wybucha Wacek.

— Nie, my wszyscy! Pozwoliliśmy wam odejść ze stoczni. Dopuściliśmy do tego, że rozstaliście się z nią rozgoryczeni, a tymczasem prawdziwy złodziej kradł dalej.

— Drążek? — pyta cicho Wantuła.

– Tak, Drążek. I nie tylko on. I dlaczego pan go krył, panie Wantuła?

– A jakby pan z człowiekiem żył od lat, mieszkał z nim pod jednym dachem, co dzień na jego dzieciaki patrzył, to by panu odwagi nie zbrakło zrobić z niego złodzieja?

– Złodziejem on się sam zrobił, a pan go krył i dlatego panu przy tej okazji się dostało. Już panu raz powiedziałem: dopóki będzie się kryć tych, co kradną, dopóty uczciwi ludzie będą posądzani o złodziejstwo.

– Ja mu to samo mówiłam – nie wytrzymuje Paulina. – No, powiedz, czy ja ci tego nie mówiłam?

– Ja nie mogłem inaczej. To nie na moje serce...

– Mógł pan. Czy pan myśli, że inni serca nie mają? Powiedzić panu, co się dziś zdarzyło na stoczni?

– Nic, niech pan nie mówi – powstrzymuje Zielińskiego Wacek. – I tak się pan majster dowie. Po co mam to jeszcze raz przeżywać?

– Nianiu, no, niech niania zobaczy jantara!

– A daj mi teraz spokój z jantarem, później zobaczę.

– Ja przyszedłem pana przeprosić, panie Wantuła. Pan Zieliński w imieniu stoczni, a ja od siebie. Pan mi mieszkanie chciał dać, a ja... ja wtedy...

– Daj spokój, Wacek, po co takie rzeczy wspominać?

– Kiedy muszę! Muszę to z siebie wyrzucić!

– Jeśli o mieszkanie chodzi – wtrąca Paulina – to i tak nic z tego. Pożyczki nie dali i nie skończymy domku tego roku.

– Widzisz, Wacek, nie masz z tym mieszkaniem szczęścia. Przykro mi, cóż zrobić? Może na przyszły rok...

Paulina nie może się powstrzymać od złośliwości.

– Ja mówiłam, że pan jeszcze do Wantuły przyjdzie.

– Tak, miała pani rację, tylko że... że mnie już mieszkanie niepotrzebne...

– Niepotrzebne?

– Nie. Już nie. Bo to Stefka właśnie razem z Drążkiem...

– Jezus Maria!

– Stefka?

– Tak. Ale nie mówmy już o tym.

– A jak to się stało, że... Kto ich złapał... kto wydał?

– Ja.

– Ty? – pyta cicho Wantuła.

– Ja!

Długo trwa cisza, potem Wantuła mówi bardziej do siebie niż do Wacka:

– Tak, ty jesteś młodszy! Ty jesteś silniejszy ode mnie.

– Może pan co zje, panie Wacku? – odzywa się z nagłą serdecznością Paulina. – Panu tak zawsze u mnie smakowało! Jest zupa i mięso. Ja i tak gotuję więcej. A może i pan pozwoli?

– Dziękuję bardzo. Nie będziemy przeszkadzać. Pan Wantuła się przecież śpieszy.

– Ach, to nic, raz się mogę spóźnić. Odrobię jutro.

– Kiedy my właściwie powiedzieliśmy wszystko – mówi Zieliński i dodaje: – Ja tylko chciałem zapytać, kiedy pan wraca na stocznię?

Wszyscy patrzą na Wantułę, Paulina czerwienieje i rzuca pośpiesznie:

– Przecież mówiłam, że Antoni pracuje już gdzie indziej.

Wantuła dotyka jej ramienia.

– Poczekaj, Paulinko, poczekaj... Jak to, kiedy ja wracam na stocznię...?

– Bo chyba pan rozumie, jaka jest sytuacja. Na tankowcu liczy się nie tylko dni, ale i godziny. A fachowców brak. Teraz, kiedy nawet Drążka nie ma...

– Przypomnieliście sobie o Wantule – Paulina jest nieprzejednana.

– Cicho, Paulinko, cicho!

– Mam nadzieję, że nie będzie pan chował do nas urazy. Pana miejsce jest na stoczni.

– To ja... ja od jutra... Mogę od jutra... – wybucha Wantuła i robi się czerwony, jak chłopiec, którego nagle spotkało wielkie szczęście.

– Antoni!

– Ja przecież wiem, że na tankowcu rurarze najważniejsi. Ja o tym przez cały czas myślałem, że jakby się tam partaczy wpuściło...

– Nie wpuści się partaczy, niech pan będzie spokojny. Więc od jutra, panie Wantuła!

– Od jutra!

Paulina patrzy na męża z wyrzutem.

– A co będzie z tą pracą, co ją teraz masz?

– Pójdę i powiem im, jak jest. Też ludzie – zrozumieją. Jak wytrzymali do tej pory beze mnie, to i dalej sami pociągną. Stocznia to co innego.

– Tak, panie Wantuła, stocznia to co innego – mówi Zieliński prawie uroczyście i Paulina patrząc na nich dwóch wie, że nic nie wskóra. – Dziękujemy panu! Przepustka dla pana będzie jutro na bramce. Do widzenia!

– Do widzenia, panie majster! – woła Wacek.

– Do widzenia!

– I coś ty zrobił najlepszego? – załamuje ręce Paulina po wyjściu gości.

– Paulinko!

– Co oni sobie myślą? Że na ciebie to wystarczy palcem kiwnąć?

– Wcale tak nikt nie myśli. Widzisz, aż przyszli po mnie.

– Wielki mi zaszczyt! No, siadaj, siadaj, zupa zupełnie wystygła. Przecież wiem, że ty bez tej stoczni wytrzymać nie możesz. Na skrzydłach byś leciał! Tylko bym wolała, żebyś się z nimi trochę podroczył. Żeby zobaczyli, coś wart.

— Co człowiek jest wart, to widać po robocie i tego nikt nie potrafi udać ani zmienić. Czasem na krótko oczy ludziom się zamydli, ale prawda zawsze na wierzch wyjdzie.

— Ja już dawno zjadłem zupę! — odzywa się Krzysztof.

— Mój ty biedaku! Starzy się zagadali, a dziecko siedzi przed pustym talerzem. Już ci niania daje, już!

— To pan Antoni będzie znowu chodził na stocznię?

— Tak, teraz będzie wszystko tak jak dawniej.

— Dosyć ziemniaków! Nie chcę więcej ziemniaków! Tak jak dawniej, to już nigdy nie będzie.

— Co ty wygadujesz, Krzysztof? Jedz!

— Tak już nigdy nie będzie — powtarza dziecko.

— Zawsze jest trochę inaczej. Nudno by było, gdyby było stale tak samo.

— Mnie by nie było nudno — mówi Krzysztof cicho.

— A czy ty wiesz, co będzie jutro po południu? Jak wrócę ze stoczni? — usiłuje go zagadać pan Antoni.

— Przecież po południu pan idzie do pracy.

— Teraz już nie. Teraz po obiedzie będę zawsze w domu. A wiesz, dokąd jutro pojedziemy? Do Oliwy, do zoo. Dawno tam nie byłeś.

— Bardzo dawno. Jeszcze z tatusiem — szepcze dziecko.

— Tatuś teraz nie ma czasu — tłumaczy pośpiesznie stary majster. — Pojedziesz ze mną. Może tam są teraz nowe małpki? Jak myślisz?

— Mnie wszystko jedno. Jak pan chce, to ja mogę z panem i na te stare popatrzyć.

Paulina spogląda na nich z uśmiechem.

— To właściwie dla kogo ma się jechać do zoo?

— Dla nas obu — śmieje się również pan Antoni. — Dla dwóch kolegów, którzy pragną sobie wzajemnie sprawić przyjemność. O — Wantuła rozprostowuje ramiona — dzisiaj ja naprawdę straciłem trochę lat! Chociaż, wiesz, z tą Stefką

to straszne! Bo, że Drążek – żadna nowina. Już się przyzwyczaiłem do myśli, że kiedyś wpadnie. Ale Stefka! Taka młoda!
  – Nie myśl o tym, Antoni. Nic nie poradzisz. Oni są
teraz zupełnie inni niż my, ci młodzi. Jacyś niecierpliwi czy
łakomi, bo ja wiem. Myśmy tacy nie byli. A oni chcą wszyst-
ko mieć i sami sobie biorą, jak się im nie da. Może dobrze,
że tak się stało? Wacek nie miałby z nią życia.
  – A myślisz, że bez niej będzie miał? Widziałaś, jak
wyglądał? Żal było patrzyć. Głupia dziewczyna! Mieć takie-
go chłopaka i wszystko zmarnować!
  – Przestań już o tym. Każdy ma los, na jaki zasłużył.
Może w więzieniu rozumu nabierze.
  – Gorzki to będzie rozum.
  – Ale rozum! Czasem trzeba ludzi uczyć i w ten sposób.
  – Nianiu, no, kiedy niania zobaczy jantara?
  – Ojej, nudny jesteś z tym jantarem. Co ty myślisz, że
już na nas pieniądze czekają?
  – Poczekaj, ja zobaczę. Gdzie gazeta?
  – Leży na kredensie.
  – A kartki gdzie?
  – Kartki niania chowa w szufladzie. Zaraz dam – Krzysz-
tof biegnie do kredensu. – Proszę.
  Wantuła rozkłada gazetę.
  – No, gdzież to jest? Aha, tutaj!... Wylosowano szczęśliwe
numery... numery... 7, 13, 32.
  – Ile? – pyta Paulina.
  Pan Antoni powtarza flegmatycznie:
  – 7, 13, 32.
  – Jezus Maria! I co dalej?
  – 34 i 41.
  – Nie! Antoni! Z czego ty to czytasz? Z gazety czy
z odcinków?
  – No przecież widzisz, że z gazety!

— Antoni! To na... to nasze numery!

— Jak... jak to nasze?

— No, nasze! Zobacz tylko! Pięć trafień! Nie! Przeczytaj jeszcze raz!

— Wygraliśmy? Nianiu, wygraliśmy?

— Zobacz sama, chyba się nie pomyliłem... Na pewno się nie pomyliłem: 7, 13, 32, 34, 41.

— Antoni! Och, Antoni, wszystko się zgadza! Naprawdę wszystko się zgadza!

— Wygraliśmy? — woła Krzysztof.

— A może... może w gazecie jest pomyłka?

— Pomyłka? Dlaczego akurat ma być pomyłka?

— Trzeba zadzwonić do „Jantara". Krzysztof? Przynieś książkę telefoniczną!

— Ja chcę wiedzieć, czy wygraliśmy. Bo ja mam dostać rower!

— Idź najpierw po książkę. Antoni, dlaczego ty o tej pomyłce?

— Bo ja wiem? Wszystko możliwe. Nie słyszałaś o takich wypadkach?

— Tfu! Żeby coś takiego akurat nam się miało zdarzyć! Antoni! Antoni! Pięć trafień! Oszaleć można! Krzysztof? No, gdzież ta książka?!

— Proszę!

— Poszukaj, Antoni.

— Zaraz – Gdańsk... G, H, I, jest J. Jankowski... Janowski... „Jantar" – 334-07. Dzwoń!

— Dlaczego ja? Ty dzwoń!

— Przecież to ty grasz! To ty wygrałaś!

— Dobrze, ale ty bądź przy tym. Bądź przy tym, Antoni, bo jak się okaże...

— Cicho, Paulinko, odwagi!

— I ja też będę telefonował! Ja też! – podskakuje Krzysztof.

– 334-07... – Paulinie trzęsie się ręka przy nakręcaniu numeru. – Czy to „Jantar"? Proszę pana, ja chciałam się dowiedzieć, jakie numery wylosowano w tym tygodniu? Już zapisuję: ...7, 13, 32, 34, 41. Jezus Maria! Antoni! Zgadza się!

– Wygraliśmy?! – krzyczy Krzysztof.

– Co ja mówię? Nic, przepraszam, to do męża. Bo ja właśnie mam te numery. Ile trafień? Jak to ile? Pięć! No, słowo honoru, że pięć! Trzeba podać numer kuponu? Zaraz! Zaraz podam! Antoni, numer kuponu! Pan musi zapisać numer kuponu.

– Ja chcę wreszcie wiedzieć, czy wygraliśmy! – denerwuje się Krzysztof.

– Numer kuponu: seria BC 436217.

– Numer kuponu: seria BC 436217. A, a, proszę pana, czy można się dowiedzieć, ile to jest... ile to jest pieniędzy?

– Ile? – Krzysztof wspina się na palce i zbliża ucho do słuchawki.

– Dopiero jutro? Ale tak, w przybliżeniu... Chociaż w przybliżeniu nie mógłby pan powiedzieć?

– Czy ja dostanę rower? – pyta Krzysztof.

– Poczekaj, Krzysztof, nie przeszkadzaj! – uspokaja go pan Antoni.

– Ile? Trzy... trzydzieści tysięcy? Trzydzieści tysięcy! Jutro mam przyjść z kuponem. Dobrze! Przyjdę od samego rana! Do wi... do widzenia panu – Paulina odkłada słuchawkę i wyciąga ramiona do męża. – Antoni!

– Paulinko! Moja złota!

– I ja też! Ja też chcę nianię pocałować.

– Tyle pieniędzy! Antoni! Tyle pieniędzy!

– Rower! Będzie rower!

– No, będzie, skarbie, na pewno będzie. Jaki tylko zechcesz! A co dla ciebie? Co dla ciebie, Antoni?

— A czy ja czego potrzebuję, Paulinko, mnie nic nie potrzeba...

— Boże drogi! Antoni! Przecież my domek wykończymy! Wykończymy domek jeszcze tego roku! Jak mogłam o tym od razu nie pomyśleć? Przecież to dla ciebie! Ty tak chciałeś mieć domek! Ja ci wszystko oddaję! Starczy tych pieniędzy?

— Pewnie, że starczy. Tylko okna, drzwi i ogrzewanie zostało do zrobienia. A malowanie to już biorę na siebie.

— To moglibyśmy się niedługo wprowadzać?

— Jasne, że niedługo. Co to znaczy te kilka okienek wstawić? Zobaczysz, jak ja się teraz za to wezmę!

— A ja gdzie będę? — odzywa się nagle Krzysztof.

— Jak to gdzie ty będziesz? — pyta Paulina zaskoczona.

— Jak niania przeprowadzi się z panem Antonim, to z kim ja będę?

— Chodź tu do niani! Szybko chodź tu do niani! Ze mną będziesz! Ze mną i z panem Antonim! Czy ty myślisz, że ja bym cię tu zostawiła? W tym pustym domu?

— Ja wcale tak nie myślałem — szepcze dziecko i obejmuje szyję kobiety.

XXI

— Ta szafka już nie wejdzie na samochód.

— Ale co też ty mówisz, Antoni. Tam przecież jest jeszcze dużo miejsca.

— Ale po co ma się obrysować? I tak musimy jeszcze raz obrócić. Będzie mniej rzeczy, da się ją lepiej ustawić.

— Rób, jak uważasz. I jedźcie już, bo Tereska się tam w Oliwie pewnie denerwuje. Ona ma dyżur wieczorem, nie może się spóźnić, a Krzysztofa samego przecież nie zostawi.

Już jedziemy. Ja z nim zostanę, a Wacek przyjedzie po ciebie i resztę rzeczy. Jeszcze tylko wezmę skrzynkę z narzędziami.

– Może by tak to krzesełko dla Krzysztofa zabrać?

– Przecież już dla niego za małe.

– Ale czasem lubi jeszcze na nim posiedzieć. Weź, niech dzieciak ma jak najwięcej swoich rzeczy koło siebie. – Paulina wzdycha i rozgląda się po mieszkaniu. – Och, Antoni, przemieszkało się tu kawałek życia i prawdę powiedziawszy, źle nam tu nie było...

– Tylko się nie roztkliwiaj, Paulinko. Zawsze się z czymś trzeba rozstawać. Jak człowiek przywiązuje się do drugiego człowieka, to musi umieć porzucać dla niego martwe przedmioty i miejsca. Ja wiem, że się tu przyzwyczaiłaś, ale tego starego mieszkania, gdzieśmy się poznali, też żałowałaś. Już tak masz w zwyczaju przywiązywać serce do wszystkiego, w czym żyjesz. Ale zobaczysz, nasz dom też pokochasz i ulicę, i ten kawałek lasu naprzeciwko.

– Ale przecież ja nic... Antoni, ja bym z tobą na koniec świata... Ale tutaj mieszkaliśmy oboje i właśnie dlatego było tak dobrze, że oboje... Nic nie poradzę, ale ja zawsze mam tyle wdzięczności nawet do ścian, w których jest mi dobrze.

– Moja kochana!

– No, panie majster, jedziemy? – woła Wacek od progu.

– Jedziemy, jedziemy! Weź tę skrzynkę z narzędziami i to krzesełko. Ja już schodzę.

– Tylko nie wnoście do domu najpierw pościeli!

– Pani majstrowa przesądna!

– Przesądna, nie przesądna. Jak pan pożyje na świecie tyle, co ja, to pan też swoje będzie wiedział. Jak się człowiek wprowadza na nowe mieszkanie, to nigdy nie powinien najpierw wnosić pościeli.

– Bo co? – śmieje się Wacek.

– Bo co, bo się nie będzie wiodło.

– A co się ma nie wieść, szefowo kochana? Domek jak cacko, małżonek młody.

— No, no, Wacek.

— Jeszcze tylko o pieska muszę się panu postarać.

— A niech pan da spokój — woła Paulina — po co nam pies? Tylko kłopot w domu.

— Ale jaka przyjemność! W oczy patrzy, ogonem kręci i nic przy tym nie gada. A jak się cieszy, kiedy człowiek do domu wraca! Ja już mam dla pana majstra jednego upatrzonego. Kolega ma szczeniaka, już podchowany. Wprawdzie nierasowy, ale kundle też muszą żyć na świecie.

— Mnie wcale nie przeszkadza, że nierasowy. Ja nawet wolę, żeby był nierasowy. Nikt nie ukradnie i na zdrowiu taki pies wytrzymalszy. A jeśli chodzi o pilnowanie domu, to nie ma jak kundel.

— To ty, Antoni, chcesz, żeby był pies?

— No pewnie, Paulinko. Jaki to dom bez psa? A zobaczysz, jak się Krzysztof ucieszy!

— O, Krzysztof się ucieszy! — Paulina od razu się rozpogadza. — On zawsze wszystkie psy na ulicy zaczepiał.

— No, widzisz! Przynieś tego psiaka, Wacek. Choćby jutro.

— Ale teraz już jedźcie! Tereska będzie się denerwować.

— Już jedziemy! Więc Wacek przyjeżdża po ciebie i resztę rzeczy.

— A teraz wszystkiego nie zmieścimy?

— A po co meble niszczyć, kiedy Paulinka i tak musi tu jeszcze zostać.

— Po co? Nie lepiej jechać z nami?

— Tak mieszkanie zostawię? Brudno jak po pożarze. Pan doktór przyjdzie, to co sobie o mnie pomyśli?

— On... wie? — pyta cicho Wacek.

— W ogóle to wie, że my się wyprowadzamy. Tylko że... że Krzysztof, to nie wie. No i pani... pani tu chyba także już długo miejsca nie zagrzeje. No, ale on ma kogo sprowadzić.

Nie martwmy się o pana doktora. I praktykę prywatną będzie mógł teraz otworzyć: gabinet w pokoju Antoniego, w moim poczekalnia, proszę – nowe życie!

– Ale nim się urządzi... Teraz to tu jakoś... aż straszno!

– Ano tak zawsze jest, jak po ludziach zostaje puste miejsce.

– Jedziemy! – woła Wantuła. – Co to za gadanie takie? Ja to w ogóle nie lubię takiego gadania... Nie dość, że coś tam człowieka w sercu gniecie, to jeszcze trzeba o tym gadać? Tymczasem, Paulinko! Tylko nie szalej tutaj, wcale nie jest tak brudno.

– Ale! Palcem można pisać po kurzu. Gdzie ja bym tak mieszkanie zostawiła?

– Więc ja przyjeżdżam po panią szefową. Firany w oknach zawieszę, żeby było z daleka widać, że dom zamieszkały, tylko gospodyni brak! No chodźmy, panie majster, bo my nigdy nie wyjedziemy z tej Rajskiej.

– Zobacz no, Krzysztof, to pewnie pan Antoni z rzeczami przyjechał.

Krzysztof biegnie do okna i staje rozczarowany.

– Nie, to taksówka. Ktoś wysiada.

Teresa nie wierzy własnym oczom.

– Marcin! Po coś ty tu przyjechał, Marcin?

– Rzeczywiście niesłychanie trudno odgadnąć, po co tu przyjechałem. Po prostu nie mogłem sobie wyobrazić, że miałabyś wracać stąd sama...

– Dziękuję ci, dziękuję, Marcin. Przywitaj się z panem, Krzysztof?

– No czołem! Jak się masz?

– Dobrze – mruczy Krzysztof.

– Och, Krzysztof jest zachwycony! – woła pośpiesznie Teresa. – Nie masz pojęcia! Przeprowadzka to uciecha dla dzieci. No, odezwij się! Dlaczego nic nie mówisz?

– Co mam mówić?

– Prawda, że ci się tu podoba?

– Bardzo – szepcze Krzysztof.

– No, widzisz! Mamusia będzie co dnia przyjeżdżać do ciebie.

– Sama?

– Czasem sama, a czasem ze mną – dodaje Marcin. – Bo przecież ja także będę chciał cię odwiedzić. Poza tym mamusi byłoby smutno przychodzić tu samej. Nadejdzie jesień, potem zima, wcześnie zacznie się robić ciemno, na drodze będzie błoto i śnieg. Jak mamusia mogłaby tu przychodzić sama?

– Jak będzie śnieg, to będę chodził na sanki. Tu jest górka pod lasem.

– Wszyscy będziemy chodzić na sanki. Co ty myślisz, że my nie lubimy zjeżdżać z górki? Widziałem już w sklepie sanki, które ci kupię.

– Niania mi kupi sanki.

– Krzysiu – wtrąca Teresa nerwowo. – Idź zobacz, czy nie jedzie pan Antoni?

Krzysztof wzrusza ramionami.

– Przecież byłoby słychać.

– A... a nie chciałbyś pobawić się z tym nowym kolegą z sąsiedniego podwórka? Patrz, on nie odchodzi od płotu.

– Później się z nim pobawię.

– Masz rację – mówi Marcin. – Na to będzie jeszcze czas. A teraz pokażesz mi, gdzie będziesz spał, żebym, jak sobie w nocy pomyślę o tobie, wiedział, gdzie cię szukać. Gdzie stanie twoje łóżeczko?

– Nie wiem.

– Krzysztof będzie spał w tym pokoju. A ten będzie sypialnią niani i pana Antoniego.

– To będzie można zostawić w nocy drzwi otwarte – szepcze dziecko.

300

– Krzysztof!

– Dlaczego mamusia krzyczy?

– Teresko, uspokój się, Teresko!

– Ty się boisz w nocy? Odpowiedz! Ty się boisz?

– Tak, trochę.

– Czego ty się boisz? Czego ty się masz bać? Kiedy jest ciemno, w pokoju nic się nie zmienia, wszystko jest tak samo jak za dnia. Mamusia ci tyle razy to tłumaczyła. No, powiedz! Nie będziesz się już bał?

– Nie wiem.

Tereska patrzy na Marcina z rozpaczą.

– I co ja mam zrobić? Marcin! Powiedz mi, co ja mam zrobić?

– Nic. Czekać! To minie. Za rok Krzysztof będzie już dużym kawalerem, któremu nawet przez myśl nie przejdzie, żeby bać się w nocy.

– Nie wiem, wcale nie wiem – woła Krzysztof rozzłoszczony.

– I taki uparty już nie będzie – ciągnie Marcin łagodnie. – I taki czasem niegrzeczny... Będzie zupełnie inny chłopczyk, którego wszyscy będą musieli kochać.

– Wcale nie chcę, żeby mnie ktoś kochał. Wcale nie chcę!

– Krzysiu! Och, Krzysiu! – wybucha płaczem Teresa.

Krzysztof powtarza mściwie:

– Nie musi mnie nikt kochać! Nikt!

– Biedne dzieci! – mówi Marcin cicho. – I jak wam pomóc, moje biedne dzieci?

Przed domem zatrzymuje się samochód.

– Pan Antoni przyjechał – informuje Krzysztof oschłym, rzeczowym tonem.

Teresa ociera łzy.

– Ach, Boże, Marcin! Idź, zagadaj go, nie chcę, żeby widział, że płakałam.

Wantuła dźwiga swoją skrzynkę z narzędziami.

— A i pan Marcin tutaj! Dzień dobry!

— Dzień dobry! Przyjechałem zobaczyć, jak się pan urządza na nowym mieszkaniu. Może pomóc?

— Dziękuję, damy sobie radę z Wackiem. To kolega.

— Pan majster to takiego wigoru przy tej przeprowadzce nabrał, że sam by dał radę wszystko poprzenosić. Tylko że ja nie pozwalam, bo dom domem, ale na tankowcu też jest jeszcze coś do zrobienia.

— Kiedy się człowiek na swoim urządza — mówi pan Antoni ocierając pot z czoła — to by chciał sam wszystko zrobić, bo mu się wydaje, że to będzie lepiej i ładniej. Krzysztof? No, Krzysztof? Chodź no tutaj! Co ty taki nadąsany jesteś? Czy ty wiesz, co pan Wacek jutro dla ciebie przyniesie?

— Co? — pyta Krzysztof przez grzeczność, bez śladu zainteresowania.

— Pieska! Małego pieska!

— Żywego? — rozpromienia się dziecko.

— A jakiego? — śmieje się Wacek. — Wypchanego może? Pewnie, że żywego! Będziesz miał z kim biegać.

— Ojej, a jak on się będzie nazywał?

— Tak, jak go nazwiesz — mówi pan Antoni. — Możesz wymyślić mu imię, jakie zechcesz.

— Naprawdę?

— Naprawdę. Nikt się do tego nie będzie wtrącał.

— To ja muszę zaraz myśleć, jak go nazwać.

— Pewnie że musisz zaraz myśleć. Masz bardzo mało czasu. Skoro jutro dostaniesz pieska, to przecież on się musi od razu jakoś nazywać. Jak będziesz na niego wołał...

— Jak ja będę na niego wołał... — powtarza Krzysztof zafascynowany.

W drugim pokoju Teresa chwyta rękę Marcina.

— On mnie nie potrzebuje, Marcin. On mnie zupełnie nie potrzebuje.

– Kochanie, to jest dziecko. Musisz zrozumieć, że to jest dziecko.

– Staram się to zrozumieć. Ale przez to wcale nie jest mi lżej. Ja go nie mogę stracić.

– Dlaczego miałabyś go stracić? Załatwimy wszystkie formalności, urządzimy się jakoś i zabierzemy go stąd. Już ja ci go sprowadzę, nie bój się. Także i przez egoizm.

– Dlaczego przez egoizm?

– Bo kiedy wyjdę znowu w morze, nie miałbym chwili spokoju, gdybym zostawił cię samą. Chociaż Krzysztof cię będzie pilnował.

– O czym ty myślisz, Marcin!

– No, no, lepiej być ostrożnym! A nuż znowu zadzwoni do ciebie z morza jakiś samotny wilk morski i poprosi cię o spotkanie...

– Widzisz... – Teresa zdobywa się na uśmiech. – W gruncie rzeczy nie możesz mi wybaczyć, że się tak łatwo zgodziłam.

– Nie, nie, moja droga, ja nie należę do mężczyzn, którzy nie mogą zapomnieć kobiecie nawet tego, że się zapomniała właśnie z nimi. Ale czujność nigdy nie zawadzi, nawet w życiu prywatnym. O której masz być w Gdyni?

– O szóstej.

– No to czas na nas. I, kochanie, nie myśl już o żadnych smutkach, niczym się już nie martw. Ja wiem, że to ciężki moment dla ciebie, i dlatego jestem przy tobie. Ale i to minie i zobaczysz, że potem będzie już tylko dobrze.

– Ale najgorsze jest to, że on mnie także o to obwinia. Mnie także! I ja mu nie mogę nic wytłumaczyć...

– Kiedyś mu wytłumaczysz. Jak dorośnie, na pewno zrozumie.

– Jak dorośnie – powtarza Teresa gwałtownie. – A jak ja mam żyć teraz?

– Masz mnie – mówi Marcin cicho.

— Och, Marcin, Marcin! Ty jesteś w tym wszystkim najbiedniejszy! Najbiedniejszy!

— Nie, ja jestem szczęśliwy. Wiem, że mnie potrzebujesz. Nie pragnę niczego więcej.

— Ty jesteś dobry. Nie wiem, czym zasłużyłam na to, że jesteś taki dobry?

— Zasłużyłaś tym, że istniejesz — odpowiada Marcin żartobliwie. — A jak się będziesz jeszcze dłużej nad tym zastanawiać, to się spóźnisz na dyżur. Kochanie, pożegnaj się z Krzysztofem!

— Krzysztof! Krzysztof! Gdzie jesteś?

— Wacek, stolik pod radio wstaw do drugiego pokoju. Pani doktorowa już idzie?

— Muszę, panie Antoni. Akurat wypadł mi dzisiaj dyżur.

— Ano, co robić. Jutro, jak pani przyjedzie, to już będzie wszystko urządzone.

— A jaki ten piesek będzie? Czarny? — wtrąca Krzysztof.

— Nie, brązowy. Brązowy w białe łaty.

— Duży? Jaki duży?

— Nieduży, ale jeszcze urośnie.

— Krzysiu, mamusia chce się z tobą pożegnać — mówi Teresa.

— Ile urośnie?

— Krzysztof, idź do mamusi! — pan Antoni popycha Krzysztofa w stronę matki.

— Ale ja muszę wiedzieć, ile on urośnie. Bo mu będę trzeba zrobić.

— Na budę masz jeszcze czas. Taki mały piesek musi spać w domu.

— W domu? To on będzie spał ze mną.

— Oczywiście że z tobą. Pożegnaj się z mamusią!

Krzysztof nie słyszy, zajęty myślą o psie.

— Ale niania pewnie nie pozwoli, żeby go wziąć do łóżka.

Teresa przytrzymuje go za rękę.

– Krzysztof, chodź tutaj. Mamusia musi już jechać, bo spóźni się do pracy. No, pocałuj mnie! Powiedz, że się nie będziesz bał w nocy.

– Pan Antoni poprosi nianię, żeby pozwoliła mi z nim spać!

– Mamusia jutro przyjedzie do ciebie – szepcze Teresa.

– Zaraz po pracy do ciebie przyjedzie.

– Poprosi pan, panie Antoni! – woła uparcie Krzysztof.

– Poproszę, poproszę.

– Teresko, bo się spóźnisz! – upomina Marcin.

– Krzysiu, będziesz czekał na mnie?

– Tak – rzuca Krzysztof w roztargnieniu. – Ale zaraz, jak tylko niania przyjedzie, pan poprosi? Bo potem może pan zapomnieć.

– Bądź spokojny, nie zapomnę.

– Do widzenia, Krzysztof! Do widzenia, panie Antoni! A proszę powiedzieć niani, że ja jutro przyjadę zaraz po obiedzie. Ach, Boże, gdzie ja właściwie będę jutro jadła obiad?

– Teresko! – Marcinowi jest naprawdę przykro.

– Przecież może pani doktorowa i u nas – mówi Wantuła.

– Jeszcze by tego brakowało.

– Ja już wiem, jak on się będzie nazywał! – woła Krzysztof.

– No, pocałuj mamusię na dobranoc!

– Chodźmy, bo się spóźnisz! – nagli Marcin.

– Dobranoc! – szepcze Teresa, zamykając drzwi.

– No i czego ty płaczesz, kochanie. Czego płaczesz?

Na Mariackiej mówi się także o łzach.

– Nie widzę powodu do rozpaczy. Czy mam płakać dlatego, że dostałam pierwszą nagrodę? Wiesz, dobry jesteś! Wszyscy mi zazdroszczą, a ty zamiast się cieszyć i gratulować mi...

– Jedziesz do Włoch!

– A ty byś chciał, żebym nie jechała. Odpowiedz: chciałbyś, żebym nie jechała.

– Ale to rok, Ewo. Rok!

– Jeśli chodzi o studia, to nie za dużo. Roczne stypendium – to minimum, które może dać jakiś rezultat. Ach, ile czasu trzeba tylko, żeby zwiedzić wszystkie muzea – Włochy są przecież jedną wielką galerią sztuki. Kiedy pomyślę, że naprawdę, że naprawdę to wszystko zobaczę... Dlaczego nic nie mówisz?

– Cóż ja mam mówić, Ewo?

– Czy nie uważasz, że robisz mi krzywdę?

– Ja tobie?

– Tak, mnie. Przeżywam najpiękniejszy dzień w moim życiu, a ty nie cieszysz się razem ze mną. Siedzisz z ponurą twarzą, jakby cię mój sukces nic a nic nie obchodził. A jest przecież także i twój sukces!

– Mój?

– A kto kazał mi wziąć udział w konkursie? Kto podsunął mi temat? Och, jestem pewna, że gdybym posłała któryś z moich dotychczasowych obrazów, o nagrodzie nie byłoby mowy. A więc właściwie tobie ją zawdzięczam.

– Przestań!

– Nie wiedziałam, że potrafisz być tak niesprawiedliwy. Zachowujesz się tak, jakbyś mnie oskarżał o to, że ośmieliłam się otrzymać tę nagrodę.

– O nic cię nie oskarżam.

– Adasiu! No, proszę cię, Adasiu, nie psuj mi radości.

– Nie masz chyba zamiaru wymagać ode mnie, żebym szalał ze szczęścia.

– Nie, wcale tego nie wymagam. Ale przyznam się, że byłoby mi o wiele lżej.

– Jak mam to rozumieć?

– Poczekaj, nie napijesz się kawy?

– Nie zawracaj sobie głowy, wypiję na mieście.

– Ale ja mam ochotę. Może jednak dotrzymasz mi towarzystwa. Chodź do kuchni!

– Rok! Czy ty sobie wyobrażasz, co to znaczy rok?

– Doskonale sobie wyobrażam. Zapewniam cię, że wszystkie moje dotychczasowe lata były dłuższe niż twoje. Życie ludzi samotnych trwa w ogóle o wiele dłużej niż życie szczęśliwców, obdarzonych miłością bliźnich, otoczonych rodziną, którzy nigdy na nic, a przede wszystkim na siebie nie mają czasu. Zapewniam cię, że ja dobrze wiem, czym może być taki rok.

– I mimo to decydujesz się...

– Czy chciałbyś, żebym zrezygnowała ze stypendium?

– Po raz drugi zadajesz mi to pytanie.

– A ty po raz drugi nie udzielasz mi na nie odpowiedzi. Nie może być odpowiedzi... Czy to w ogóle jest do pomyślenia, żeby ktoś miał zrezygnować z rocznego bezpłatnego pobytu we Włoszech? Wszyscy mieliby prawo uważać mnie za wariatkę.

– Wiedziałem, wiedziałem, że nie zrobisz tego dla mnie.

Ewa starannie miesza neskę z cukrem. Nie patrzy na Adama.

– A może po prostu uważam, że lepiej by było, gdybyśmy się rozstali z tego powodu...

– Coś ty powiedziała?

– Sprowokowałeś mnie. Nie chciałam tego powiedzieć, ale mnie do tego sprowokowałeś! Myślałam, że rozstaniemy się pogodnie, że odprowadzisz mnie na dworzec, kupisz mi pudełko czekoladek, plik ilustracji i upewniwszy się, że będę tęsknić i często pisać, odejdziesz, gdy tylko pociąg ruszy. Tak mogłoby być. Tak byłoby najlepiej. W ten sposób zachowalibyśmy złudzenie, że to nie my podjęliśmy tę decyzję, że to los zdecydował za nas. Udawalibyśmy, że nasze uczucie wygasło, że nie ma sensu kontynuować czegoś, co nie istnieje. Moglibyśmy uratować nawet wspomnienia, choć ty miałbyś prawo myśleć o mnie, że jestem samolubna i że nigdy nie kochałam cię naprawdę. Tak mogłoby być, ale ty wszystko zepsułeś.

– Co ja zepsułem? Co tu można było jeszcze zepsuć?

– Zepsułeś mi to pogodne, niefrasobliwe rozstanie. Wolałabym, żebyś myślał, że jestem egoistką, że wszystko poświęcę dla kariery. Ale ponieważ mi to zepsułeś, muszę ci powiedzieć, że cieszę się z tej nagrody właśnie dlatego, że wyjeżdżam.

– Cieszysz się? Ty się cieszysz?

– Tak.

– Nie kochasz mnie?

– Czy to nie ważniejsze, że ktoś inny cię kocha?

– Przecież sama mówiłaś, że Teresa...

– Teresa! A czy oprócz niej nie ma już nikogo?

– Ewo!

– Nie, tylko już dziś nie wymawiaj mego imienia. Pamiętasz? Mówiłam zawsze, że brzmi w twoich ustach tak jakbyś wzywał pomocy... Jakbyś wołał ratunku, a ja... właśnie ja nie mogę... ci teraz pomóc... I naprawdę nie ma na to ratunku. Trzeba to przecierpieć, aby ktoś... cierpieć przestał...

– Czy to jest słuszne? Czy to jest sprawiedliwe?

– Nie wiem, czy to jest sprawiedliwe. Ale to jest jedyne, co możemy zrobić – mówi Ewa powoli i wstaje również, gdy Adam podnosi się nagle z krzesła, idzie za nim do pokoju i patrzy, jak szuka kapelusza, jak potem długo trzyma go w rękach, nie mogąc zdecydować się na wyjście.

– Czy myślisz, że powinniśmy dłużej o tym mówić? – pyta wreszcie.

Ewa potrząsa głową.

– Nie, nie powinniśmy już o tym mówić. Tak będzie lepiej – i dodaje miękko, prawie przepraszająco: – Niezupełnie udał się nam ten urlop, przepraszam...

– Nie, naprawdę nie mówmy o tym – Adam jest już przy drzwiach, odwraca się, patrzy przez chwilę na pokój, na ściany i sprzęty.

Ewa wie, że powinna teraz krzyknąć, zapłakać, podbiec do niego. Ale stoi i nie ruszy się z miejsca, dopóki on nie zamknie drzwi za sobą i dopóki na schodach nie umilkną jego kroki.

Paulina nie lubi takiego dobijania się do drzwi.

– Jezus Maria! Kto tam? Co się stało?

– To ja! Przepraszam, klucz mi się gdzieś zapodział. Jest pani?

– Nie ma.

– A Krzysztof?

– Też nie ma.

– Gdzie są? Co się tu dzieje? Dlaczego tu tak pusto?

– Przecież pan doktor wiedział, że przenosimy się na swoje. Ja tylko jeszcze czekam na samochód, który ma zabrać resztę gratów.

– A gdzie... gdzie jest łóżeczko Krzysztofa?

– U nas.

– Jak to u was?

– A z kim by dzieciak tu został? Co pan doktór? Właśnie Tereska odwiozła go do Oliwy.

Paulina nadsłuchuje.

– Zdaje się, że samochód po mnie przyjechał. – I dodaje ciszej, prawie łagodnie: – Pan doktór będzie przecież mógł co dnia go odwiedzać.

– Ja zaraz! Zaraz tam pojadę! Zabieram go z powrotem. Natychmiast zabieram go z powrotem! Z jakiej racji moje dziecko...

Wacek zatrzymuje się przy drzwiach, wietrzy nieprzyjemną sytuację.

– Dobry wieczór! Przyjechałem po panią.

– Niech pan zabiera tę szafkę, ja zaraz schodzę.

– Tylko szybko, bo samochód trzeba zwolnić.

– Ja też jadę! – woła Danielewicz.

– A proszę, niech pan doktór jedzie! – odpowiada Wacek, rad, że może zabrać się razem z szafką.

– Nie pojedzie pan! – mówi Paulina dobitnie. – I nie pozwolę dzieciaka tarmosić to w tę, to w tamtą stronę! Mówiłam przedtem, że trzeba pomyśleć o dziecku. Teraz pan sobie o nim przypomniał!

– Gdzie jest Teresa? Muszę zaraz rozmawiać z Teresą!

– Nie wiem, gdzie jest Teresa. Pewnie w pracy. Ale nie jestem pewna, czy potem wróci do domu. Nic nie mówiła. No, na mnie czas! I o jedno proszę: żeby pan doktór rozum miał! Dziecko to nie jest szafa albo kredens, co można je z miejsca na miejsce przenosić i przesuwać. To jest człowiek! Pan doktór powinien o tym pamiętać! Dobranoc! – I łagodniej: – Niech pan przyjdzie jutro do nas!

Danielewicz wybiega za nią i woła w ciemną czeluść schodów.

– Paulino! Niech pani poczeka, Paulino! Niech mnie pani nie zostawia, Paulino!

XXII

– Wacław Koźlarski!

– Jestem.

– Pan czeka na widzenie ze Stefanią Michalik?

– Tak.

– Proszę.

Strażnik idzie przodem pobrzękując kluczami. Za stołem w pokoju widzeń czeka Stefka. Zasłania sobie rękoma twarz.

– Po coś tu przyszedł? Po coś tu przyszedł?

Wacek zbliża się do niej i mówi cicho:

– Bo cię wciąż kocham, ty głupia!

– Kochasz mnie? I dlatego mnie tu wsadziłeś!

– Dlatego, żebyś wiedziała!

– Idź stąd! Idź stąd, bo zacznę krzyczeć.

– Musisz zrozumieć, że nie mogło być inaczej.

– Mogło być inaczej. Ja sama bym przestała... Po co by mi teraz było wynosić te krany? Mieliśmy mieszkanie za darmo, nie musiałabym na nie składać. Przestałabym i nigdy by się nie wydało.

– Nigdy?

– Nigdy! To przez ciebie, wszystko przez ciebie! Wpakowałeś mnie do więzienia i jeszcze do mnie przychodzisz.

– I będę przychodził. Teraz – i po rozprawie.

Głos dziewczyny się załamuje.

– Myślisz, że mnie... że mnie zasądzą...?

– Na pewno tak – mówi Wacek opuszczając głowę.

– Och, jak ja cię nienawidzę! Żebyś wiedział, jak ja cię nienawidzę! Nikt by się nie dowiedział, nikt! Nigdy bym już więcej tego nie robiła, mogłabym o wszystkim zapomnieć. A teraz każdy wie. Cała stocznia! A kiedy będzie rozprawa, w gazetach o mnie napiszą i zostanę w więzieniu... w więzieniu... Ile dostanę?

– Nie wiem.

– Myślałam, że przynajmniej byłeś u adwokata.

– Nie byłem.

– To po coś tu przyszedł? Po coś tu przyszedł? Popatrzyć na mnie, tak? Podobam ci się teraz? Pięknie wyglądam, prawda?

– Och, Stefka, Stefka, niczego nie rozumiesz.

– Rozumiem tylko jedno: tyś mnie tutaj wsadził! Gdybym cię nie spotkała tego przeklętego dnia, kiedy wracałam z magazynu...

– Myślisz, że nigdy bym się o niczym nie dowiedział... Że mieszkalibyśmy w Sopocie, chodzili z pieskiem na spacer

– przykładne młode małżeństwo. Ale takie rzeczy zawsze wychodzą na jaw. Nie za rok, to za dwa. I dowiedziałbym się któregoś dnia. I wtedy... wtedy bym cię chyba zabił!

– Nie wiem, czy to by nie było lepsze.

– Stefka! Co ty wygadujesz, Stefka! Wszystko da się jeszcze naprawić.

– Naprawić? Ja siedzę w więzieniu... Chyba chodzi ci tylko o to, że się ze mną na szczęście nie ożeniłeś.

– Ożenię się, jak stąd wyjdziesz i jak zrozumiesz wiele rzeczy, których przedtem nie rozumiałaś.

Stefka przez chwilę milczy, a potem pyta:

– U mojej matki byłeś?

– Byłem. Stale tam chodzę. Na drugie widzenie matka przyjdzie razem ze mną.

– Jak oni... jak oni tam dają sobie radę beze mnie...? Miałam trochę pieniędzy na książeczce, ale mi skonfiskowali.

– O nich się nie martw. Ja niedługo kończę kurs i montera dostanę, będę więcej zarabiał. No, masz się o nich nie martwić! Ojciec też teraz przestał pić, jak... jak się dowiedział o tobie...

– Rozmawiałeś z nim?

– Tak.

– Czy bardzo... bardzo jest na mnie zły...? Bo widzisz, mój ojciec pije, ale co do tego, co ja... i Drążek, to nigdy...

– Ale teraz myśli, że to przez niego..., że przez niego się tu znalazłaś... Bo gdyby nie przepijał swoich pieniędzy, to ty byś nie musiała oddawać swego zarobku matce i mogłabyś uczciwie uskładać sobie jakiś grosz. A tak... No, stało się nieszczęście i on nie przestaje myśleć, że przez niego... Stefka. No, Stefka! Nie płacz! Dlaczego ty płaczesz?

– Wszyscy są dla mnie tacy dobrzy...

– Cicho, Stefka! Przecierpimy i będziemy jeszcze bardzo szczęśliwi, zobaczysz! Mądrzy i szczęśliwi!

– Będzie mnie jeszcze kochał? Będziesz mnie kochał po tym, co zrobiłam?

– Oj, ty głupia, głupia! Przyszedłem po to, żeby ci to powiedzieć. Czy ja cię będę kochał? Przecież ja na minutę, na sekundę nie przestałem cię kochać. Przecież to wszystko tylko dlatego zrobiłem. Bo gdybym cię nie kochał, to co mi tam, palcem bym cię nie tknął. Kradnie, to kradnie, czort ją bierz! Mało to ludzi kradnie i nikt się przez to nie strzela. Ale że to zrobiłaś ty, że mieliśmy się akurat pobrać... I to mieszkanie się nam tak trafiło, to wziął mnie taki żal...

– Och, Wacek, Wacek! Wszystko zmarnowałam! Mogło nam być tak dobrze! Bylibyśmy bogatsi niż najbogatsi ludzie na świecie. Milionerzy nie mogliby się z nami równać, a ja... ja to wszystko zmarnowałam...

– Nie zmarnowałaś, skoro ja tu jestem i zawsze będę przy tobie. Myśl przez cały czas, że ja jestem przy tobie, że w każdej chwili jestem przy tobie. Widzisz, nieszczęście czasem przychodzi po to, żeby człowiek zrozumiał, że był szczęśliwy. Czy mam powiedzieć coś rodzicom?

– Tak. Powiedz im, żeby nie martwili się o mnie. Że... że nie jest mi tu źle... i że ja stale o nich myślę. I ojciec niech się już nie trapi tym, że to przez niego... i dzieciaki ucałuj! Och, jak się w szkole dowiedzą! Taki wstyd! Taki wstyd!

– Uspokój się, Stefka, wszystko minie. A jeszcze masz przed sobą tyle życia, że możesz to odrobić. Ludzie zapomną i... ja zapomnę.

– Dziękuję ci, Wacek.

– No, głowa do góry! Wiesz, jak mówi majster Wantuła? Że jutro będzie bolało mniej, pojutrze jeszcze mniej i w każdym smutku czas pracuje dla nas. Uśmiechnij się, Stefka! Spójrz na mnie! Zawsze tak ładnie na mnie patrzyłaś. Jutro będzie bolało mniej... A przyjdzie taki dzień, że będę czekał z kwiatami przed bramą więzienną i zabiorę cię stąd, i zawsze już będziemy razem...

– Widzenie skończone! – obwieszcza strażnik, stając w drzwiach.

– Już idę. Patrz na mnie, Stefka! Patrz na mnie, dopóki nie zamknę drzwi. I pamiętaj: jutro będzie bolało mniej... Pojutrze jeszcze mniej...

– Och, ty idioto! Ty idioto! Tak dać się złapać! Tak głupio dać się złapać!

– Przecież to przez Stefkę! Emilka! Dobrze wiesz, że przez Stefkę.

– Też sobie dobrałeś pomocnicę! Już nikogo innego nie mogłeś znaleźć.

– A czy ja mogłem przewidzieć, że tak się stanie? Stefka była dobra. Nikomu przez myśl by nie przeszło, że ona coś wynosi ze stoczni. Gdyby nie ten łotr...

– On tu dzisiaj też przyszedł na widzenie. Do niej! Jak go zobaczyłam w poczekalni, to myślałam, że mu oczy wydrapię.

– Daj spokój, Emilka, co to pomoże?

– Nic nie pomoże, ale bym sobie przynajmniej ulżyła. Chodzi sobie taki łobuz po świecie, a ludzie przez niego w więzieniu muszą siedzieć.

– Nie tak znów całkiem przez niego.

– A przez kogo?

– Emilka, chociaż teraz zacznij wreszcie myśleć. Ja zawsze miałem przeczucie, że to się źle skończy.

– Przeczucie! Teraz będziesz mi gadał o przeczuciu. Rozum trzeba było mieć! Inni kradną miliony i się nie wydaje. Domy budują, kupują samochody, za granicę jeżdżą, a ty co? Na głupich kranach i wpadłeś! Najgorzej to się z taką ofermą życiową zadać!

314

— Emilka!

— Tak! Emilka i Emilka! I co ja mam teraz zrobić? Co dzieciakom dam jeść?

— A one... zdrowe...?

— Zdrowe, zdrowe! Jeść to by mogły przez cały dzień. Po tobie takie nienajedzone. I czy ja mam im powiedzieć, że nie ma?

— Emilka, przecież były w domu jeszcze te... no... ze dwadzieścia sztuk ich było albo więcej...

— Już je sprzedałam... Bałam się w domu trzymać. Ale mało mi dali, tylko po pięćset. Jak człowiek w nieszczęściu, to każdy wykorzystuje.

— No to masz pieniądze.

— Bo to na długo starczy? Opał trzeba zapłacić na zimę, dzieciaki butów nie mają, no i futro musiałam wykupić.

— Futro? Toś ty teraz kupiła futro?

— A co ty myślisz? Czy ja mam zrezygnować z futra przez to, że ty wpadłeś? A w czym bym chodziła w zimie?

— Czyś ty oszalała, kobieto? Całe pieniądze wydałaś na futro? Ty chyba rozum straciłaś!

— Rozum to właśnie ja mam, a nie ty. Kobieta w moim położeniu musi przyzwoicie wyglądać. Jeszcze byś chciał, żeby się ludzie nade mną litowali. Że taka biedna – mąż w więzieniu, a ona nie ma co na siebie włożyć. Zobaczysz, jaką ja posadę dostanę, jak się ubiorę w to futro i pójdę do jakiego dyrektora. Myślisz, że oni patrzą na to, co się umie? Kobieta musi się podobać! A wtedy jest mądra i zdolna, i pracowita.

— Emilka, ja wiem, co tobie w głowie. Jeśli ty myślisz...

— Pewnie, że myślę! Ktoś z nas musi myśleć. Ty sobie siedzisz w więzieniu i o nic cię głowa nie boli.

— Emilka!

— No co? Co? Jak ty siedzisz, to już życia nie ma? Ja jestem winna, że wpadłeś?

– Ty jesteś winna, że kradłem!

– Ja?

– Ty! Wszystkiego ci było mało!

– To trzeba było więcej zarabiać! Czy to moja wina, że ty poza pensją nie potrafiłeś nic zarobić?

– Niczym ci gęby nie można było zatkać! Innym kobietom wystarczy to, co mąż uczciwie zarobi. I gołe nie chodzą ani głodne, i spać mogą spokojnie. A ja od ciebie nie słyszałem nic innego, tylko: daj i daj!

– To się nie trzeba było ze mną żenić! Wiedziałeś, kogo bierzesz! Mogłeś sobie wziąć jakiego suchego gnata, to by cię taniej kosztowało. Raz na rok jakiś łach byś na niej zawiesił i też by nie było poznać, że nowy.

– Niczym nie można cię było nasycić! Żeby sobie człowiek ręce po łokcie urobił – też na nic. No i wreszcie doprowadziłaś mnie.

– Sam się doprowadziłeś, ty niedojdo! Czego się tkniesz, to ci się w łapach rozłazi. Jakie ja szczęście za tobą miałam? Będziesz mi tu jeszcze wypominał! Niejeden by dał nie wiadomo co, żeby się tylko ze mną na ulicy pokazać.

– Ja też byłem taki głupi. Też mi zależało, żeby się tobą przed ludźmi pochwalić, żeby mi zazdrościli. Dużo mi z tej zazdrości przyszło! Teraz mi na pewno nie zazdroszczą. I gdzie ja pracę znajdę, jak stąd wyjdę? Na stocznię mnie już na pewno nie przyjmą.

– Co ty się tym martwisz? Przecież teraz jest nawet takie prawo, że ci, co wychodzą z więzienia, muszą dostać pracę. A ja ci już znajdę coś dobrego.

– Akurat potrzebuję, żebyś się za mną wstawiała! Wstydu bym nie miał! Ty mi tylko dzieciaków nie zmarnuj! Bo jak stąd wyjdę i się dowiem, że gdzieś latałaś...

– To co? Co mi zrobisz? Co się odgrażasz, jak nic nie możesz zrobić? – Emilka zmienia nagle ton i uśmiecha się

316

błyskając zębami. – A będziesz tęsknił do swojej Emilki? Będziesz bardzo tęsknił?

– A idź do diabła! Amory mi akurat w głowie!

– A właśnie podobno jak się siedzi, to się o niczym innym nie myśli.

– Już ja na pewno będę miał o czym myśleć. I jedno ci powiem, że jeżeli ty się nie zmienisz... jeśli się nie zmienisz i nie pozwolisz mi żyć po ludzku, to będzie z nami koniec, rozumiesz?

– Już ci raz powiedziałam: ty mi nie groź! Wiesz, co ja myślę o tych twoich groźbach! Wygrażała mysz kotu!

– Nie śmiej się! Ja to zrobię, zobaczysz! Tyle razy ty mi mówiłaś, że ci na mnie nie zależy, aż teraz ja ci mówię. Nareszcie ja ci mówię.

Drążkowa przechyla się przez stół i usiłuje zajrzeć mężowi w oczy.

– Ty? Edek? Ty byś mógł? Edek!

– Na pewno będę mógł! Raz w życiu muszę się na coś zdobyć.

– Ale ja... Ty beze mnie...? Edek?

– Widzenie skończone, proszę wychodzić!

– Edek! – Drążkowa cofa się ku drzwiom, ale wciąż patrzy na męża niewierzącymi oczyma. – Ty tego nie powiedziałeś poważnie! Ty tego nie myślałeś! To przecież niemożliwe! Ty... beze mnie... Edek!

Danielewicz wchodzi tak cicho, że Teresa go nie słyszy. Dopiero gdy podnosi głowę znad walizki, spostrzega go tuż przed sobą.

– Pakujesz się? Zabierasz swoje rzeczy?

– Przecież widzisz.

Danielewicz dotyka ramienia żony.

– Ja... ja nie mogę... Ja nie pozwolę...

317

– Przepraszam, muszę się pakować – Teresa odwraca się i wyjmuje bieliznę z szafy.

– Tereso! – wybucha Adam. – Byłem szalony! Głupi i szalony, podły i szalony, ale teraz to widzę i błagam cię, zrozum, że to się zdarzyło jeden raz i nigdy, nigdy się nie powtórzy. Czy nie możesz mi wybaczyć?...

Teresa długo milczy.

– Nie, nie mogę ci wybaczyć. Mogłabym zapomnieć, że pokochałeś inną kobietę. To mogłabym ci zapomnieć. Jest tyle dziewcząt ładniejszych, młodszych ode mnie. Mogłoby się zdarzyć, że któraś z nich podobałaby ci się bardziej niż ja. Ja także nigdy nie twierdziłam, że jesteś szczytem doskonałości, ale byłeś tym, którego wybrałam i którego nigdy bym nie skrzywdziła. A ty mnie krzywdziłeś i tego nie mogę ci zapomnieć. Pokochawszy inną, tego samego dnia zabiłeś mnie. I nie było ci żal, nie było ci żal, kiedy patrzyłeś, jak umieram.

– Tereso!

– Nie mogę ci wybaczyć tego, że byłeś okrutny. Myślałeś tylko o sobie. Mieszkaliśmy pod jednym dachem, nawet spaliśmy na jednym tapczanie, ale ciebie tu nie było, ciebie tu już od dawna nie ma... Po co tu dzisiaj przyszedłeś?

– Przyszedłem, żeby cię stąd nie wypuścić, by cię błagać...

– O wybaczenie, tak? Cóż to jest to wybaczenie? Czy można pójść do apteki i poprosić o proszki na wybaczenie? Czy można powiedzieć sobie „wybaczam" i wyrzucić z pamięci wszystko, co bolało? Ty byś to potrafił? Odpowiedz.

– Gdybym bardzo pragnął, żeby wszystko było tak, jak dawniej...

– Ale ja już tego nie pragnę.

– Kochasz go? – pyta Danielewicz cicho.

– Czy w mojej sytuacji mogłam nie pokochać człowieka, który jest dla mnie dobry?

318

– A dlaczego teraz płaczesz?

– Wcale nie płaczę. Pomóż mi zamknąć walizkę. Drobne uprzejmości mogą z nas jeszcze zrobić przyjaciół.

– Wszystkie... wszystkie swoje rzeczy zabrałaś...?

– Na razie te, które będą mi potrzebne w najbliższych dniach.

– Nie masz zamiaru tu przychodzić?

– Po co... po co miałabym tu przychodzić?

– Tereso! Ja cię stąd nie wypuszczę! Nie wyjdziesz stąd! Opamiętaj się! Mamy dziecko!

Teresa podnosi głowę i dopiero teraz naprawdę patrzy Adamowi w oczy.

– Ja o tym ani na chwilę nie zapomniałam. Po co o tym mówisz?

– Po co o tym mówię? Jeśli nie zostało w tobie już nic, żadne wspomnienie, to ta jedna myśl... ta jedna sprawa... powinna wszystko zmienić. Mamy dziecko, wspaniałe, udane dziecko, z którego kiedyś możemy być dumni.

– Nie widzę powodu, dla którego nie moglibyśmy być z niego dumni... osobno.

– Czy ty myślisz, że ja pozwolę, żeby Krzysztof wychowywał się u obcych ludzi?

– Jeśli są dla niego lepsi niż rodzice?

– Przecież przez każdy dom przechodzą różne burze, a ludzie jakoś otrząsają się z nich i żyją dalej.

– A więc chodzi ci tylko o bezkarność.

– Tereso, myśl o Krzysztofie! Błagam cię! Myśl o Krzysztofie!

– Co do Krzysztofa wszystko jest postanowione. Będzie u Pauliny do czasu... do czasu, aż ja się urządzę...

– Czy nie zapomniałaś przypadkiem, że on ma jeszcze ojca?

– Sąd na pewno przyzna dziecko mnie.

– Informowałaś się u adwokata?

– Tak.

– No cóż… Jak widzę, przemyślałaś zagadnienie wszechstronnie. A czy zastanowiłaś się także i nad tym, jak Krzysztof poczuje się w nowych warunkach?

– Będzie ze mną!

– I z tym obcym mężczyzną, do którego na pewno trudno będzie mu się przyzwyczaić.

– O to się nie martw! Dzieci łatwo przywiązują się do tych, którzy są dla nich dobrzy. Krzysztof na pewno… – głos Teresy załamuje się – na pewno… go polubi…

– Na twoim miejscu nie byłbym tego tak pewny. Dzieci mają dobrą pamięć, a Krzysztof jest już dostatecznie duży, aby zdawać sobie ze wszystkiego sprawę.

– I to mi mówisz ty! Ty!

– Tak, ja. W twoich rękach leży decyzja, czy Krzysztof będzie miał dom i normalne dzieciństwo, czy też…

– Milcz! Milcz!

– Nie będę milczał! Musisz to ode mnie usłyszeć. W swoich kalkulacjach na temat przyszłości nie wzięłaś pod uwagę jednego: że Krzysztof jest przywiązany także i do mnie. Tereso! On potrzebuje nas obojga.

– Milcz! Och, błagam cię, milcz!

– On potrzebuje nas obojga! Wszystko przemija, każda miłość się wypala – tak, ja to mówię, ja – to jedno jest trwałe i człowiekowi potrzebne. Nie mogłabyś być szczęśliwa, gdybyś to podeptała, Tereso.

– Przestań! Proszę cię, przestań!

– Musisz o tym pomyśleć! Musisz o tym uczciwie pomyśleć! Odłóż walizkę. Sama widzisz, że nie możesz tak odejść. Naszemu dziecku należy się chwila rozwagi, odpowiedzialnej rozwagi. On teraz śpi, niczego nie przeczuwa, a my musimy, wciąż myśląc, że on kocha nas oboje, rozstrzygnąć o jego

losie. Usiądź, Tereso. Nasze dziecko śpi i niczego nie przeczuwa. Ale my musimy, my musimy o nim myśleć.

XXIII

Marcin otwiera drzwi, gdy Teresa zaledwie dotyka dzwonka.
– Nareszcie! Myślałem już, że się ciebie dziś nie doczekam.
– Spóźniłam się na kolejkę.
– Na całe szczęście niedługo skończą się te dojazdy.
Chodź tu prędko, zobacz, co kupiłem! Sama powiedz, czy
nie wspaniały pasiak?
– Owszem.
– Powieszę go przy twoim tapczanie. Zobaczysz, jak ci
będzie ładnie w tym kolorze.
– Co ty wygadujesz, Marcin? Jak może być ładnie
w czymś, co wisi na ścianie?
– Jeszcze jak! Ja będę wszystko dobierał do ciebie. Do
twego koloru włosów, do oczu, do tych brzydkich piegów
na nosie...
– Wyjdźmy, Marcin. Nigdzie dziś nie wyjdziemy?
– A dokąd mamy iść? Czy nam tu źle? Od kiedy mam
ciebie, lubię siedzieć w domu. Zrobię zaraz herbaty, mam
keks i słone paluszki.
– Ale... ale moglibyśmy się przejść... Na dworze zrobiło
się zupełnie przyjemnie.
– Przyjemnie? Popatrz, jeszcze włosy masz mokre od
deszczu. Gdzie chcesz spacerować w taką pogodę? O, mam
jeszcze orzechy! Kiedy byłem małym chłopcem, nie mogłem
po prostu doczekać się jesieni. Orzechy przy ciepłym piecu,
kiedy na dworze pada deszcz i szaleje wiatr. Tutaj wprawdzie
nie mamy pieca, ale przysuniemy fotel do kaloryfera i też
będzie nam dobrze. Poczekaj, nastawię wodę na herbatę. Czy
może wolisz kawę?

– Wszystko jedno.

– Nie chcę, żebyś mówiła „wszystko jedno". Obojętny stosunek do życia równa się negacji. A więc herbata czy kawa?

– Herbata.

Marcin znika w kuchence, ale co chwila wystawia głowę zza kotary.

– Nie masz pojęcia, jak się cieszę tym pasiakiem! Przechodzę Świętojańską koło cepelii i coś mnie tknęło, żeby wstąpić. Akurat dostali nowy transport. Ręczę, że jutro już by go nie było. Co za kolor! Ta soczysta zieleń i brąz! Powiedz szczerze, czy ci się podoba?

– Ależ tak, przecież już mówiłam.

– Wciąż mi się wydaje, że się nie cieszysz.

– Co ci przychodzi do głowy!

– Bo ja po prostu szaleję z radości, kiedy uda mi się coś ładnego dla nas zdobyć. Zobaczysz, jak ja umebluję ten pokój! Zanim dostaniemy większe mieszkanie, trzeba się tutaj urządzić jak najwygodniej. Dlaczego nie siadasz? Wciąż stoisz w tym samym miejscu, w którym cię zostawiłem.

– Już siadam.

– Nie tu. Przecież przysunąłem dla ciebie fotel do kaloryfera. Zawsze narzekasz, że ci zimno w nogi. Miałaś dzisiaj przynieść swoje domowe pantofle.

– Zapomniałam.

– Ja ci kupię. Dawno powinienem to zrobić.

– Nie, nie, Marcin, nie kupuj. Po co...

– Jak to po co? Żebyś miała się w co przebierać. Zgnieść ci orzecha?

– Proszę.

– Patrz, jaki ładny! I skórka z niego schodzi. Teraz orzechy są najlepsze. A z miodem! Zobaczysz, jak smakują z miodem!

– Zostań, Marcin, stale gdzieś biegasz. Wcale nie chcę miodu.

– I tak muszę przynieść z kuchni filiżanki. Wiesz, widziałem wczoraj na wystawie śliczny komplet do herbaty. Pójdziemy tam jutro razem, nie chciałbym kupować bez ciebie.

– Po co komplet... po co ci od razu komplet?

Marcin ustawia na stole filiżanki.

– A czy można spokojnie patrzyć na te czerepy? Każda inna. Kiedy byłem sam, nic mi nie było potrzeba, ale teraz...

– Zgnieć mi orzecha!

– O, proszę! Jednak smakują! Masz, jedz! I siedź sobie tutaj, grzej się przy kaloryferze, a ja będę gospodarował. Przekonasz się, jakim dobrym potrafię być gospodarzem. Już teraz widzę, ile mamy braków i co trzeba będzie zaraz kupić.

– Przestań wciąż myśleć o kupowaniu. Czy... czy nie szkoda w końcu pieniędzy...?

– Boże drogi, przecież ja żyłem dotąd jak pustelnik. Na co miałem wydawać? Dopiero teraz zaczynam odczuwać radość z zarabianych pieniędzy. Mam je dla kogoś! Tereska! Widzisz, ile wniosłaś do mego życia! Pragnienie posiadania. Chcę mieć ciebie i chcę mieć wszystko dla ciebie. Ty jesteś całym kapitałem mojego życia.

– Och, Marcin! Nie żartuj.

– Nie podoba ci się to porównanie? Dobrze, wymyślimy coś bardziej wzniosłego. Ty jesteś moim kompasem, który mnie będzie wiódł przez wody życia. To już lepsze, prawda? Poza tym to coś z mojej branży. Nawet się nie uśmiechniesz? Tereska!

– Ja... ja... ja muszę ci coś powiedzieć, Marcin.

– Co takiego?

– Ja... Marcin! Musisz mnie zrozumieć.

– O co chodzi? – pyta Marcin cicho.

– Och, mój drogi!

– Już nic... już nic nie mów...

– Ale musisz mnie wysłuchać!

— Nie trzeba... nie trzeba, żebyś o tym mówiła. Jeśli tak postanowiłaś, to wiem, że musiałaś tak zrobić. Masz orzecha.

— Marcin! Posłuchaj mnie, Marcin! On ma dopiero sześć lat! Gdyby był starszy! Gdyby był chociaż trochę starszy!

— Cicho. Nie trzeba o tym mówić, naprawdę nie trzeba o tym mówić...

— Muszę, Marcin, muszę. On ma dopiero sześć lat i potrzebuje nas obojga. Nie tylko mnie, ale i ojca. To się nie da zmienić ani odwołać, że ten człowiek jest jego ojcem...

— To się nie da zmienić ani odwołać...

— Myślałam... myślałam, że on przyzwyczai się do ciebie, że potrafi cię pokochać... Wiesz, jak to wyglądało...

— Nie trzeba o tym mówić, naprawdę nie trzeba o tym mówić.

— Gdybym tego nie zrobiła, nie moglibyśmy i tak być szczęśliwi.

— A... a teraz... będziesz?

Teresa krzyczy:

— Nie, na pewno nie! Ale on! On będzie miał nas oboje. Matkę i ojca, tak jak inne dzieci.

— Nie płacz, dlaczego płaczesz?

— Och, Marcin! Mój drogi!

— Nie płacz! Wiem, że wszystko, co robisz, jest słuszne. To powinno ci wystarczyć.

— Wiedziałam, że mnie zrozumiesz, wiedziałam. Ale przez to wcale nie jest mi lżej.

— Myśl o tym, że przecież to ja... ja właśnie powiedziałem ci, pamiętasz? Kiedy Krzysztof bał się sam w nocy, że wszyscy chłopcy boją się, gdy są sami, ale tym małym... tym małym trzeba ustąpić...

— Dziękuję, dziękuję, Marcin.

— Ja jestem po jego stronie. Kiedy dorośnie, powiedz mu, że byłem po jego stronie. Ponieważ pamiętam siebie z taką samą rozpaczą w sercu, kiedy traciłem to, co kochałem. Powiesz mu to, tak?

– Tak, powiem mu.

– Ja jestem silny. Myśl o tym, że ja jestem silny. Zamustruję na jakiś długi rejs, do Chin albo do Japonii... Będę miał wiele pracy i wiele wrażeń. Będę miał morze. Wrócę do niego. Myślałem, że zdobędę w życiu jeszcze coś poza nim, ale teraz ono będzie musiało mi wystarczyć... Chcesz już iść?

– Muszę, Marcin. On będzie czekał na mnie w parku w Oliwie i mamy razem pojechać po Krzysztofa.

– Dobrze, idź. Idź, tak będzie najlepiej. Idź! Idź jak najprędzej.

– Marcin!

– Poczekaj! Wcź, wcź to!

– Co mi dajesz?

– Klucz. Klucz od mego... od naszego domu... Zawsze będziesz mogła tu przyjść... Będziesz mogła tu wrócić... jeśli... jeśli wszystko nie ułoży się tak, jak myślisz. Będziesz mogła tu wrócić i czekać na mnie... I myśleć, że ja także... gdziekolwiek bym był... czekam na ciebie...

– Dziękuję.

– I jeszcze jedno: pozwól mi, abym czasem zawołał cię z morza jak dawniej. Pamiętasz? Mówiłem zawsze, że jesteś moją ziemią, ku której płynę.

– Tak, Marcin, tak.

– Moją ziemią, ku której się płynie, choć nie widać brzegu. Jest tylko nadzieja, nadzieja, że ona istnieje... Będę miał twój głos, twój głos i morze. To powinno mi wystarczyć, to mi wystarczy. Nie myśl, że będę nieszczęśliwy. Dałaś mi bardzo wiele, dałaś mi wspomnienia i nie zniszczyłaś ich. Będę je miał i będę mógł do nich wracać, ilekroć zapragnę... Nie smuć się, jestem szczęśliwszy od wielu ludzi. A teraz bądź tu jeszcze, przez chwilę bądź ze mną... Tak blisko... bardzo blisko...

– Nie zatrzymuj mnie, Marcin.

– Nie zatrzymuję cię. Wiem, że byś została. A musisz iść. Idź! Idź szybko i nie oglądaj się. Idź, moja droga, moja jedyna. Jesteśmy silnymi ludźmi i zawsze będziemy po stronie słabszych. Zawsze będziemy po ich stronie, choćby wymagali naszego cierpienia... Idź, biegnij szybko, nie oglądaj się za siebie, nie będę cię zatrzymywał, idź, ale pamiętaj, że zawsze... zawsze możesz tu wrócić..

Danielewicz czeka przed wejściem do parku. Stąd widać przystanek i autobusy nadjeżdżające z Gdyni. Kiedy z któregoś z nich wysiada wreszcie Teresa, idzie naprzeciw niej, ale nie ma odwagi podnieść oczu na jej twarz.

– Czy chcesz się przejść po parku, czy od razu pojedziemy tam?

– Wszystko jedno.

– Masz zamiar przez całe życie mówić tylko te dwa słowa?

– Przynajmniej dziś... Przynajmniej dziś nie powinieneś oczekiwać ode mnie niczego więcej.

– Przepraszam. Czy powiedziałaś Paulinie, o której przyjedziemy po Krzysztofa?

– Tak.

– Najgorsza sprawa będzie z przetransportowaniem jego łóżka. Trzeba będzie wziąć taksówkę bagażową.

– Chyba tak.

– Może od razu dzisiaj to załatwimy?

– Jak uważasz.

– Tylko nie pomieścimy się wszyscy, w szoferce jest jedno miejsce. Jutro przyjadę po łóżko, prawda?

– Tak, oczywiście.

– Wiesz, co kupiłem dla Krzysztofa? Zgadnij!

– Skądże mogę wiedzieć.

– Narty! Zobaczy je od razu, gdy wejdzie. Ustawiłem je w stożek pośrodku pokoju. Przekonasz się – będzie szalał ze szczęścia.

– Na pewno.

– Postanowiłem zacząć go uczyć jeździć już tego roku. Jak myślisz, chyba nie jest za mały?

– Sądzę, że nie.

– Wielka szkoda, że ty nie chcesz się dać namówić. Jeździlibyśmy całą rodziną. A może nabierzesz ochoty?

– Nie.

– Szkoda. Zobaczyłabyś, jaka to przyjemność. Uczyłbym was oboje.

– Jeśli on będzie tego potrzcbował.

– Kto? O czym ty mówisz?

– Jeśli j e m u będzie to potrzebne.

– Przerażasz mnie.

W głosie Teresy brzmi histeryczny ton.

– Wszystko mogę robić! Wszystko!

– Błagam cię, uspokój się.

– Och, nie bój się. Jestem spokojna. Jestem zupełnie spokojna. I będę robić wszystko, czego tylko ode mnie zażądacie.

– Rozumiem, że możesz mieć żal do mnie, ale dlaczego z taką mściwością używasz liczby mnogiej?

– Nie wiem, nie wiem.

– Jesteś bardzo roztrzęsiona. Może wstąpimy gdzieś po drodze i napijesz się czegoś.

– Czyżbyś na wszelki wypadek zabrał ze sobą proszki uspokajające? Powinieneś ich wziąć większą ilość – dla mnie, dla Pauliny, dla pana Antoniego.

– Tereso!

– ...dla Krzysztofa. Sądzisz, że spłynie to po nim jak woda?

– Czy masz zamiar resztę życia poświęcić na przypominanie mi...

– Nie myślmy o reszcie życia. Wciąż tylko o tym myślisz. Wystarczy na razie, jeśli z godnością przeżyjemy najtrudniejszy dzień, który się nam przydarzył. To już będzie wiele, bardzo wiele.

– Przepraszam.

– Nie masz mnie za co przepraszać. Jedźmy tam – trzeba to załatwić jak najprędzej. Będziemy się musieli teraz na zmianę zajmować Krzysztofem. Musisz uzgodnić swoje dyżury w szpitalu z moimi w Gdyni-Radiu, żeby zawsze ktoś mógł być w domu. Będziemy mieli dużo pracy, n a s z c z ę ś c i e będziemy mieli dużo pracy i to nam pozwoli żyć.

– Nianiu, czy mogę pobiegać z Łatkiem?

– Dobrze, tylko nie odchodź daleko od domu, żebym mogła... żebym mogła cię zawołać.

– Najdalej pójdę do Zdziśka. Bo on chce, żeby się Łatek zapoznał z jego psem. On mówi, że trzeba to zrobić teraz, kiedy Łatek jest szczeniakiem. Jego pies jest już duży, duże psy nie gryzą szczeniaków, a potem, jak Łatek dorośnie, to będzie za późno na zapoznanie.

– No dobrze już, dobrze. Idź. Ale weź kurtkę i szal.

– Po co szal? Ciepło!

– Ja ci dam ciepło. Trzeba jeszcze, żebyś akurat dziś się zaziębił.

– Dlaczego akurat dziś?

Paulina rzuca garnkami.

– Idź już, idź. A uważaj, żeby ciebie ten pies nie pogryzł.

– On nas nie pogryzie. Ani Łatka, ani mnie. Chodź, Łatek, idziemy!

Pies w radosnych podskokach tańczy wokół Krzysztofa.

— Widzi niania! On już wszystko rozumie. Wie, że jak ja wkładam kurtkę, to idziemy na spacer. Chodź, Łatek! Do pana! Chodź do pana!

— I dlaczego mu nie powiedziałaś? — odzywa się Wantuła z wyrzutem, gdy Krzysztof zatrzaskuje drzwi.

— A ty? Dlaczego ty tego nie zrobiłeś? Siedzisz przez cały czas i ani się nie odezwiesz.

— Nie mogę, Paulinko, nie mogę.

— A ja mogę, tak? Jak sobie pomyślę, to mnie od razu tak coś w sercu...

— Cicho, Paulinko, cicho. Nie nasze dziecko, trudno. Rodzice mają największe prawo... Trzeba się z tym pogodzić.

— A czy ja sobie tego nie tłumaczę? Przez cały dzień sobie tłumaczę, od kiedy Tereska mnie o tym powiadomiła. Powiedziałam jej nawet, że bardzo się cieszę, że postanowili do siebie wrócić, że Krzysztof będzie miał rodziców. Ale serce... serce, Antoni, mówi co innego. Jak tu teraz pusto, jak tu pusto u nas będzie bez niego.

— Będzie nas dwoje, czy to już ciebie nie cieszy, Paulinko?

— Och, Antoni.

— Widzisz, człowiek bardzo łatwo przyzwyczaja się do szczęścia. Dawniej myślałem, że będę już zawsze sam i musiałem się z tym pogodzić. Potem znalazłem ciebie. Nie grzeszmy, nie powinniśmy za wiele wymagać od życia.

— A czy ja co mówię, Antoni? Czy ja nie jestem szczęśliwa? Ja co dnia rano, kiedy się budzę, to się nadziwić i nacieszyć nie mogę. Czym ja kiedy myślała...

— Cicho, Paulinko, cicho! Chodź, nie skończyliśmy jeszcze naszej pracy w ogrodzie. Pomyśl o tym, że mieliśmy dzisiaj piękny dzień. Sadziliśmy drzewa i róże, i krzewy jaśminu. Nic żywego nie będzie już dla nas rosło, ale drzewa, któreśmy dziś posadzili, będą nam towarzyszyć przez całe życie. I przyrzeknij mi, że już nie będziesz się martwić. Nawet wtedy, kiedy oni po niego przyjadą. Jesteśmy we dwoje i tak nawet nie spodziewaliśmy się takiego szczęścia... Obiecaj mi...

Paulina ociera łzy.

– Tak, Antoni, tak.

– Chodźmy – Wantuła zabiera łopatę i powrósła. – Trzeba drzewka przywiązać do podpórek, żeby ich wiatr nie połamał. Zapowiadali przez radio, że w nocy może być sztorm. Nie darowałbym sobie, gdyby im się coś stało. Zobaczysz, że ta jabłoneczka będzie już miała na wiosnę kilka kwiatów. Jak ja będę czekał, jak ja będę czekał, żeby zakwitła! Wiesz, tak jakby całe moje życie było w tym jednym drzewku. Moje i mego ojca. On także zawsze pragnął, żeby mieć sad. I dopiero ja... ja mogłem urzeczywistnić to marzenie. O czym ty myślisz, Paulinko?

– A myślę, co on tam będzie jadł? Dobrej gosposi tak prędko nie znajdą, a jeśli po restauracjach zaczną dzieciaka włóczyć, to zepsują mu żołądek i na całe życie kaleka.

– Przecież obiecałaś mi, że nie będziesz już o tym myśleć.

– No, widzisz, co ja na to poradzę? Nie myślę, nie myślę i nagle okazuje się, że już znowu jestem przy tym.

– Podaj mi powrósło. Jeśli nie przestaniesz się martwić, to pomyślę sobie, że ci tylko ze mną, we dwoje, źle i nudno.

– Antoni!

– Naprawdę na nic innego nie wychodzi.

– Ale co też ty, Antoni! Ty swoją drogą, a dzieciak swoją drogą. Przecież ja go wychowałam! Dnia nie było, co tam dnia, godziny nawet, żebym przy nim nie była.

– Cicho! Ani słowa! Do czego to podobne? Jeszcze mi się rozchorujesz. Spójrz lepiej na tę ścianę. Dobrze by było dzikie wino przy niej posadzić. Wino szybko rośnie, wróble lubią się w nim gnieździć, mielibyśmy pod oknem całą ptasią kapelę. A może by tak zbudować altankę? Nie chciałabyś mieć altanki?

— Dlaczego bym nie chciała? Nigdy w życiu nawet nie pomyślałam, że będę kiedyś miała ogród, to nawet sobie tak od razu nie mogę wyobrazić, co by powinno w nim być.

— Daję słowo, zrobimy altankę! W lecie będzie nawet można w niej spać albo przynajmniej posiedzieć. Krzysztof mógłby się w niej bawić...

— Teraz ty zaczynasz.

— A właściwie dlaczego on by nie mógł przynajmniej w lecie być u nas? Powietrze tutaj lepsze niż w Gdańsku.

— Na mnie krzyczysz, że o tym rozmyślam, a sam...

— No bo żal dzieciaka. Co ja poradzę, żal i koniec.

— Nie myśl, mój drogi, nie myśl o tym. Czy nie dobrze by było tutaj pod płotem posadzić trochę porzeczek? I galaretkę byłoby z czego zrobić, i wino.

— Nie mam nic przeciwko porzeczkom, ale przydałoby się i trochę malin.

— Krzysztof tak lubi maliny! Ja mu zawsze przynosiłam z targu, ale kto teraz o tym pomyśli?...

— Paulinko!

— Och, znowu! To na nic, Antoni, my tego tak prędko nie zapomnimy. Szkoda się oszukiwać. Musi wyboleć do końca, nie ma innego ratunku. I popłakać czasem trzeba będzie.

— Tylko nie teraz, bo zdaje się, że jadą. Paulinko, przyrzeknij mi, że...

Przed domem zatrzymuje się taksówka. Paulina usiłuje przybrać spokojny wyraz twarzy.

Teresa wysiada powoli z samochodu.

— Dzień dobry, nianiu. Dzień dobry, panie Antoni!

— Dzień dobry — odpowiada cicho Wantuła.

Tylko Danielewicz pragnie odnaleźć ton rozmów na Rajskiej.

— O, widzę, że nic tak zdrowiu nie służy, jak praca na świeżym powietrzu. Pan Antoni rumieńców nabrał.

– Ano, trzeba wziąć się trochę do roboty – odpowiada nieco sztywno pan Antoni. – Na ogrodnika mnie nie stać, to muszę sam się wyuczyć ogrodniczego fachu. Zapraszam na przyszły rok do ogródka. I altanka w nim będzie, i maliny... – urywa i patrzy spłoszony na Paulinę, ale Paulina wpatruje się w Tereskę.

– Czy niania mu już mówiła?

– Nie.

– Dlaczego?

– Sama mu powiesz. Rzeczy wszystkie spakowałam, jak się należy, ale co do tego, żeby mu powiedzieć, to już ty sama albo pan doktór...

– Och, nianiu.

– A gdzie on jest? – wtrąca Danielewicz sucho.

– Lata gdzieś tu niedaleko. Z Łatkiem – odpowiada Wantuła czyniąc nieokreślony ruch ręką.

– Z kim?

– Z Łatkiem. Z psem. To jego pies.

– Jeszcze tego brakowało. Teresko, robi się późno, musimy jechać.

Wantuła opiera łopatę o drzewko.

– Ja go poszukam.

– Poczekaj – szepcze Paulina. – Ja... ja go zawołam. Krzysztof! Krzysztof!

Krzysztof bawi się z nowym kolegą, ze Zdziśkiem z sąsiedniego domu. Gdy z daleka dobiega wołanie Pauliny, chłopcy milkną.

– Wołają cię – mówi Zdzisiek.

– Zaraz idę! – odwrzaskuje Krzysztof i swoim zwyczajem nie rusza się z miejsca.

– Ty już tu zostaniesz na zawsze?

Krzysztof odpowiada po długiej chwili:

– Tak.

– Nie masz tatusia i mamusi?

– Nie.

– Umarli?

– Nie. Ich tylko nie ma.

Znów rozlega się głos Pauliny:

– Krzysztof! Krzysztof! Chodź zaraz!

– A kto to cię woła? – pyta Zdzisiek. – Babcia?

Krzysztof patrzy na niego i mruga powiekami.

– Babcia – odpowiada cicho.

I nagle zaczyna biec wołając z całych sił:

– Babciu! Już idę, babciu! – potyka się, przewraca i podnosi, ale wciąż nie przestaje krzyczeć: – Babciu! Babciu! Już idę!

O dalszych losach bohaterów
opowiada powieść „Kochankowie róży wiatrów"

Chcesz mieć na półce
całą kolekcję powieści
Stanisławy Fleszarowej-Muskat?

Zamów prenumeratę!

Zyskasz pewność, że żaden tom Ci nie umknie,
w dodatku zapłacisz mniej!

WARUNKI PRENUMERATY

Przy płatności jednorazowej:
za tomy 1–34 ➜ **340 zł**   za tomy 2–34 ➜ **330 zł**

Przy płatności w dwóch ratach:
za tomy 1–18 ➜ **180 zł**   za tomy 19–34 ➜ **160 zł**
lub
za tomy 2–18 ➜ **170 zł**   za tomy 19–34 ➜ **160 zł**

■ Żeby zamówić prenumeratę, zadzwoń pod numer
(22) 584 22 22 (pn.–pt. w godz. 8.00–17.30)
i podaj wybrany wariant (tomy **1–34** lub **2–34**) oraz
sposób płatności (jednorazowo czy ratalnie).

■ Możesz też zamówić prenumeratę, wysyłając e-mail
pod adresem **bok@edipresse.pl**.

W tytule wpisz „Fleszarowa-Muskat", a w treści podaj
imię i nazwisko, dokładny adres z kodem pocztowym
oraz wariant prenumeraty (tomy **1–34** lub **2–34**) oraz
sposób płatności (jednorazowo czy ratalnie).

WARUNKI PŁATNOŚCI

■ Zamawiając wszystkie tomy, opłaty dokonasz po otrzymaniu pierwszej przesyłki z tomami od 1 do 2, wpłacając należną kwotę na podany numer konta, który będzie dostarczony wraz z pierwszą przesyłką, oraz po otrzymaniu tomów 19 i 20 (tylko przy płatności w dwóch ratach).

■ Jeżeli zamówisz prenumeratę po ukazaniu się drugiego tomu na rynku, opłaty dokonasz przy odbiorze pierwszej przesyłki (płatność jednorazowa).

■ Jeżeli zamówisz prenumeratę po ukazaniu się drugiego tomu na rynku z płatnością ratalną, opłaty dokonasz przy odbiorze pierwszej przesyłki oraz po otrzymaniu tomów 19 i 20, wpłacając należną kwotę na podany numer konta.

Kolejne przesyłki będą dostarczane
nieodpłatnie wprost do domu!

Całą kolekcję oraz poszczególne tomy można zamówić również w sklepie internetowym:

www.hitsalonik.pl.

Znajdziesz tam możliwość zapłaty za pobraniem, przelewem lub kartą kredytową.

Administratorem danych osobowych jest Edipresse Polska SA, ul. Wiejska 19, 00-480 Warszawa. Dane prenumeratorów będą przetwarzane w celu wysyłania zamówionej prenumeraty wraz z ewentualnymi próbkami produktów i gadżetów firm reklamujących się na łamach czasopism/kolekcji oraz w celu marketingu własnych produktów i usług administratora. Dane uczestników konkursów będą przetwarzane w celu realizacji umowy przystąpienia do konkursu i jego prawidłowego przeprowadzenia lub marketingu własnych produktów lub usług organizatora konkursu. Każda osoba udostępniająca swoje dane osobowe ma prawo do ich wglądu oraz weryfikacji a także złożenia sprzeciwu wobec przetwarzania danych w celach marketingowych. Podanie danych jest dobrowolne. Dane nie będą udostępniane innym podmiotom, z wyjątkiem podmiotów uprawnionych na podstawie odrębnych przepisów.

Już za 3 1125 00899 3337 rca
– następn___ ___ tej znakomitej kolekcji!

Kochankowie róży wiatrów to kontynuacja losów bohaterów powieści *Milionerzy*. To samo środowisko mieszkańców Wybrzeża, podobne problemy, dramaty, radości i emocje. Tym razem pisarka skupia się na przeżyciach kilku rodzin, w których mężowie wyruszają w długi rejs do Japonii, a żony zostają w domu z dziećmi. Cała gama uczuć, z jakimi przychodzi w tej sytuacji zmierzyć się dorosłym, zostaje skonfrontowana z naiwnym, pełnym ciepła spojrzeniem dziecka na nieproste relacje między rodzicami.

Kolejne tomy serii ukazują się co dwa tygodnie w czwartki

W NAJBLIŻSZYM CZASIE UKAŻĄ SIĘ:

Powrót do miejsc nieobecnych	**12 kwietnia**
Czterech mężczyzn na brzegu lasu	**26 kwietnia**
Pozwólcie nam krzyczeć cz. 1	**10 maja**